월
야
환
담

월야환담 광월야 ·· 6

홍정훈 장편 소설

초판 1쇄 찍은 날 2017년 05월 08일
초판 1쇄 펴낸 날 2017년 06월 23일

지은이 홍정훈
펴낸이 서경석

편집책임 이창진 | 편집 신보라, 이선근 | 디자인 신현아

펴낸곳 도서출판 청어람
등록번호 제387-1999-000006호 | 등록일자 1999. 5. 31
어람번호 제8-0097호

주소 경기도 부천시 부일로 483번길 40 서경B/D 3F (우) 14640
전화 032-656-4452 | 팩스 032-656-4453
http://www.chungeoram.com | E-mail chungeorambook@daum.net

ⓒ 홍정훈, 2017

ISBN 979-11-04-91300-6 04810
ISBN 979-11-04-91294-8 (SET)

광월야

6

월야환담

홍정훈 장편 소설

도서출판 청어람

차례

第31夜

무자격자의 방식

1

아낙스는 본래 흡혈을 필요로 하지 않는, 홀로 완전한 존재였다.

그에 비하면 다른 뱀파이어들은 타락하고 파괴된 존재였다.

외부의 생명을 흡수하지 못하면 소멸하는 가련한 존재.

깨진 그릇으로 물이 줄줄 새는 것처럼, 뱀파이어들의 생명력은 줄줄 흘러나오고 있었으며 그 생명력과 영성을 충족시키기 위해서 살아 있는 인간의 피를 빨아 그 영성을 흡수해야 했다.

하지만 지금은 아낙스도 타락했다.

혈족을 늘리고 자신의 능력을 더 많은 존재에게 주기 위해서 그는 자신의 분신을 만들었다.

네 마리 뱀과 그 휘하의 오라클들을 만들고 그는 오라클들의 눈을 주술적으로 제거해 재생조차 못 하게 만들었다. 안구를 제거함으로써 시각 정보를 처리하던 두정엽(頭頂葉)의 뇌세포가 전두엽에 포섭되어 사고 능력이 향상되는 것이다.

서번트 신드롬, 피치 못할 부상을 입은 이들에게 일어나는 뇌세포의 구조 조정을 테트라 아낙스는 강제로 일으켰다.

그리고 그들을 우주 궤도에 머무르게 하기 위해 우주정거장을 만들었다. 우주 공간에서 인류를 감시하고 인간의 정보를 빼앗아 미래를 예지하는 거대한 감시망이 완성된 것이다.

유타―네바다의 플렉스 재단의 연구 단지 내에는 바로 그 오라클들이 복귀해 재활 훈련을 하고 있었다.

발달한 플렉스 재단의 의료 기술과 본래 뱀파이어인 그들의 생명력은 어렵지 않게 안구를 재건할 수 있었다.

그러나 안구가 재건된 것만으로는 시력이 회복되지 않는다.

이미 그들의 시각 정보를 처리해야 할 두정엽의 뇌세포는 전두엽에 포섭되어 예지 능력을 발휘하게 변용되었다.

눈이 있어도 시각 정보를 뇌에 전달할 수가 없는 것이다.

이것은 현대 의학으로도 도저히 해결하기 힘든 난제였다.

하지만 강력한 텔레파시 능력을 가지고 있는 테트라 아낙스라면 불가능하지는 않다.

다만 텔레파시로 두정엽의 시각계를 재건한다는 건 낙숫물로 주춧돌에 구멍 뚫는 것이나 다를 바 없다.

가능은 하지만 오랜 시간이 걸린다는 의미다.

그에 사용되는 물적, 심적 자원도 이만저만이 아니다.

그만큼 고도의 텔레파시 제어는 테트라 아낙스 정도가 아니면 해낼 수 없다.

오라클 시스템을 폐지한 서린이 뱀파이어들을 감시하고 통제하는 데만도 바쁠 텐데 저들을 구원하느라 관리를 도외시한다고?

하지만 서린은 실제로 그렇게 했고 그래서 앙리 유이가 반기를 들어도 그를 통제할 수가 없었다.

게다가 그 결과 아담카드몬 아낙스가 서린을 테트라 아낙스에서 배제해 버림으로써 오라클 시스템은 부활했다.

간신히 재활에 들어갔던 오라클들은 다시금 시력을 잃고 거대한 시스템의 톱니바퀴가 되어 돌아가기 시작했다.

"하지만 덕분에 가망이 좀 생겼지."

앙리 유이는 오라클 시스템과 그 재건 시스템을 설명하면서 전방을 주시하고 있었다. GMC의 대형 밴, 사바나가 육중한 몸체를 흔들 때마다 조수석에 앉은 실베스테르의 긴 은발이 흔들린다.

한세건은 그 뒤에 앉아서 외쳤다.

"무슨 가망?"

"오라클 중에 이 몸의 프로토 타입 아웃레이지에 오염당한 이들이 있다."

"어떻게 오염시켰지?"

"지상의 오라클 시스템은 고든이 약간 이상해진 후에도 접근할 수 없었지만 우주에 있던 건 비교적 방어가 허술했다. 소유즈와 R—7 로켓을 하나 임대해서 우주 공간에서 직접 그들에게 감염시켰지."

"…소유즈를 임대했다고?"

듣고 있던 한세건이 혀를 찼다.

마법 같은 불확실한, 될지 안 될지 모르는 걸 걸기 위해서 사비를 털어서 우주로 로켓을 쏘다니?

돈이 얼마나 많아야 가능한 짓일까?

'앙리 유이는 테트라 아낙스의 지혜라고 말하는, 사실은 투자 정보를 얻지 않는 걸로 아는데… 뱀파이어들 간에서는 테트라 아낙스의 수제자이면서 아웃로인 걸로 유명하잖아? 그래도 막대한 재산을 가지고 있는 걸까? 건방진 뱀파이어 놈들. 돈이면 귀신도 부린다는 한국 속담이 있지만 이놈들의 경우는 귀신 놈들이 돈을 가지고 있으니……'

한세건은 뱀파이어 헌터들 사이에서 진마사냥꾼으로 존경받고 있지만 그럼에도 불구하고 모든 헌터가 한세건을 존중하진 않는다.

개중에는 '그 미치광이 놈이 폭탄을 터뜨려 대서 우리가 피해를 본다'고 피해 의식을 느끼는 이들도 있었다. 같은 목적, 같은 정체성을 가지고 있는 사람들끼리도 호오가 갈릴 수밖에 없다. 하물며 뱀파이어라는 정체성은 뱀파이어 헌터의 그것에 비하면 훨씬 느슨한 정체성이다. 뱀파이어가 되는 경로는 다양하지만 뱀파이어 헌터가 되는 경로는 다들 비슷비슷하기 때문이다.

이런 와중에 다른 뱀파이어들에게 막대한 피해를 끼치는 앙리 유이가 소유즈를 임대할 정도의 재력이 있고 조직력이 있다 니……?

"어린 시절에, 마술사가 관객을 뽑아서 그들의 마음을 읽는 마술을 신기하다고 여긴 적이 있었지. 사실은 그들이 한통속이 었는데. 모든 걸 알고 있는 예언자가 뒤통수를 맞는다면 그것은 사실 예언자도 한통속이기 때문이 아닐까."

한세건이 그렇게 중얼거리자 앙리 유이가 그를 돌아보았다.

"이제 눈치챘나. 내게는 테트라 아낙스 내에 내통자가 있었 지. 고든, 그 자신이란 내통자가."

"그런 것치곤 꽤 고생하는군. 이것도 실수하면 우주 미아가 될 텐데?"

우주 계획이라는 건 정말 천문학적인 예산을 먹으면서도 종 종 실패하는 법이다. 마법의 힘으로 인간들의 눈은 속여 넘길 수 있다고 해도 예지 능력을 가진 테트라 아낙스의 눈을 숨기며 우주에서 작업한다? 그것 자체가 있을 수 없는 난이도다. 게다 가 만약 그렇게 하다 실패라도 해서 우주 공간 저 멀리 날아가 우주 미아라도 되어버리면? 아무리 불사의 생명을 가지고 있다 고 해도 그게 오히려 재앙이 될 것이다.

그때 실베스테르가 입을 열었다.

"아마도 벌레로 분신을 만들었다가 버릴 수 있기 때문에 가능 했던 일인 것 같군."

앙리 유이는 아마도 벌레 분신을 로켓에 태워 우주로 날아간 뒤 테트라 아낙스가 인류에게 비밀로 하고 운용하고 있는 오라클 시스템용 우주정거장에 접근해 오라클들을 감염시켰을 것이다.

그리고 벌레로 만들어진 분신을 버림으로써 그의 육신을 구성하던 벌레들을 우주 공간의 먼지로 만들어 우주의 미아가 될 위험성을 회피하고 덤으로 증거도 인멸시키지 않았을까?

소유즈로 테트라 아낙스의 우주정거장과 도킹했다가 돌아왔다면 아무리 테트라 아낙스가 정신없던 상황이라 해도 모를 것 같지는 않으니 말이다.

설령 테트라 아낙스의 견제가 없다고 하더라도 앙리 유이 같은 음모가가 분신이 아닌 본체로 우주 공간으로 나가는 모험을 벌였을 것 같지는 않다.

"그래서 그 오라클을 회수하면 여전히 당신의 자원으로 쓸 수 있다는 건가?"

"그렇다. 내가 반드시 필요하다고 서린이 예언했다면 아마도 나만이 할 수 있는 이것 때문이겠지. 소거법으로 이 작전이 가장 유효하다고 판단한다. 이건 오직 나만이 할 수 있는 일이지."

앙리 유이는 자신감에 차서 그렇게 말했다.

자신만이 가능하다는 걸 두 번 강조하는 걸 보니 자신만이 할 수 있다는 일에 자부심이 가득한 모양이다.

그게 한세건의 심기를 거슬렸다.

"그러니까 네놈을 저기 테트라 아낙스의 연구 단지에 있는 오라클들에게 접촉시켜야 한다 이거지?"

"그렇다. 문제는 내 공격을 받아서 현재 테트라 아낙스의 방어 전력이 보강되었을 거라는 것이지. 나의 위협을 테트라 아낙스가 아예 무시할 수는 없었을 테니까.”

앙리 유이는 직접 미군 드론을 해킹해서 유타—네바다의 연구 단지에 헬파이어 미사일을 발사했었다.

서린이 테트라 아낙스의 수장이던 시절에 벌인 일이지만 그 결과 연구 단지의 방어 시설이 보강되었을 터……. 그 보강된 진지를 뚫어야 하는 처지가 될 줄이야.

“그렇군. 알겠어. 그럼 슬슬 돌입 준비를 하지. 오라클은 네가 직접 접촉해야 하나?”

“그렇…….”

앙리 유이가 그렇게 대답한 순간이었다.

푹!

갑자기 긴 장검 칼날이 앙리 유이의 가슴을 꿰뚫고 나왔다.

뒷좌석에 앉아 있던 한세건이 칼을 빼 들고 앙리 유이의 등골을 찔러 가슴 앞으로 관통시킨 것이다.

“윽… 이놈이!”

앙리 유이는 갑자기 자신을 관통한 한세건의 공격에 격분했다. 하지만 그가 반격하기도 전에 한세건의 손이 그의 눈을 덮었다.

‘아니? 꼼짝할 수가…….’

앙리 유이는 불현듯 인간이던 시절의 기억을 떠올렸다.

아직 어린아이이던 시절, 마법사 조직의 암살자로 훈련받던 때 자신보다 월등한 체격의 남자에게 붙들렸을 때의 무력감이 느껴졌다.

마치 맨손으로 목을 뽑아낼 것 같은 완강함 힘, 손을 돌리기만 해도 자신의 경추를 뽑아낼 것 같은 힘이 놀랍게도 한세건의 손에서 느껴졌다.

앙리 유이의 계통은 완력 자체가 그리 강한 타입은 아니지만 진마인 그가 이런 무력감을 느낄 정도라니?

뚜둑!

과연, 한세건은 너무나도 간단히 앙리 유이의 목을 부러뜨렸다. 마치 수수깡을 부러뜨리듯 손쉽게…….

물론 진마인 그가 이 정도로 죽진 않는다. 그러나 잠깐 의식을 흐리는 데는 충분했다.

"나라면 사법을 쓰진 않을 거야."

한세건은 그렇게 말하고 앙리 유이의 등에 꽂은 칼자루를 잡았다. 마치 바위에 박혀 있던 검을 뽑았다는 아더 왕 전설의 아더처럼 잠깐 숨을 고른 한세건은 단번에 쑥 칼을 치켜들었다.

투칵!

앙리 유이의 척추에 박힌 검이 빠져나오며 폐와 기관지, 쇄골과 승모근을 절단했다. 좁은 차량 안에서 한 짓이라 칼끝이 차량 천장을 뚫고 튀어 나갔다.

"크악! 미쳤나? 이게 무슨 망발인가?!"

"아니, 갖고 들어가기 좋게 좀 쪼개놓을까 하고."

한세건은 그리 답하고 앙리 유이의 팔을 산 채로 뽑았다.

앙리 유이가 놀라서 팔을 벌레 무리로 돌리려 했지만 한세건은 그의 팔이 벌레로 변하든 말든 주문이 적힌 면포 위에 던져

놓고 80년대 이전 정육점에서 종이로 고기 싸듯 앙리 유이의 팔덩이를 둘둘 말아 봉인했다.

"커흑……."

팔을 잃은 앙리 유이 때문에 자동차가 흔들리자 조수석에 앉아 있던 실베스테르가 한 팔로 턱을 괴고 왼팔로만 핸들을 잡아 차를 안정시켰다.

옆에서 칼부림이 벌어지는데도 시큰둥한 태도다.

"그래, 역시 뱀파이어와는 이 정도 거리감이 괜찮지."

"네놈들……."

앙리 유이는 기가 막혀서 한세건과 실베스테르를 돌아보았다.

"협력은 하고 있지만 착각하지 마."

한세건은 봉인한 앙리 유이의 몸 일부를 슬링 벨트로 묶어서 등에 짊어지었다.

"팬텀이 목숨으로 보증을 서긴 했지만 이자는 일단 받아둬야지. 성병에 감염된 네놈을 오라클 시스템에 꽂아 넣어서 저걸 감염시키려면 좀 휴대하기 편한 사이즈가 좋을 것 같고."

"하… 날 모욕하면 네 알량한 정의심이 충족되는가? 그대는 정말 어리석군."

앙리 유이는 쓴웃음을 지으며 상처를 수복시켰다.

그런데…….

치익…….

상처가 수복되지 않는다. 그것뿐만이 아니다. 상처로부터 혼팅이 마치 검은 가시덩굴처럼 자라난다. 마치 앙리 유이를 통째로 집어삼킬 기세였다.

"아니?!"

당사자인 앙리 유이는 물론 태연하던 한세건과 실베스테르조차 당황했다.

"젠장!"

앙리 유이는 즉시 신체 일부를 벌레화시켜서 혼팅에 닿은 부분, 닿지 않았으나 인접한 부분 전부를 분리해 방출했다.

"윽……."

"탐랑의 의식은 확실히 성공한 모양이군."

실베스테르는 자신의 바로 옆에서 벌어진 일을 보고도 강 건너 불 보듯 말했다.

"음……."

탐랑의 숙주가 된 한세건은 묘한 표정을 지어 보였다.

가볍게(?) 팔만 잘라낼 생각이었는데 제어되지 않는 탐랑의 힘이 앙리 유이를 죽일 뻔했다. 앙리 유이가 죽든 말든 그건 아무렇지도 않은데 제어되지 않는 힘이 되레 걱정이다.

"그래서 고작 감상이 그것뿐인가? 날 죽일 뻔하고도? 내 VT 인자에도 지금 걸로 꽤 손실이 많이 갔는데 말이지."

앙리 유이가 놀랍게도 정론을 말하고 있었다.

하지만 한세건은 코웃음 쳤다.

"어차피 절반 받기로 하지 않았나. 원래 뒈지라고 했던 것에 비하면 관대한 처사인데? 지금 이게 실수긴 하지만 뭐 탐랑의 힘을 확인해 볼 좋은 기회다. 시운전이라고 생각하고 참아."

"참으라고?"

"그 정도 인내심은 있겠지? 대마법사라면 말이야."

"……."

앙리 유이는 입을 다물었다.

그런데 한세건이 그런 앙리 유이를 보고 문득 봉인한 팔을 들어 보였다.

"그런데 이거 밀웜 뭉치 같아. 고슴도치나 애완용 도마뱀 먹이 같은데?"

"크읔……."

앙리 유이는 자신의 팔을 애완동물 먹이 취급 하는 한세건에게 진심으로 분노했지만… 여기서 격분해 버리면 일을 망친다.

'안 돼… 최소한 이 녀석들이 오라클 시스템을 공격할 때까진 참아야 해! 현재 테트라 아낙스의 연구 단지는 일전에 내가 드론을 탈취해 미사일을 꽂은 사건 때문에 방비가 강화되어 있을 것이다. 이 녀석들을 그 방어 시스템에 던져 넣어서 갈아버리면 되니까 지금 당장 사소한 짜증을 내선 안 된다.'

앙리 유이는 최대한 이성을 발휘해서 한세건의 도발을 참아 냈다.

"지금 이건 내 실수긴 하지만 난 당신에게 사과하지 않을 거야. 사과하거나 자책한다면 나 자신에게 해야지. 새로 얻은 능력을 제어하지 못하는 실수를 범했으니 그걸 자책해야겠지."

한세건은 그리 말하고 칼을 거두었다.

"이 정도 손대도 없었던 일로 생각하고 아담카드몬 아낙스에 대해서만 집중하라고. 알겠어?"

억지도 이런 억지가 없다. 그러나 앙리 유이로서는 따를 수밖에 없다.

물론 앙리 유이가 인간 학살에 대한 죄책감을 느껴서 그런 건 아니다. 다만 그가 통제할 수 없는 존재, 아담카드몬 아낙스가 그 뜻을 이루면 앙리 유이 역시 파멸하기 때문이었다.

천만이나 되는 인간을 죽였음에도 불구하고 앙리 유이는 자신이 존속할 수 있기를 바란다. 그를 위해서라면 한세건에게 굴욕을 당한다 해도 참을 만하다.

'어차피 이 탐랑의 힘은 오래 담을 수 있는 게 못 돼. 아무리 좋은 그릇이라도 반드시 깨진다.'

흔히들 찻잔 속의 태풍이라는 말을 쓴다.

하지만 정말 찻잔 안에 태풍의 거대한 에너지가 담겨 있다면 그 어떤 찻잔도 깨지고 만다.

'어차피 죽을 녀석, 시건방을 떨든 말든 최대한 뽑아 먹어 주마.'

앙리 유이는 악의로 분노를 억누르며 이를 갈았다.

플렉스 재단의 연구 단지로 들어서는 길은 전체가 플렉스 재단의 사설 도로로 되어 있었다.

일반 국도나 고속도로와 달리 이곳은 길목 길목마다 진입 차단용 스파이크 바리케이드가 설치되어 있다. 평상시는 노면 밑에 숨겨져 있다가 버튼 하나만 누르면 튀어나와서 타이어로 움직이는 차량을 막는 데다가 와이어까지 뿌려서 무한궤도를 쓰는 전차 차량조차 정지시킬 수 있었다.

하지만 현재 앙리 유이가 몰고 있는 사바나 밴은 아무런 저지 없이 연구 재단을 향해 도로로 접근하고 있었다.

"왜 잠잠한 거지?"

한세건은 이 상황을 이해할 수가 없었다. 앙리 유이가 오라클 시스템을 노린다는 건 서린도 예지한 일이다.

아담카드몬 아낙스가 이걸 예지하지 못했을 리가 없다.

게다가 앙리 유이의 행보는 사실 너무 뻔했다.

그는 13사도회의 주교로서 몰타에서 솔트레이크로 날아오는 전세기를 빌렸다.

자금 사용처가 너무 명확했다. 예지 능력이 없더라도 조금만 관심을 기울이면 쉽게 찾을 수 있을 정도였다.

'이렇게 도발해도 잘 참아내고 있는 걸 보면 역시 우릴 테트라 아낙스의 방어진에 던져서 갈아 마실 생각인 거겠지? 뻔히 보인다. 소인배 녀석.'

한세건은 내심 앙리 유이의 속셈을 짐작하고 있었다.

문제는 앙리 유이가 이렇게 노골적으로 행적을 드러내는데도 테트라 아낙스의 반응이 없다는 것이다.

아니면 이것도 그 아담카드몬 아낙스의 균형 감각에 의하면 봐줄 만한 일이라서 이렇게 여유를 부리는 걸까?

그런 생각을 하고 있을 때였다.

찡…….

그것은 매우 찰나간에 벌어진 일이었다.

갑자기 뭔가가 유리창에 닿는다 싶은 순간 차량 전면 유리창과 보닛이 고열로 불타올랐다.

"컥!"

앙리 유이가 순식간에 수천수만 마리의 벌레로 변해 흩어졌다. 실베스테르는 차량의 문을 뜯고(주행 중이라 자동잠금장치가 가동되어 잠겨 있었다) 옆으로 탈출했고 한세건 역시 차의 창문을 뚫고 뛰어내렸다.

치이이익!

놀라운 일이 벌어지고 있었다. 갑자기 차량 전체가 순식간에 녹아버린 것이다.

"뭐……."

달궈진 아스팔트에 내려선 한세건이 몸을 굴려 착지하고 그 모습을 보며 기겁했다.

차량이 끓어오르고 있었다.

"뭐냐, 이건?"

벌레 뭉치가 뭉쳐져 다시 본래 모습으로 돌아온 앙리 유이가 기겁했다.

"레… 레이저 병기인가?"

한세건은 차량이 부서지는 모습을 보고 상황을 깨달았다. 강력한 고출력 레이저가 차량을 녹여 버린 것이다.

COIL(Chemical Oxigen—Iodine LASER:산소 요오드 화학 레이저) 같은 것일 것이다.

이런 화학 레이저 병기는 SF 영화에서처럼 레이저가 형형색색으로 빛나진 않는다. 빛이 그렇게 많이 난다는 건 대기 중에서 산란된다는 증거. 산란되는 레이저가 먼 거리에 효과적으로 열을 전달하기 힘들 것이다.

'뭐 이런 SF 같은 무기가… 어디서 방출되고 있는 거지?'

한세건은 일단 길가의 바위 뒤에 숨어서 주위를 살펴보았다.

아직도 테트라 아낙스의 연구 단지까지는 7~80킬로미터는 남은 상황.

그 와중에 있는 시설물에서 레이저를 발사하는 것일까?

—화학 레이저로군. 중수소 플루오르 화학 레이저(DFL:산소—아이오딘 대신 중수소—플루오르를 쓰는 불화중수소 레이저)인 것 같다.

실베스테르가 즉시 무선통신으로 전환해서 이야기를 걸어 왔다.

"그런 SF 같은 병기가……."

—이 몸 때문일 것이다.

앙리 유이가 회선을 통해 말을 걸어왔다.

"왜?"

—내가 일 시작할 때 플렉스 메디칼 연구 단지랑 본사에 헬파이어를 꽂아 넣었다고 말했지?

"……."

서린이 테트라 아낙스이던 시절, 앙리 유이는 반기를 들면서 화려하게 테트라 아낙스의 사유물에 미사일을 꽂아 넣는 퍼포

먼스를 보였다.

유의미한 타격은 주지 못했지만 테트라 아낙스의 명예를 훼손시키고 아웃로 뱀파이어들에게 테트라 아낙스가 절대적인 존재가 아니라는 걸 입증해서 아웃레이지에 쉽게 가담하게 했다.

거기까진 좋았는데 그렇게 맞은 테트라 아낙스가 아직 연구단계인 화학 레이저 병기를 실전에 배치한 것이다.

나비효과라면 참 기막힌 나비효과다.

그러나 한세건이 입을 다문 건 그 나비효과 때문이 아니었다.

'네놈이 그런 속셈인 건 알고 있었거든? 그럼 입 다물고 우리를 적진에 던져 넣어야지 왜 또 자기가 테트라 아낙스에게 얼마나 유의미한 적인지 자랑하는 거야? 뭔가 음모를 꾸미기에는 너무 테트라 아낙스에게 연연하는데?'

사랑도 증오도 동전의 양면이라고 했던가?

앙리 유이가 테트라 아낙스에게 어떻게든 유의미한 타격을 주려고 애쓰는 모습이 보기 역겹다.

이 알량한 자의식, 사이코 같은 놈의 자의식 때문에 많은 사람이 희생당하다니.

이런 녀석이라도 지금 제거해 버리면 결국 인류에게만 피해가 온다는 사실이 짜증 난다.

"차량은 잃었는데 어떻게 접근하지?"

테트라 아낙스의 사설 도로는 사유지임에도 불구하고 광활하다. 아직도 10마일 정도 남아 있는 거리를 차량도 없이 그저 걸어서 들어가는 건 자살행위다.

—밴 뒤에 모터크로스용 바이크를 두 대 실어놨다. 부서지지 않았다면 쓸 만할 거야. 나는 아무래도 직접 전투 타입은 아니니 너희 둘에게 부탁하지.

앙리 유이가 그렇게 말했다. 레이저로 전면부를 맞아 불타 버린 사바나 밴은 아직 연료에 불이 붙진 않아서 폭발하진 않고 있었다.

"레이저가 노리고 있는데 달려가라고?"

한세건이 반문하자 앙리 유이 대신 실베스테르가 대답했다.

—저 레이저는 직선으로밖에 쏠 수 없으니 어딘가에 사출용 탑이 있을 것이다. 화학 레이저의 공진기는 보잉이나 그루먼 노스롭이 연구하고 있음에도 불구하고 아직 소형화가 안 되었지.

공진기의 크기가 곧 레이저의 출력에 대응되는 화학 레이저의 특성상 순식간에 차량을 태워 버릴 만큼의 레이저는 대형일 것이다.

그러나 인근에는 어디에도 레이저 포탑이 보이지 않는다.

—수십 킬로미터 밖에서 쏜 것이라면 정밀한 사격 각이 나오진 않을 거다. 보통 DF 레이저 시스템은 대공 요격용일 테니. 아마 설치한 지 얼마 되지 않아서 테스트용으로 내렸는데 우리가 온다는 소식을 듣고 기다렸다가 한번 쏴본 게 아닐까?

상당히 낙관적인 전망이지만 그럴싸한 소리기도 하다.

레이저는 방공 시스템으로 쓸 때 그 진정한 가치가 드러난다.

저 정도 출력의 화학 레이저를 지상 표적용으로 쓰는 건 고래 잡는 칼로 모기 잡는 격이다.

앙리 유이의 습격일을 기준으로 중수소 레이저가 배치되었다면 시간상 아직 테스트 기간. 테스트를 위해서 지상 표적에 대한 사격 연습을 하다가 우연히 앙리 유이의 돌입을 알게 되었고 테스트 대상을 변경, 이쪽을 향해 쏴보았다는 가설은 그럴싸했다.

확실히 실베스테르의 예상대로 더 이상의 레이저 공격은 없었다. 대신 하늘 저 멀리… 무인기들이 날아오는 게 보였다.

"…아, 젠장."

레이저 공격이 없는 것을 확인한 한세건은 불붙기 시작하는 밴에 뛰어들어 뒷문을 열어보았다.

YZ—450 두 대가 한세건을 기다리고 있었다. 아마도 한세건을 위해 비행기에서 솔트레이크시티 내의 업자에게 주문한 신품으로 보인다. 밴은 바로 공격 대상이 될 거라는 걸 알고 있었기 때문인가? 그런데 왜 두 대뿐이지?

"길도 안 들인 완전 신품인가 보네. 뭐, 그래도 450이면 쓸 만하겠지만……."

이걸 타고 공대지미사일로 무장한 드론들을 상대해야 한단 말인가?

조금이라도 현대 무기에 대해서 알고 있는 사람은 미친 짓이라고 이구동성으로 외칠 것이다.

하지만 한세건은 어느새 모터사이클 위에 올라타 시동을 걸고 있었다.

"모처럼 미국이니까 스윙 암을 좀 긴 걸로 교체해 줬으면 더 좋았을걸. 뭐, 그런 것까지 앙리 유이에게 바라는 건 무린가?"

한세건은 오토바이에 동봉되어 있던 헬멧을 쓰고 부서지는 차량에서 뛰쳐나가 도로 위에 섰다.

대당 500만 달러에 달하는 무인기와 9,000달러짜리 모터사이클의 대결이 시작되었다.

2

서현은 말없이… 상점의 처마에 걸려 있는 등잔 같은 것을 바라보고 있었다.

주유소와 기념품 가게, 그리고 여행객들을 상대로 식사를 파는 BBQ하우스가 붙어 있는 이 시설의 처마에는 꿀벌과 벌새를 위한 휴식처가 마련되어 있었다.

플라스틱 페트병을 잘라 만든 잔 안에는 설탕물이 들어 있고 그 설탕물을 찾아서 꿀벌들과 벌새들이 날아온다.

벌새를 실물로 처음 본 서현은 그 모습에 감탄했다.

공중에 자유자재로 호버링하며 꿀을 빠는 새의 모습은 다큐멘터리 등에서도 종종 보여주던 것이지만 실제로 보니까 정말 작다.

저런 작은 동물이 먹고살겠다고 열심히 날개를 포드닥거리는 모습이 귀엽다.

"귀엽네. 다큐멘터리 프로에나 나오는 새인 줄 알았는데 이렇게 사람 사는 동네에 모습을 드러내는 새였구나."

현재 서현이 바라보고 있는 상점은 주유소 옆의 기념품 가게다.

유타 주에 위치한 이곳은 바위 계곡 지대를 지나 초원이 펼쳐진 길 어귀에 위치한 주유소로 주유소와 기념품 가게, 그리고 바비큐 식당이 있는 곳이다.

이 기념품 가게의 처마에는 벌새들과 꿀벌들을 위한 설탕물 접시가 마련되어 있다.

안에서 파는 기념품은 인디언, 정확히는 네이티브 아메리칸의 테마로 꾸며져 있지만 카운터를 보고 있는 직원은 전형적인 백인 아줌마였다.

벌새들 먹잇값이나 하라고 뭔가 살까 했지만 하나같이 사기 애매한 것들뿐이었다. 기념품이라고 저런 걸 사서 어딘가 진열해 두려면 미국처럼 집이 넓고 토지가 광활한 곳이나 가능하지 않을까? 도시에 살고 있는 사람들로서는 저런 오브제들로 공간을 차지하는 행위 자체가 크나큰 사치라고 할 것이다.

버스 여행 손님들이 멈춰 서서 물건들을 둘러보고 있지만 아무도 사 가지 않는다.

'으음……'

보다 못한 서현이 점원을 불러서 인디언 퀼트 제품을 사보았다. 벌새 먹잇값이나 하라는 생각으로 샀는데 들어보니까 촘

촘한 그물 구조가 물레타 능력을 쓰기 좋아 보인다.

'그런데 메이드 인 차이나잖아.'

상품 진열대에는 네이티브 아메리칸의 직물이라고 되어 있는데 메이드 인 차이나 딱지가 붙어 있다니⋯ 놀리는 건가?

'뭐, 벌새가 귀여우니까 봐줬다.'

그리 생각한 서현이 손을 펼치자 놀랍게도 벌새들이 날아와 서현의 손 위에 앉았다.

옆에서 그 모습을 보고 있던 중국계 아이가 놀라서 자기 엄마의 치맛자락을 끌었지만 서현이 손을 흔들자 벌새들은 다시금 날아갔다.

서현은 아이에게 윙크를 해 보이곤 몸을 돌렸다.

젊은 동양인 여성 한 명이 팔짱을 끼고 그 모습을 유심히 보고 있었다.

진마 정야였다.

"재미있어 보이는군요. 삶을 즐기고 계신 것 같네요."

그녀는 피로감이 묻어나는 목소리로 말했다.

태도를 봐서는 비아냥거리는 건지 진심으로 말하는 건지 모르겠다.

"무슨 의미로 하는 말이지?"

서현의 반응이 날카롭다.

애매한 잽으로 거리감을 재는 상대방에게 다짜고짜 한 방에 끝낼 기세로 스트레이트를 날리는 격이다.

놀란 정야가 한발 물러섰다.

"오해의 소지가 있었군요. 전 순수하게 그냥 이런 상황에서도 즐거워하는 게 보기 좋아서 말한 것뿐이에요."

보기 좋아서 말했다는 게 저런 냉랭한 태도라니. 빈정거리려고 말했으면 어쨌을까?

"그렇다면 그 순수함을 좀 더 정확하게 전달하라고. 좋은 의도를 가지고 있어도 그런 식이면 공격당할걸?"

"확실히 그렇군요. 제가 말을 건 순간 당신은 마치… 나의 적인지 아군인지 그것부터 결정하라고 위협하는 것처럼 보였어요."

정야는 그리 말하고 쓴웃음을 지었다.

"명쾌한 태도인 거지. 머리통과 심장이 쉽게 날아가 버리는 세상에서 살면 머리통과 심장 안에 들어 있는 감정이나 마음에 신경 쓰느라 전전긍긍하는 게 얼마나 바보 같은 짓인지 잘 알게 되거든?"

서현은 소년병 출신다운 이론을 전개했다.

"……."

"그래서, 무슨 뜻에서 하는 말이지?"

"그런 뜻은 아니에요. 긴 여행이 될 것 같아서 궁금해서 물어보는 거예요. 이전의 당신은 분명히… 이 세상을 증오한다고 생각했었는데요."

정야는 서현의 과거 행적을 알고 있었다.

"과거의 내 경우는 음… 테트라 아낙스가 관리직이니까 공격한다고 할까? 은행을 털기 위해서 우선 은행이 입주한 건물에 불을 질러서 혼란을 유발시키는 쪽이었지 딱히 세상 자체를 증오한다거나 혐오한다거나 하는 프레임을 가지고 있진 않아. 오히려 생각이 짧은 축이었지. 눈앞에 보이는 것들만 당장 처리하기에도 바빴으니까."

그래서 눈앞의 것들에서 해방되었을 때 비로소 서현은 자신이 저지른 일들의 무게를 깨달았다.

어머니 릴리쓰가 남겨준 무수한 재능과 힘을 투쟁에 낭비해 버리고 동생을 시기하고 증오하면서 자신의 처지에 한껏 도취되어 있었다.

사춘기 청소년이라면 누구나 한 번쯤은 겪는 질풍노도의 시기지만… 서현의 경우는 실제로 남들을 해치는 태풍이었다.

"그래서, 세상을 증오하지 않는다는 건가요?"

"그런 이야기를 하면 부끄러운데……."

서현은 얼굴을 붉혔다.

세상을 증오하네 증오하지 않네 하는 말을 할 때마다 과거의 부끄러운 기억을 후벼 파는 것 같아서 괴롭다.

그러나 상처를 마주하지 않고 도망친다면 또다시 과오를 반복할 뿐이겠지.

"당신은 세상을 증오하나?"

"글쎄요. 저는 제가 원하지 않는 전생을 얻어서 제가 저지르지도 않은 일에 대해서 책임을 져야 하니까요. 세상을 증오하냐고 묻는다면 대답하기 껄끄럽지만 사랑하냐고 묻는다면 단연코 사랑하지 않는다고 대답하겠어요."

"그래서 아담카드몬 아낙스가 제안하는 파멸에 마음이 끌린다 이거군. 안심해. 아담카드몬 아낙스에 대해서 이쪽 승률이 한없이 낮으니까 지면 당신이 원하는 대로 그 구차한 목숨을 끝낼 수 있는 거고 이기면 이기는 대로 창영이 살아서 좋잖아?"

"절 너무 바보 취급 하시는데요, 그건?"

정야는 서현의 말에 실소를 터뜨렸다.

서현은 정야를 별로 동정하거나 불쌍히 여기지 않는다.

'어차피 남이다.'

'자기의 일은 스스로 하자.'

'다만 조언을 원하면 감정이입 최대한 배제하고 현실적인 답은 해주마.'

뭐, 이런 포지션에서 접근한다. 그래서 차라리 정야의 마음에 와닿았다.

"먼저 가지요."

정야는 서현에게 살짝 고개를 숙여 보이고 그를 지나쳤다.

"흠… 역시 전생자라는 건 다 저런가? 안됐군."

서현은 정야에게서 어머니의 그림자를 보았다.

릴리쓰 역시 전생하는 존재라는 점에서 그녀와 닮아 있었다. 선택할 수 없는 영생불사, 강제적으로 얽히는 인연과 사건들 속에서 지쳐 보이는 모습…….

그 안에서 과연 릴리쓰는 무슨 선택을 한 것일까?

"즐겁지 않은 기억을 떠올리게 해……."

서현은 그렇게 말하다 문득 그의 어깨 위에 다시금 벌새가 찾아와 앉아 있는 걸 보고 쓴웃음을 지어 보였다.

"오래 걸렸네, 형?"

서린은 서현이 다녀오는 걸 보고 웃으면서 말했다. 구김살 없는 그 모습에 서현은 씁쓰레한 표정을 지으며 메이드 인 차이나 인디언 모포를 들어 보였다.

"총알받이를 사느라."

"그래? 꽤 오랜 시간 걸렸는데 그런 디자인이 마음에 들어서 심사숙고한 거야?"

"아니, 이 경우는 다 마음에 안 들어서 오래 걸린 셈이지."

서현은 그렇게 말하고 힐끗 정야와 창영의 상태를 확인해 보았다.

'앞에서는 '사람 대가리는 날려 버리는 거지, 그 안에 들어 있는 건 관심 없다'고 말한 주제에… 역시 신경 쓰이긴 한단 말이지.'

무슨 생각으로 저 여자가 말을 걸어왔는지는 모르지만 따로 자리를 옮겼으니 맞춰주는 게 예의겠지.

하지만 이럼 결국 저 여자 페이스에 말려들어 가는 거 아닌가.

그런 생각을 하던 서현은 갑자기 서늘한 한기에 옆을 돌아보았다.

한니발이 바라보고 있다.

소름이 돋는다.

한 일주일 다이어트한 사람이 막 튀긴 프라이드치킨을 바라보면 저런 시선일까?

"뭐냐? 하고 싶은 말이 있으면 해봐."

"아니, 이렇게 계속 아담카드몬 아낙스 눈치를 보면서 육로로의 미국 횡단 같은 무의미한 짓을 벌여야 해? 버블 시대에 먹고 살 만하고 시간은 넘쳐나는 대학생들이 인생 경험 쌓겠다고 하는 짓거리 같잖아. 미사일로 민항기를 격추시키든 말든 그냥 뉴욕에 낙하산 메고 돌입하는 게 훨씬 이득이겠다. 우린 미사일로 비행기를 떨궈도 살 수 있으니까. 정 사람 많이 죽는 게 신경 쓰이면 전세기를 쓰면 되잖아? 비행기 승무원들 정도밖에 안 죽겠구만."

한니발은 전부터 민간인 피해가 나든 말든 들이대자고 주장하고 있었다.

하지만 서린이나 서현 입장에서는 무고한 민간인을 죽게 하고 싶진 않았다.

그래서일까? 서린이 이죽거렸다.

"…라고 대학 문턱도 안 밟아본 10대 소년이 말했습니다."

듣고 있던 팬텀이 큽 하고 곤란한 표정을 지었다.

"10대… 정말 10대입니까?"

"맞는데?"

"……."

팬텀은 웃음을 참느라 곤욕을 치러야 했다.

한니발이 저 모습으로 10대라니?

하지만 사람의 외모를 가지고 웃음거리로 삼는 건 팬텀 자신도 혐오하는 행위였다. 한니발도 원해서 저런 모습인 건 아니겠지.

그렇긴 한데 웃음이 터져 나오는 건 어쩔 수가 없었다.

"아, 애쓰는 그 모습 참 보기 좋군. 도덕적으로 올바른 흡혈귀가 되고 싶어서 안달이신가 봐?"

한니발이 팬텀의 그 노력을 보고 빈정거렸다.

"실례. 죄송했습니다. 현재 저희가 시간을 무의미하게 끈다고 생각할지 모르지만 현재 앙리 유이와 한세건, 실베스테르 신부는 솔트레이크시티에 도착해 그곳에서 육로로 테트라 아낙스의 연구 단지에 접근하고 있습니다."

"…그게 뭐?"

한니발은 무슨 소리냐고 시큰둥했지만 서린은 그 의미를 즉시 깨달았다.

"오라클 재활자들을 노리는 건가요?"

가혹한 운명이다.

서린이 기껏 공들여서 그들을 재활시키고 있었는데 앙리 유이는 아담카드몬 아낙스에게 대항하기 위해 다시금 그들, 오라클들을 오염시키려 하고 있었다.

물론 따지고 보면 아담카드몬 아낙스가 각성한 그 순간 이미 오라클들의 운명은 정해졌다. 재활 활동은 중지되고 그들은 다시 거대한 시스템의 톱니바퀴가 되어 갈려 나갔다.

이미 그들이 톱니바퀴가 된 뒤 누가 그 톱니바퀴의 통제권을 가지느냐, 그런 수준의 싸움이 되어버린 것이다.

서린이 아담카드몬 아낙스에게 패배한 바로 그 순간 이미 오라클들의 구원은 무위로 돌아갔다.

테트라 아낙스의 수장으로서 과거 아낙스가 타락할 때 저질렀던 과오를 씻어내려 하던 서린의 의지가 무용지물이 되어버린 것이다.

입맛이 쓰다.

"그럼 좋아. 이렇게 있을 게 아니라 그쪽으로 합류하지?"

한니발은 목적지가 가깝다는 이야기를 듣자 즉시 그렇게 말했다.

"지금 가고 있는 중입니다. 우리의 행선지가 연구 단지니까요."

팬텀은 그렇게 대답하고 쓴웃음을 지었다.

남은 거리는 약 300킬로미터 정도… 상당히 먼 거리지만 미국 지도상에서 보면 코앞이다. 도로 규정 속도가 시속 65마일로 잡혀 있으니 10% 내외의 적절한 과속으로도 2시간 반 정도면 도착할 것이다.

'원래대로라면 이제쯤 요격이 시작되어야 했지만 어째서지?'

팬텀은 아담카드몬 아낙스의 반응에 의구심을 품고 있었다.

그런데 그때… 서린이 몸을 움찔거렸다.

"시작했군요."

"응? 뭐가?"

"아, 테트라 아낙스의 드론이 이륙해서… 방금 미사일을 쏘았어요."

서린은 무표정하게 그렇게 말했다.

그 말을 들은 한니발은 깜짝 놀라서 주위를 둘러보았다.

"표적은?"

"아, 우리가 아니라 세건 형인데……."

"젠장, 난 또 지금 여기로 쐈다고… 오해의 여지가 있게 말하지 마라!"

"서린에게 너무 그러지 마. 난 딱 듣는 순간 한세건이라고 알았는데?"

서현이 그렇게 말하자 한니발이 서현을 흘겨보았다.

"동생이라고 감싸는 거냐?"

"우리 형제간에 그런 건 없다. 다만 여기의 위치상 드론이 미사일을 발사하려면 동쪽 사면뿐인데 그쪽에 아무것도 없으니까. 그 정도는 너도 알 거 아냐?"

"…어쨌든 그럼 여기서 시간 낭비할 때가 아니군. 가자."

한니발은 일행을 보챘다.

3

하늘이 빙글 돈다.

그 순간 드넓은 초원이 한눈에 들어온다.

마치 하늘이 거대한 바다고, 그 바다로 자신을 내던진 것 같은 감각이다.

"즐겁군……?"

한세건은 무심코 그런 감상을 내뱉었다.

그리고 자신이 지금 이 상황을 즐거워하고 있다는 것에 놀라고 말았다.

한세건은 자신을 용서하지 않는다.

언젠가 정의의 응징이 자신을 덮쳐서 그의 죄에 대해서 벌해 주길 원했다.

그렇기 때문에 어느 순간도 자신이 무언가를 즐기는 것을 용납할 수가 없었다.

그래서 뱀파이어 헌터가 되기 전부터… 이 해방감을 즐기고 있었다는 기억도 흐릿해져 있었다. 삶을 즐기는 법도 그 기억도 흐릿해졌다.

그러나 지금 이 순간 그는 무심코 즐겁다고 찬탄을 내뱉었다.

'하지만 내가 지금 이걸 즐거워해야 할 처지인가?'

한세건은 공중에서 몸을 반전시키며 주위를 둘러보았다.

저 멀리… 드론들이 보인다. 인간에겐 먼 거리지만 미사일에게는 가까운 거리다.

즉 한세건은 지금 목숨을 걸고 이 곡예를 벌이고 있는 중이다.

'그래서인가… 더 마음이 편하군.'

비록 자신을 용서하지 못하는 자라도 지금 이 순간은 해방감을 느껴도 죄책감이 없었다.

왜냐면… 지금 테트라 아낙스의 무인기들이 공대지미사일로 무장하고 그를 뒤쫓고 있기 때문이었다.

'그렇다기보다는 절대악, 절대강자에게 저항할 때만은 나 자

신을 변명하려고 애쓸 필요가 없기 때문이지. 무슨 수단을 써도 용납될 것 같은 절대적인 적이라면!'

절체절명의 순간이지만 머릿속은 오히려 맑아진다.

중력의 힘으로 떨어지는 순간… 한세건은 간단히 바이크를 조작해서 체중과 바이크의 하중을 제어한다.

뒷바퀴로 붉은 바위를 찍고 그 기세를 타고 올라 재도약한다.

바위와 바위 틈 사이로 널뛰면서 빠르게 질주하는 그를 드론들은 쫓아가면서도 쏘지 못하고 있었다.

차라리 기총이 붙어 있으면 모를까 대부분의 드론들은 미사일 무기만 탑재하고 있었는데 한세건처럼 요동을 치며 바위 틈 바구니를 달리는 표적은 미사일로 쏠 수 있는 상대가 아니다.

한세건은 그렇게 드론들을 희롱하면서 테트라 아낙스의 연구 단지를 향해 돌진하고 있는 것이다.

"즐기고 있군."

실베스테르는 한세건의 움직임을 보고 혀를 내둘렀다.

멀찍이서 보면 평탄한 초원이지만 가까이에서 보면 커다란 바위들이 줄지어 늘어서 있다.

작은 바위 하나조차 대지의 뼈나 관절이 드러난 게 아닐까 싶은 장엄한 위용을 갖추고 있는데 그런 바위들에 거리낌 없이 돌진해서 위아래로 타고 오르며 미사일로는 도저히 공격할 수 없는 움직임을 만들어내고 있었다.

그러면서도 착실하게 거리를 좁혀가고 있다. 정말 저 모터사이클 한 대로 테트라 아낙스의 연구 단지에 돌진할 생각인 걸까?

'뭐, 혼자 선두에서 돌진하는 덕분에 내 쪽이 미사일 맞을 일은 없어서 다행이군. 미리 선도하면서 길도 열어주고 있고.'

실베스테르는 한세건의 뒤에서 좀 멀찍이 떨어져서 쫓아가고 있었다.

"그런데 왜 나도 함께?"

앙리 유이는 실베스테르의 뒤에 올라타서 혀를 찼다.

뱀파이어에게 등짝을 맡기는 건 미련한 짓이다. 아무리 흡혈욕을 자제할 수 있는 이라 하더라도 사람의 목덜미를 보면 물어뜯고 싶어지니까.

그러나 실베스테르의 존재는 뱀파이어에게 금속이나 유리와 다를 바 없다.

"난 후방 지원 타입이 맞을 텐데."

앙리 유이는 테트라 아낙스의 연구 단지에 쳐들어가는 미친 짓을 직접 할 생각이 없었다.

헌터 놈들이야 피를 보든 말든 그는 후방에서 안전하게 구경하고 있을 셈이었는데 실베스테르가 그 꼴을 봐줄 리가 없다.

"이봐, 뱀파이어. 넌 너 자신이 굉장히 똑똑하다고 생각하는 모양이지만… 네놈의 얄팍한 속셈쯤은 이미 잘 알고 있다. 우리를 테트라 아낙스의 방어막에 던져놓고 뒤에서 즐길 모양인 것 같은데."

"무, 무슨 소리인지 모르겠는데?"

"……."

이런 엉성한 딴청이라니.

실베스테르는 앙리 유이의 행동에 기겁했다.

'이 녀석, 분명히 천재 마법사에 사법사들의 대스승이며 가톨릭 교단의 비밀결사 수장이었지? 그런데 왜 이리 엉성한가? 아, 역으로 그렇기 때문인가?'

사이키델릭 문을 만들고 온갖 마법적 비약을 만들어낸 천재 마법사이자 13사도회의 주교, 마법사이며 성직자로서 최상위 계층에만 있던 앙리 유이는 그만큼 인간관계에는 서툴렀다.

자기 잘난 맛으로 2천 년을 두령이나 수령으로 살아왔으니 남에게 아쉬운 입장이나 대등한 입장이 되어본 적이 없는 것이다.

실베스테르는 대답 대신 앙리 유이를 뒤에 매단 채 한세건의 뒤를 따라 질주했다.

"아니, 이봐. 팔도 잘라 가놓고… 내가 왜?"

앙리 유이는 그렇게 항변했지만 실베스테르는 코웃음 쳤다.

"전 우주에서 유일하게 네놈 머리통이 필요한 일일지도 모르니까. 팔이 아니라."

앙리 유이는 자신에게 악담을 퍼붓는 이들에게 짜증이 났지만 그걸 신경 쓰기도 전에 저 멀리 흙먼지가 피어오르는 게 보였다.

플렉스 메디칼의 유타—네바다 연구 단지는 설령 그 어떤 상황이라 해도 보안 책임자가 상시 주둔해서 관리하게 되어 있었다.

현재의 보안 책임자는 계승자 브리아레오스.

구릿빛 피부를 가진 거인으로 눈이 있어야 할 위치를 안대로 가리고 있는 그는 대부분의 계승자가 그러하듯 피해 의식을 가지고 있다.

왜냐면 실제로 피해를 보고 있기 때문이다. 피해를 보고 있으니 피해 의식이 있는 것도 당연하지.

진마들에 비해서 손색없고 오히려 더 뛰어난 것 같은데 대접은 무슨 금지된 연구에서 태어난 프랑켄슈타인 박사의 괴물 취급이니 피해 의식을 안 가지려야 안 가질 수가 없다.

웃기게도 인간 피를 빠는 뱀파이어들이면서도 그들은 자신들의 혈통에 자부심을 가지고 있었다.

그런데 테트라 아낙스가 슬쩍 손대기만 하면 뱀파이어들을 콩나물처럼 쑥쑥 키워낼 수 있다는 사실이 두려운 거겠지.

자신들이 가지고 있는 혈통이라는 게 테트라 아낙스가 얼마든지 복제해 낼 수 있는 싸구려라는 것을 인정하지 못하는 것이다.

그러면서 테트라 아낙스에게는 뭐라 하지 못하고 그저 계승자들을, 그것도 직접 욕하진 않고 음험하게 뒤에서 빈정거리고 비아냥거린다.

계승자들이 다른 진마들처럼 자유로운 상황이라면 그들의 비아냥에 대해서 대가를 치르게 해줄 수도 있겠지만… 계승자들은 테트라 아낙스의 통제에 따르고 있었다. 아웃로라고 해도 진마를 함부로 공격하지 않는다. 그것이 테트라 아낙스가 계승자들에게 내린 명령이었다.

'부당한 배척이라 생각했었지만 지금 같은 상황이라면 확실히 저들의 배척이 옳았군.'

브리아레오스는 쓴웃음을 지으며 카메라 영상을 보고 있는 또 다른 계승자들을 바라보고 있었다.

한 명은 금발의 여성이다. 마치 모네의 그림, '라 자포네즈(La Japonaise)'에서 튀어나온 것처럼 새빨간 기모노 차림의 여성으로 부채 대신 커다란 우산을 들고 있었다.

그리고 다른 한 명은 흑발의 여성, 고딕 롤리타 드레스에 레이스 양산을 지팡이처럼 짚고 서 있다.

둘 다 우산과 양산의 길이가 1미터 80센티미터 정도… 단창이라 할 정도로 크다. 금발 적의, 흑발 흑의가 대조적인 이 두 여성에게서는 한눈에도 흉악한 기운이 흘러나오고 있었다.

앙리 유이가 만들어낸 아웃레이지, 그것을 아담카드몬 아낙스가 손본 변형 VT인자, 비셔스가 그녀들에게 집중되어 있었다.

비셔스 바이러스에 감염된 자의 대부분 이성을 상실하고 좀비 같은 존재가 되어 날뛰다 결국 커럽티드가 되어버린다는 걸 감안할 때 그들에게 주어진 것은 아마도 그것과는 좀 다른 것 같다.

이들은 안정화되어 있으며 이성도 그대로, 오직 뱀파이어로서의 능력만 대폭 상승해 있었다.

하지만 그럼에도 불구하고 브리아레오스는 그녀들에게 거부감을 느꼈다. 뱀파이어들이 계승자를 이질적인 존재로 보고 혐오했던 바로 그 불안감이 브리아레오스의 가슴속에서 솟구치고 있었다. 이런 존재가 눈앞에 있어도 되는 걸까?

'내가 그동안 배척받았는데, 같은 원리로 남을 배척하는 건 좀 그렇지만… 정말 걱정되는군.'

브리아레오스는 계승자로서 미완성이던 두 소녀에게서 뿜어져 나오는 사기를 느끼며 눈살을 찌푸렸다.

"뭐야, 모터사이클 하나로 지금 드론들을 따돌리고 있는 거야? 엄청나네?"

"아, 안 되겠어요. 아, 저희 그거 있지 않았나요? 프로펠러로 나는 무인기?"

그녀들은 그런 의견을 제시했지만 브리아레오스는 쓴웃음을 지었다.

"회전익 드론은 수십 킬로미터 밖까지 내보낼 수 없지."

제트엔진을 장착한 고정익 드론은 장거리 이동이 가능하지만 회전익 드론은 어디까지나 근거리용이다.

충전지로 날아다니는 것이라 가동 거리가 짧아 장거리를 이동하는 게 불가능하다.

"옛? 그, 그렇습니까? 죄송합니다, 브리아레오스 님. 저, 저는 역시 글러먹었어요. 흑… 난 쓰레기야. 멍청하게도 이런 머리를 달고 다니다니 죽음으로 사죄할 수밖에 없군요!"

흑발 여성이 자책을 시작한다.

그러자 기모노 차림의 금발 여성이 풋 하고 웃음을 터뜨렸다.

"뭘 그런 걸 가지고. 정통파 뱀파이어라는 놈들 중에는 아직도 VHS 예약 녹화도 못하는 놈들이 수두룩한걸? 대충 움직이는 걸 어떻게 쓸지 알기만 해도 대단한 거야. 정확한 작동 원리야 뭐, 몰라도 어쩔 수 없는 거고."

'이미 VHS는 멸종했다만……'

브리아레오스는 예시가 잘못되었다고 생각했지만 말해봐야 피곤하기만 할 테니 입을 다물었다.

"일단 무장 험비를 보내긴 했으니 너희 둘은 입 다물고 있어. 신경 사납군."

"네."

"죄, 죄송합니다. 무능하고 어리석은 제가 소리를 시끄럽게 내서."

"……"

두 소녀 모두 말대꾸를 한다. 애초에 입을 다물고 있으면 좋으련만… 특히 붉은 기모노 차림의 여성이야 그렇다 쳐도 흑발 여성 쪽이 짜증 난다.

자세는 더 굽실거리지만 말이 더 많아.

그러나 이제 와서 그걸 지적한다고 고칠 수 있을 것 같지도 않다.

앓느니 죽지.

브리아레오스는 끙 하고 혀를 찼다.

그런데 그때… 무전이 들어왔다.

─⋯서, 선발대 전멸!

"맙소사."

잠깐 한눈을 판 사이에 전멸이라니? 깜짝 놀라서 드론의 카메라 영상을 보니 잠시 후⋯⋯.

드론 역시 격추되어 사라졌다.

"드, 드론이 격추당했습니다."

"말도 안 돼. 저공비행을 해도 지표에서 800미터 이상을 날고 있었는데?"

지표 고도 800미터 이상, 한세건과의 거리는 3킬로미터 이상 떨어져 있었다.

즉 어지간한 개인화기는 닿지도 않는 거리, 혈인 능력이나 마법도 이렇게 먼 거리에서 유효한 것은 별로 없다.

"⋯⋯."

"아무래도 저희가 나서야 할 것 같은데요?"

"그, 그런. 사니타, 전 아직 자신이 없어요."

"사니타, 유할리. 너희들이 손님을 맞이해라."

브리아레오스는 이 두 계승자에게 한세건을 요격할 것을 명했다.

테트라 아낙스의 보안부대는 미사일로 요격이 불가능한 바위 사면을 타고 이동하는 한세건을 제압하기 위해 듀얼 링크 기관총으로 무장한 험비를 앞세워 다가오고 있었다.

후방의 드론들이 고도를 낮추어 바위 지대가 끝나면 언제든

지 미사일을 발사할 수 있도록 추격해 오면서 무장 병력으로 급
습한다면 상대는 그야말로 독 안의 쥐였다.

하지만 한세건은 상대가 포위망을 형성하는 걸 기다리지 않
았다.

갑자기 보안부대의 험비 차량 양옆으로 검은 가시나무 같은
그림자들이 뻗어 나오고…….

그 그림자 사이로 도폭선이 걸쳐졌다.

한쪽 그림자에서 튀어나온 도폭선이 반대쪽 그림자를 통해
들어가면 또 다른 그림자에서 도폭선이 튀어나온다.

검은 가시나무는 순식간에 험비 차량들을 에워싸고 그 안에
서 무수한 도폭선이 튀어나와 그들을 휘감았다.

"헉!"

"이런!"

놀란 병사들이 즉시 나이프를 뽑아서 도폭선을 잘라내려고
했지만… 검은 가시에 접촉하는 순간 이변이 일어났다.

투두두둑.

검은 가시가 자발적으로 뱀파이어들의 몸에 쑤셔 박혔다.

테트라 아낙스의 보안부대원 중에는 인간도 있었기 때문에
그 속에 섞인 뱀파이어들이 더더욱 두드러졌다.

"이건…….'

검은 가시에 찔린 뱀파이어들은 자신들의 VT인자가 와해되
는 것을 느끼며 몸부림쳤다.

철저히 뱀파이어를 파멸시키기 위해 만들어진 독이 살아 있

는 생명처럼 그들을 덮쳐 마비시키고 도폭선이 휘감아서 그들을 참살했다.

드론들이 그들을 엄호하려 했지만 미사일을 유도하려면 표적 획득이 되어야 한다.

드론이 표적 획득에 성공하기 전에 한세건의 비스트가 불을 뿜었다. 저격용 라이플로도 맞히는 게 불가능할 거리다. 아무리 비스트가 고에너지 탄이라 해도 장거리 사격에는 좋지 않다.

그러나 놀라운 일이 벌어졌다.

펑!

드론의 엔진에 불길이 일어나며 추락한다.

"놀랍군……."

보고 있던 실베스테르가 경악할 정도였다.

"어떻게 한 거지?"

실베스테르가 그렇게 묻는 사이 한세건은 다시 비스트를 쏘아서 또 다른 드론도 격추시켜 버렸다.

―탄자 공중 변형…….

한세건은 짧게 그렇게 말했지만 실베스테르는 그 짧은 말로도 어떤 일이 벌어졌는지 알았다.

한세건은 비스트의 탄에 의념을 불어넣어서 발사했고 그렇게 발사한 탄자가 공중에서 변형되어 마치 날개안정탄처럼 변화해 비거리를 폭발적으로 늘린 것이다.

보통 날개안정탄이라면 포탄 안에 날개가 수납되므로 날개의 크기가 한정되어 있지만 의념을 불어넣어 물질을 변형시키는 것이라면 일반 날개안정탄에 비해 훨씬 넓은 표면적을 얻을 수 있다.

탐랑의 의식을 행하고 난 뒤 한세건은 아직 그의 능력을 온전히 파악하지 못하고 있었지만 잠깐 쓴 것만으로도 이 정도다.

'이거 이래도 괜찮은가?'

실베스테르는 반신반의했다. 한세건의 능력이 예상보다 훨씬 뛰어나다.

물론 아담카드몬 아낙스의 신적인 힘을 생각하면 이걸로도 부족하다고 생각되지만… 그보다 걱정되는 건 한세건의 인격이 과연 이 막강한 힘을 통제할 수 있는가 하는 것이다.

"있으면 써야지."

앙리 유이는 한세건이 파멸하든 말든 관심이 없었기 때문에 그렇게 쉽게 말한다.

"하긴 네놈이 한세건을 걱정하면 그것도 웃기겠지."

실베스테르는 앙리 유이의 발언을 듣고 솔직한 감상을 말했다.

그러는 사이 한세건은 어느새 테트라 아낙스의 연구 단지 외부에까지 접근하고 있었다.

사설 도로로부터 차량의 진입을 막기 위한 스파이크들이 튀어나왔지만 애초에 길이 아닌 곳을 가던 한세건을 막을 방법은 없었다.

감시탑에서 저격수들이 총을 쏘았지만 아직 라이플도 닿을 수 없는 거리다. 훌륭한 저격수라면 제원상의 유효사거리 이상으로 유효 저격을 할 수 있지만 시속 120킬로미터 이상의 속도로 모터사이클을 타고 달리는 표적은 그냥도 맞히기 힘든 표적이다.

반면 한세건이 비스트를 쏘자……

투확!

감시탑을 지탱하는 거대한 철골 파이프가 베여서 쓰러지며 철조망 위로 넘어졌다. 전기 철조망이었는지 감시탑의 철골과 철조망이 합선을 일으키며 불꽃이 튀는 게 2킬로미터 이상 떨어진 거리에서도 선명하게 보였다. 전설적인 스나이퍼 카를로스 헤스콕도 맞힐 수 있을지 없을지 장담 못 할 거리다. 그 정도 거리에 떨어져 있는 철골을 절단하다니 이 정도면 거의 미사일이라고 해도 좋을 정도다.

"좋아……."

한세건은 몸 안에서 근질근질한 느낌을 받으며 비스트를 꺾어 탄피를 배출하고 등허리에 찔러 넣었다.

몸 안에서 끝을 모를 힘이 샘솟는다.

"이런 미친놈! 여기가 어디라고 정면으로 들어와?!"

테트라 아낙스의 보안 요원들이 메탈스톰이 설치된 장갑차를 끌고 나왔다.

메탈스톰은 전기점화로 분당 1만 발의 총탄을 퍼붓는 무시무시한 무기다. 일단 한번 발사하면 재장전에 오랜 시간이 걸리며 비용도 비싸지만 효과는 확실하다.

본래 방공 무기로 쓰이지만 지상 표적에도 충분한 위력을 발휘한다.

이것만 해도 까다로운 무기일 텐데 그것만이 아니었다.

미니 건을 든 중장갑 보병들이 나타났다.

이건 숫제 SF 영화의 한 장면이다.

저 뱀파이어들은 진마나 그에 준하는 능력을 가진 것은 아니지만 장비와 화기, 그리고 약물의 힘으로 강화되어 있다.

진마사냥꾼이라 해도 무시할 수 있는 수준이 아니다.

그러나 한세건은 헬멧 안에서 웃었다.

분명히 절체절명의 상황인데도 불구하고 전혀 두렵지 않다.

앙리 유이를 죽이지 못해서 욕구불만에 빠져 있던 탐랑이 기뻐서 포효하고 있었다.

이 정도는 절대로 위기가 아니라고 확신하는 것이었다.

"이상한… 감각이군. 내가 미쳐가고 있는 건가?"

테트라 아낙스의 사병들이 미니 건을 한세건에게 겨누는 바로 그 순간 한세건의 모습이 뱀파이어들의 시선에서 사라졌다.

은신술이나 텔레포트가 아니다.

마치 시신경이 갑자기 손상되어서 정중앙의 시각이 아예 사라진 듯하다.

갑자기 장님이 된 뱀파이어들이 막무가내로 미니 건을 발사했지만… 이미 한세건은 그들의 화망을 뚫고 빠져나와 메탈스톰 방공포에 접근했다.

텅!

바리케이드를 쓰러뜨리고 그 쓰러진 바리케이드를 발판으로 삼아 한세건의 모터사이클이 튀어 오른다. 그 모터사이클은 간단히 뱀파이어들의 인식의 결락을 파고들어 메탈스톰 방공포를 찍고 뛰어넘는다.

그 순간 검은 가시덩굴이 메탈스톰 방공포를 휘감는다.

장갑차의 두꺼운 장갑을 뚫고 그 사이사이로 침투한다.

독가스도 걸러내는 에어 필터를 찢고 들어선 탐랑이 순식간에 안의 뱀파이어들을 집어삼키고 메탈스톰을 점화시켰다.

투두두두두두!

그야말로 강철의 폭풍이 뱀파이어들에게 쏟아졌다. 중장갑 보병들의 방탄 장갑도 무색하게 메탈스톰은 그들을 산산이 찢어발겼다.

물론 뱀파이어들이 몸이 찢긴다고 죽지는 않는다.

그러나 그다음 순간… 한세건은 바이크에 올라탄 채 양손으로 글록 18을 뽑아 들고 뱀파이어들에게 총격을 퍼부었다.

9㎜ 권총탄으로 저 육중한 방탄 갑옷을 꿰뚫을 수 있을 것 같지는 않지만 지금 이 순간 필요한 것은 위력이 아니다.

혼팅을, 탐랑을 전달할 수 있는 물질적 매개체가 필요할 뿐이다.

콰직…….

마치 비누로 만든 조각상이 부서지듯… 뱀파이어들의 몸이 부서지고 그들의 안에서 검은 가시덩굴이, 망령들의 손과 얼굴이 치솟아 오른다.

VT인자를, 뱀파이어의 영적 근원 자체를 파괴하는 탐랑의 힘이 순식간에 뱀파이어들을 집어삼킨 것이다.

햇살은 피부가 따끔할 정도로 따사로운 초여름, 맑은 하늘 아래에서 음울하고 초자연적인 저주의 포효가 천지를 뒤흔들었다.

탐랑은 살육을 기뻐하며 날뛴다.

"제기랄… 망할……."

정작 한세건은 전혀 기쁘지 않았다.

탐랑의 힘이 그 자신을 집어삼킬 게 분명하기 때문에?

그건 아니다.

한세건은 뱀파이어를 혐오한다고 말하고 있지만 사실 그가 가장 혐오하는 것은 바로 그 자신이다.

문제는 이제 더 이상 뱀파이어와의 싸움이 그에게 징벌이 되지 못한다는 것이다.

뱀파이어를 증오한다고 말하고 있지만 사실 한세건에게 뱀파이어는 어찌 되어도 좋은 대상일 뿐이었다.

그가 진정으로 증오하는 것은 바로 그 자신… 뱀파이어는 자신에 대한 분노가 전사된 대상, 즉 곁가지에 지나지 않았다.

서현은 그걸 꿰뚫어 보고 있었기에 말했다.

넌 자신을 증오할 자격이 없다고.

정말 죄에 짓눌린 죄인이라면 구원조차 바랄 수 없다.

자신을 증오하고 운명이 자신을 벌하길 바라며 스스로를 학대하는 것은 죄를 직접 마주하는 자세가 아니라고…….

'시건방진 전범 라이칸스로프 새끼. 망할 놈. 코에 플루토늄 연료봉을 꽂고 쭉 째버릴까 보다.'

한세건은 내심 서현에게 욕을 했다.

하지만 그가 서현에게 분노하는 것은 서현의 지적이 누구보다도 적절했고 옳았기 때문이었다. 마치 자위행위를 하다 들켜 그 은밀해야 할 추태를 만천하에 드러낸 사춘기 소년처럼 한세건은 자신의 내면을 꿰뚫어 본 서현을 증오했다.

하나 옳은 건 옳은 거다. 아담카드몬 아낙스가 현실에서 실제로 영향력을 행사하는 이상 더 이상 자신을 벌주는 것에 집착해서는 안 된다. 정녕 자신이 죄인이라고 생각된다면 도덕적으로 올바르지 못한, 결함투성이의 자신도 받아들여야 한다. 지금 자신이 가지고 있는 힘, 역량, 그 모든 것을 올바른 일을 위해 써야 한다. 그저 오직 선업을 위해서, 자기변호나 자기 학대 없이 싸워야만 하는 것이다.

'어차피 이 탐랑의 힘은 이미… 끝났어.'

한세건은 더 이상 운명의 약자가 아니다. 뱀파이어를 상대로 자신을 내던지며 언젠가 운명이 자신을 정죄해 주길 빌었다. 슬프게도 한세건은 종교인이 아니었으니 종교의 신을 초월한 운명만이 그를 정죄할 수 있었는데… 탐랑의 힘을 지니고 뱀파이어와 싸우면서 운명이 그를 정죄할 확률은 지극히 낮다. 마치 조작된 다이스 세 개를 굴리면서 1이 세 개 나오면 회개하겠다는 야바위꾼이나 다름없다.

"잘났어, 정말……."

한세건은 이 자리에 없는 서현에게 시기심을 느끼며 고개를 돌렸다.

태양전지 판이 그늘막으로 둘러쳐진 주차장 지대, 철골 위에 두 명의 여성이 보인다. 다른 뱀파이어들과는 격이 다른 범상치 않은 모습이다.

"실례하겠어요."

검은 고딕 드레스 차림의 여성이 그리 말하는 순간… 눈이 시릴 정도로 파란 하늘 아래 갑자기 긴 그림자가 드리워진다. 여자로부터 그림자가 길게 자라나며 무서운 속도로 다가온다. 앗 하는 순간 그림자는 순식간에 한세건을 덮었다.

그리고 그 그림자가 변형되었다. 마치 옛날이야기에서 나올 것 같은 날카로운 매부리코의 마귀할멈처럼 변한 그림자가 손을 들어 한세건의 그림자를 후벼 파고 심장을 꺼내려 한다.

그러나…….

우직!

그림자로부터 검은 가시덩굴이, 그림자보다 더 검고 어두운 검은 가시덩굴이 자라며 마녀를 찢어발긴다. 혼팅이 그림자를 매개로 역으로 그녀에게 돌진한다.

"윽!"

양산을 든 고딕 드레스의 여성이 휘청거리며 그림자의 술법을 풀었다.

그러자 옆에 있던 붉은 기모노 차림의 여자가 그녀를 지탱했다.

"유할리!"

"사… 사니타, 방금 그거 봤……."

"이런 젠장."

사니타는 유할리를 부축하다가 갑자기 짜증을 내며 태양전지 판에서 뛰어내려 유할리를 한 팔로 휘둘러 저 멀리 집어 던졌다.

그녀들이 서 있는 곳으로 미니 건이 불을 뿜었다. 한세건에 의해 몰살당한 뱀파이어들의 미니 건들 사이로 혼팅이 일어나 미니 건을 조작하기 시작한 것이다.

사니타는 기름 먹인 고전적인 우산을 펼치고 미니 건의 탄환을 받아내었다.

자동차도 순식간에 걸레짝으로 만드는 미니 건의 포탄이 종이우산 하나를 뚫지 못하고 튕겨 나간다.

그러나 사니타 역시 사방팔방에서 쏟아지는 탄환을 받아내느라 몸이 고정당했다. 미니 건의 화력이 너무 엄청나다.

"윽……."

사니타는 우산을 빙글빙글 돌리며 다른 한 손으로 지면을 훑으며 마치 볼링공을 굴리듯 손을 잡아챘다.

충격파가 지면을 타고 달리며 한세건을 향해 쇄도한다.

하지만 한세건은 모터사이클 위에 올라타고 간단히 충격파를 피해 버렸다.

"…상대할 가치도 없군."

공격을 간단히 피해낸 한세건은 두 여성 계승자를 보고 흥미를 잃었다. 그의 목적은 오라클들을 포획하는 것… 상대는 그걸 막아야 하는 입장이다. 여기서 그녀들에게 시간을 허비하다가 나머지 놈들이 오라클을 폐기하기라도 하면 전략적으로는 패하게 된다.

물론 이것은 그녀들을 무시하고 지나가도 별 피해가 없을 때, 위기를 관리할 수 있다는 확신이 있을 때 가능한 일이다.

"큭… 젠장. 야! 무시하지 마! 이 성불구 새끼야!"

한세건이 오라클에게 접근하는 것이 전략적인 패배라는 걸 이해하고 있는 사니타는 자신들을 무시하고 지나가려는 한세건을 보고 욕설을 퍼부어 도발했다.

"성 기능을 언급하는 도발은 참 안쓰럽군. 성의를 봐서 상대해 주고 싶다만 내가 사혁도 아니니까……."

한세건의 말은 이어지지 못했다.

하늘로부터 갑자기 한 인영이 떨어졌기 때문이었다.

콰직!

모터사이클이 부서지고 폭발한다.

고딕 드레스 차림의 여성, 유할리가 고고도에서 급강하하며 한세건의 위를 강습한 것이다.

"시도는 좋았다!"

모터사이클과 한세건을 동시에 압살했다면 좋았겠지만 한세건은 이미 모터사이클에서 뛰어내려 피한 뒤였다.

유할리는 그런 한세건을 향해 손을 뻗었다.

그녀의 옷소매 밑에서 사마귀의 앞발 같은 거대한 팔이 튀어

나오며 한세건을 노렸지만 사니타에게 집중되던 미니 건 샤워가 그녀에게 방향을 틀었다.

두두두두두!

미니 건이 유할리의 사마귀 팔을 쏘아 잘라냈다. 그뿐만이 아니다. 미니 건 샤워는 그녀를 노리고 사방팔방에서 쏟아진다.

유할리의 스커트에서 거대한 촉수가 뿜어져 나와 벽을 세워 미니 건의 탄환들을 막아내었지만 역부족이다.

무시무시한 총탄이 그녀의 살을 찢어발긴다. 상처가 재생되고 변형되지만 재생과 변형 속도보다 미니 건이 깎아내는 속도가 더 빠르다.

"아홋, 응으응… 아항……."

유할리는 타격을 받으며 비명을 지르는데 어째 그 비명이 익숙하다.

'기, 김빠져…….'

비록 그녀의 비명 소리에 현혹당하진 않았지만 기력이 빠지는 느낌이 난다.

한세건이 맥 빠져할 바로 그때 사니타가 뛰어들어 유할리의 머리 위로 날아들었다.

유할리와 사니타가 서로 손을 맞잡자 그 순간… 유할리의 촉수가 거대한 피막으로 변형되어 미니 건을 받아내기 시작했다.

적요계의 능력인 변이 능력에… 서현이 즐겨 쓰는 물레타 능력을 결합한 것이다.

'저런 사용법도 있군.'

한세건은 이 두 여자 흡혈귀가 예상 밖의 강적이라는 걸 깨달았다.

계승자, 그것도 어떤 제약도 없이 다양한 능력을 자유자재로 사용하는 존재일 것이다.

서현이 사용하던 물레타 능력은 혈인 능력도 아니었을 텐데?

게다가 둘이 서로서로의 능력을 혼합해서 사용할 수 있다니, 뭐 이런 괴물들이 다 있을까?

철컥…….

치이이익!

잠시 후 미니 건들은 차례차례 탄약이 떨어졌다.

그러자 방금까지 수세로 미니 건 탄환을 몸으로 받아내던 두 뱀파이어의 얼굴에 화색이 돌았다.

"지금까지 잘도 까불었겠다? 이 고자 새끼! 이제 우릴 무시하고 지나가진 못할걸?"

사니타가 으르렁거리고 유할리는 쓴웃음을 지었다.

"사니타, 성적인 도발은 자제하는 게 좋지 않을까요? 전 두려워요. 혹시 저자가 자신의 성 기능을 증명하겠다고 우릴… 하면 어쩌죠?"

"어……?"

사니타는 잠시 말문이 막혔다.

과거 몇몇 마법사가 약한 뱀파이어들을 생포하고 성적인 학대를 가한 일은 있지만 변이계 능력을 지닌 뱀파이어에게 성기를 집어넣는 미친 짓을 한 놈은 아무도 없었다.

"도발하려고 꺼낸 말이긴 하지만 아무리 그래도 저 녀석이 독사 입에 꼬추를 처넣을 병신까진 아닌 것 같은데?"

"그, 그렇게 말하면 도발의 의미가 퇴색하잖아요, 사니타?"

"애초에 네가 한마디 보태서 이상해졌잖아?"

두 여자가 티격태격하는 걸 본 한세건이 한숨을 내쉬었다.

"시작해도 되겠지?"

그리고 사니타와 유할리가 뭐라고 말도 하기 전에 비스트가 불을 뿜었다.

브리아레오스는 시력이 없다.

정확히는 보통 사람이라면 미간이어야 할 곳에 눈이 하나 있지만 이것은 보는 능력이 없는 사안(邪眼)이다.

테트라 아낙스는 첫 번째 계승자인 아르곤의 능력이 불안정한 것을 보고는, 석세서의 불안정성을 극복하기 위해서 여러 가지 방법을 시도해 보았고 그중에는 일부러 시력을 없애 서번트 신드롬을 강제로 일으키는 방법도 있었다.

지금의 오라클 시스템에 폭넓게 사용된 바로 그것 말이다.

즉 브리아레오스는 지금 이곳, 연구 단지에서 재활 중인 오라클들의 선배라고 할 수 있는 인물이었다.

그런 그에게 테트라 아낙스의 명령이 내려왔다.

─재활 중이던 오라클들을 폐기해라.

전략적으로 당연한 선택이다.

테트라 아낙스는 지금 오라클 시스템을 재가동했지만 그것은 어디까지나 징벌의 의미로 쓰이는 것, 현재의 아낙스는 굳이 오라클들의 조력을 받을 이유가 없다.

터미널이 많을수록 보안은 되레 취약해지는 법.

컴퓨터로 치자면 서버에 해당하는 마더프레임의 성능이 부족하지 않다면 굳이 무의미한 터미널들을 유지할 이유가 없다.

하지만 브리아레오스는 선뜻 손이 가지 않았다.

"아이러니한 일이로군."

브리아레오스는 자신의 선택을 스스로도 이해할 수 없었다.

서린이 저들에게 삶을 돌려주겠다고 선언했을 때 브리아레오스는 그런 서린의 선택을 거부했다.

너무 감상적이다.

어둠의 왕, 월야의 왕이 되기에 적합하지 않은 자다.

그렇게 생각했었다.

그런데 이제 와서 저들을 폐기하라는 명령을 듣는 순간 어찌 된 일인지 그는 뱀파이어가 된 이후 처음으로 항명을 하기로 마음먹었다.

"놀랍군. 정말… 나는 나에 대해서 잘 알지 못하고 있었군."

설마 자신이 이 상황에서 항명을 하게 될 줄은 몰랐다.

오라클들을 앙리 유이에게 넘겨준다 하더라도 나중에 서린이 다시 테트라 아낙스의 수장이 된다면 어떻게든 그들을 구할 수 있을 것이다.

지금 여기서 그의 손으로 오라클들을 폐기하는 것만은 하지 않겠다.

설령 그게 테트라 아낙스에 대한 항명이고 반역이 된다고 해도 말이다.

"그래서… 선택한 겁니까?"

브리아레오스가 있는 곳은 연구 단지의 안에 있는 비행장의 관제탑, 그 관제탑의 엘리베이터를 타고 두 명이 올라왔다.

한 명은 진마 팬텀, 다른 한 명은 은발의 마인 실베스테르 신부였다.

아무래도 사니타와 유할리는 한세건을 상대하느라 이쪽 두 사람은 막을 생각도 하지 못한 모양이었다.

'철딱서니 없는 애들 같으니… 성격이야 원래 그런 건 알고 있었지만 실력만은 인정하고 있었는데 그 실력이 무색하게 이렇게 쉽게 길을 터주다니. 멍청한 건 어쩔 수 없는가.'

브리아레오스는 내심 짜증을 냈지만 포커페이스를 유지했다.

그런데 앙리 유이가 아니라 팬텀이 와 있다니 어찌 된 일인가?

"…팬텀? 아니, 앙리 유이에 팬텀의 그림자를 덧씌운 것인가?"

"지금 나는 이곳에 앙리와 함께 있는 셈입니다, 브리아레오스."

앙리 유이의 몸을 빌린 팬텀은 쉽게 자신의 상태에 대해서 승인했다.

이는 마법사들에게는 있을 수 없는 일이다. 자신의 초자연적인 상태는 적에게 알려선 안 될 귀중한 정보이기 때문이다.

그렇다면 혹시 팬텀은 지금 저 남자가, 브리아레오스가 테트라 아낙스에게서 등을 돌리고 아군이 될지도 모른다는 착각을 하고 있는 것인가?

'그럴 리는 없겠지.'

실베스테르는 이 상황을 냉정하게 바라보고 있었다.

진마 앙리 유이와 역시 진마사냥꾼인 그가 함께하고 있다.

상대는 계승자 브리아레오스 한 명.

하지만 힘의 균형은 어느 쪽이 더 우위일지 장담할 수 없다.

계승자라는 건 바로 이런 상황에 대처하기 위해 만든 테트라 아낙스의 생체 병기이기 때문이다. 틀림없이 보통 뱀파이어 군주보다 월등히 강력한 힘을 가지고 있을 것이다.

그리고 브리아레오스는 테트라 아낙스에게 항명할지언정… 등을 돌릴 만한 인물은 아니다.

"오라클을 폐기하는 건 하지 않겠지만 모든 명령에 다 항명할 셈은 아니다. 진마들을 쓰러뜨리는 건 평소 나도 간절히 바라 마지않던 일이지."

말을 마친 브리아레오스는 직접 안대를 벗었다.

마치 신화 속의 괴물 사이클롭스처럼 콧잔등 위에 박혀 있는 단 하나의 눈은 아직 감겨 있었다.

"너희들 싸움에 내가 끼어도 될까?"

실베스테르는 그렇게 물어보았다.

"……."

뜬금없는 질문에 팬텀도, 브리아레오스도 멈칫했다.

그럴 생각으로 온 게 아닌가?

하지만 이 은발의 마인은 충분한 경멸과 혐오를 담아서 다시금 물어보았다.

"너희 엿 같은 갈보 놈들이 발딱 세운 자의식을 내가 짓밟아 줘도 되겠냐는 뜻이다. 진마니 계승자니 쓰레기 더미의 지위를 놓고 다투는 모습이 아주 우스워서 말이지."

"…화를 자초하는군, 진마사냥꾼."

그 순간 브리아레오스가 눈을 떴다.

사안이 실베스테르를 덮친다.

하지만 그 순간 실베스테르는 긴 은발을 휘날리며 양손을 들어 올렸다.

브리아레오스의 사안은 설령 시선이 마주치지 않더라도 발동하는 석화와 죽음의 시선이지만 실베스테르의 몸에는 절대마력 방어가 있다.

'단번에… 10% 정도 날아갔군.'

실베스테르의 전신에서 은색 문신이 떠오르며 빛을 발한다.

브리아레오스의 사안은 지독하게 강력한 마법이다. 진마급 이상의 능력을 가진 뱀파이어가 일부러 시력을 제거하면서 집중시킨 능력이니 당연하다. 게다가 이건 눈이 마주치지 않더라도 발동하니…….

'내가 아니면 위험했겠군.'

실베스테르는 그리 생각하며 은사를 작동시켰다.

사방팔방으로 뿌려진 은사가 춤추며 관제탑의 강화유리가 금 간다. 마치 터지기 직전의 압력 용기에 균열이 가는 것 같다.

하지만 브리아레오스가 사안을 돌려 자신을 노리며 날아드는 은사를 노려보자 은사가 타들어가며 끊어진다.

"놀랍군."

팬텀이 안개화해서 브리아레오스의 틈을 노렸지만 브리아레오스가 몸을 반전해 사안을 쏘아보았다.

"넌 내 적이 아니다, 팬텀! 진신을 끌고 와도 부족할 텐데 앙리 유이의 몸을 빌려서 상대하다니 날 무시해도 정도가 있지!"

브리아레오스가 사안을 번뜩이자 팬텀의 안개가 멈춰 서버렸다. 사안의 힘이 안개화한 팬텀에게도 작용하는 것이다.

설령 초점을 맞추기엔 너무나 넓은 안개라 하더라도 이래서야…….

그러나 그때 실베스테르가 데저트 이글로 무기를 바꿔 들고 연사했다.

퍽!

브리아레오스의 얼굴에 총탄이 명중하면서 눈알이 짓뭉개졌다.

"꽤 괜찮은 기술이었다, 갈보. 사안만이라면 제마니보다 네놈이 더 나은 것 같군. 하지만 너무 한 가지 능력에 의존하는 것도 어리석은 짓이지."

사안의 힘이 풀린 순간 팬텀의 공격이 브리아레오스를 난도질했다.

순식간에 토막 난 브리아레오스의 몸에서 핏물이 빠져나가나 싶었지만…….

"조언을 받들어 여러 가지 능력을 보여주지!"

브리아레오스의 몸에서 독무가 뿜어져 나왔다.

"가지가지 하는군. 이제 저글링도 하고 외발자전거도 탈 건가?"

실베스테르는 뒤로 물러서서 데저트 이글로 브리아레오스가 사안을 재생하지 못하도록 머리를 노리며 공격했지만 브리아레오스는 그 거구에 어울리지 않는 민첩함으로 관제탑의 데이터 서버용 랙 사이로 숨어들었다.

브리아레오스는 보이지 않지만 그의 몸에서 뿜어져 나오는 독액은 안개 형태로 분무되어 사방팔방으로 퍼져 나갔다.

"이 독무는 앙리 유이에게 특히 위험한데……."

팬텀은 안개화 상태에서 그렇게 말했다.

앙리 유이의 진신이라면 괜찮겠지만 벌레화한 분신들은 간단한 독소를 완전히 버티지 못하고 죽는다. 체질량이 적은 벌레들은 인간이나 다른 대형동물들에 비해서 독소 내성이 적다.

그리고 아무리 몸을 빌렸다 해도 팬텀 역시 손상을 입는다. 실제로 브리아레오스의 사안은 팬텀에게 돌이킬 수 없는 상처를 주었다.

"하지만 승부는 끝났다."

팬텀의 목소리가 흔들렸다.

"이미 오라클들은 내 휘하에 들어왔다."

팬텀의 안에서 앙리 유이의 목소리가 들려왔다.

앙리 유이는 몸을 쪼개서 오라클들에게 접근했고 그사이 실베스테르와 팬텀은 앙리 유이의 몸을 빌려서 브리아레오스를 상대하러 온 것이었다.

방금 전 실베스테르의 은사는 이 일대의 기자재를 부숴서 이제 원격으로 오라클들을 폐기 처분 하는 건 불가능해졌다.

"지금 네놈들을 쓰러뜨리면 되겠지!"

브리아레오스는 어차피 오라클들을 폐기할 생각이 없었다.

"아니, 단언하건대 끝났다!"

앙리 유이는 그렇게 단언하고 오라클들의 정보 능력을 모아 거대한 텔레파시의 검을 브리아레오스에게 꽂아 넣었다.

"컥……."

브리아레오스의 눈앞에 무수히 많은 정보들, 기억과 감정이 함석지붕에 소나기 쏟아지듯 요란한 소리를 내며 산산이 부서졌다.

의식이 흐려진다.

정신을 도저히 집중할 수가 없다.

마치 두개골을 따고 직접 뇌수에 표백제를 쏟아붓는 것 같은 고통이 느껴진다.

브리아레오스는 본래 테트라 아낙스 계통의 능력도 가지고 있었지만 VT인자를 비셔스 바이러스로 바꿔치기하면서 정보 능력을 제거당했다.

현재 정보 능력을 가지고 있는 뱀파이어 대부분이 의식불명에 빠졌음에도 불구하고 움직일 수 있는 것은 그 덕분이지만… 그 대신 이 텔레파시 공격에 대한 내성을 잃어버린 것이다.

"테… 테트라 아낙스의 힘을 앙리 유이에게? 네놈들 미쳤나?"

브리아레오스는 욕설을 퍼부으려 했지만 실베스테르의 은색 세이버, 아르젠트 하르페시언이 그의 목에 꽂히며 튀어나오려던 욕설을 목구멍 안으로 되돌려 놓았다.

"일단 네놈부터 죽이고 나서 생각하지."

실베스테르는 그리 말하고 검을 휘둘러 브리아레오스를 토막냈다.

하지만 브리아레오스의 재생력은 진마의 그것 이상. 이 정도로 죽진 않는다.

팬텀이 가세하지 않으면 힘들겠다.

그런데…….

"으음……."

팬텀이 신음을 토해내는 게 아닌가?

벌레들은 일반적으로 인간과 달리 산소를 많이 필요로 하지 않는다.

아니, 인간의 두뇌야말로 산소와 당분을 대량으로 소모하는 기관이다. 앙리 유이는 벌레의 몸으로 그런 인간의 기능을 대체하고 있으니 산소와 에너지 소모량이 크다.

그런 상황에 독무 분사를 맞았으니… 팬텀이 평상시의 감각으로 몸을 쓰게 되자 더더욱 많은 독액이 앙리 유이의 몸에 침투한 것이다.

앙리 유이의 몸을 빌린 팬텀이 그로 인해서 추방당하고… 앙리 유이 역시 덩달아 타격을 입었다.

팬텀과 앙리 유이, 진마 둘이 계승자와 싸우다 타격을 입는다는 건 실베스테르 입장에서도 환영할 만한 일이지만 브리아레오스를 끝장내지 못한 게 문제다.

"골치 아프군… 다른 건 몰라도 사안이 재생하는 건 막아
야……."

실베스테르는 다시 은사를 뽑아 브리아레오스의 몸에 휘감고
은사의 묶음을 나이프에 연결해 옆에 있는 서버 랙을 차버리고
드러난 전기 배선에 꽂아 넣었다.

바지지지직!

전기불꽃이 브리아레오스의 몸을 태우지만 그보다 브리아레
오스의 재생 능력이 작용하는 게 더 빠르다.

크르르르르!

전기에 감전되고 있는 브리아레오스의 팔이 늘어난다. 그리
고 팔에서부터 눈이 생겨난다. 무수한 사안이 브리아레오스의
몸에서 피어나며 사방팔방으로 죽음의 시선을 쏘아 보냈다.

유할리의 피막을 뚫고 비스트가 날아든다.

피막을 강화한 사니타의 물레타 능력도 소용이 없었다.

한세건이 발사한 비스트는 혈인 능력 그 자체를 중화시키며
순식간에 피막을 찢고 밀려들어 와 유할리의 팔을 끊어냈다.

"꺄악!"

팔이 잘려 나가는 충격으로 유할리가 휘청거리며 선혈이 사
방팔방으로 튀었다.

사니타와 유할리의 연계가 끊어지는 그 순간 한세건이 뛰어
들었다.

싸구려 도검이 요사스러운 청색 귀화를 머금고 춤춘다. 인간을 초월한 빠르기, 일직선으로 표적을 꿰뚫는 그 움직임에는 일말의 망설임조차 없다.

"쳇!"

사니타는 우산을 들어 한세건과 맞섰다.

귀화의 검과 우산이 허공에서 충돌하는 순간 사니타의 발이 움찔 뒤로 밀린다.

사니타가 한세건보다 체중이 가볍지만 그녀가 들고 있는 우산은 대나무 살 아래 강철 파이프를 채워 넣어 만든 특제품이다. 이런 무기가 대개 그렇듯 샷건 기능도 수행할 수 있도록 만들어져 있지만 타격전을 벌일 때마다 총열이 휘어져서 샷건으로 쓰지는 못한다.

그렇다고는 해도 우산 무게 덕분에 총중량은 사니타가 우위일 텐데도 밀려난다.

"그래… 이 정도인가?"

한세건은 도검과 우산이 맞물려 본의 아니게 코등이싸움이 되는 순간 스텝을 바꾸어 사니타를 아래에서 위로 쳐 날렸다.

깜짝 놀란 사니타가 검도로 치자면 '퇴격—머리', 그러니까 뒤로 물러서서 한세건의 머리를 후려갈기려 했지만 밸런스가 흐트러졌다.

게다가 한세건과 그녀는 검도 대결을 벌이는 게 아니다.

한세건은 땅을 손에 짚으며 마치 독거미가 뛰어다니듯 순식간에 지면을 타고 지나가 사니타의 공격을 피하고 그녀의 옆으로 돌아섰다.

투칵!

그리고 한세건의 발차기가 사니타의 옆구리에 꽂혔다.

"큭!"

사니타의 몸이 그대로 날아가 주차되어 있던 포드 몬데오 차량에 충돌, 차량이 뒤집어지고 사니타의 몸이 튕겨 나갔다.

"…아윽!"

사니타는 전신을 엄습하는 혼팅의 고통에 비명을 질렀다.

한세건의 킥을 맞은 순간 이미 척추가 부러지고 골반뼈가 내장을 파고드는 중상을 입었으나… 계승자인 그녀에게 그 정도 상처는 찰나에 재생 가능한 것이었다.

문제는 한세건의 몸에 휘감고 있는 혼팅이다. 이것은 뱀파이어들의 VT인자를 주로 노리는 저주, 즉 일종의 정보질병이라고 할 수 있었다.

접촉하는 순간 마치 전하가 흐르듯 한세건에게서 그녀에게 흘러들어 오는데 그것만으로 VT인자들이 파괴되고 신체 기능이 저하된다.

마치 몸 여기저기에 불이 붙어서 살이 타는 것처럼 지속적으로 그녀를 괴롭힌다.

"으……."

사니타는 신음하면서 한세건에게서 거리를 벌렸다.

하지만 그 순간… 한세건의 손에서 도검이 떨어지고 도검이 허공에서 빙글 돈다.

칼로 저글링을 하는 건가?

갑작스러운 행동에 놀라서 사니타의 시선이 도검에 쏠리는 그 순간!

한세건은 즉시 비스트를 뽑아 들어 사니타의 머리통에 갈겨 버렸다.

"사니타!"

놀란 유할리가 한세건에게 뛰어들며 양팔을 뻗었다.

옷소매 사이로, 그리고 치마 속에서 거대한 문어나 오징어의 촉수 같은 것이 튀어나오며 한세건을 노린다. 한세건은 비스트를 거두고 허공에서 아직 돌고 있는 도검을 잡아 응했지만 충돌하는 순간 도검이 산산조각 나버린다.

그러나 한세건은 뒤로 미끄러지듯 스텝을 밟아 유할리의 공격권에서 벗어나고 주차되어 있는 차량을 발로 차서 유할리에게 보냈다.

분노한 유할리가 차량을 들어 올리는 순간… 차량의 그림자로부터 도폭선들이 뻗어 나와 유할리의 촉수를 휘감았다. 그중 일부는 유할리의 목을 휘감기까지 했다.

"앗!"

놀란 유할리가 목을 감은 도폭선을 끊으려 하는 순간 한세건이 손가락을 튕겼다.

펑!

도폭선이 폭발하며 유할리의 목이 잘려 나갔다.

"아흑! 꺄아……."

유할리의 비명 소리, 사니타의 욕설이 들려왔지만 한세건은 방심하지 않았다.

애석하게도 상대는 진마를 능가하는 괴물, 계승자들이다.

목 한두 번 잘랐다고 죽지는 않는다.

과연 유할리는 순식간에 목을 재생시켜 다시 연결시켰다.

"흑… 너무 플레이가 과격해요."

유할리는 울상을 지으며 그리 말했다.

목이 잘렸다 다시 붙은 걸 그저 과격한 플레이라고 할 정도면 역시 저 여자의 재생 능력은 대단하다.

'까다롭군.'

인간이라면 치명상일 테지만 뱀파이어들에겐 그렇지 않다.

게다가 이 계승자들은 진마처럼 허황된 자존심이 없다.

'자존심이 없으니 위험하면 도망치겠지. 다행히 지금은 내가 공격자, 이들이 방어자다. 내가 저들의 전략적 거점을 공격하는 한 이들은 도망치지 않아. 목숨을 걸고 지켜야 하겠지.'

하지만 그건 전략적 거점이 아직 그 가치를 유지하고 있다는 전제하에서 가능한 일이다.

갑자기 관제탑 부근에서 폭발이 일어나며 유리창들이 사방팔 방 비산되었다.

"…빠르군."

한세건은 혀를 찼다.

이것을 기점으로 불길한 기운이 갑자기 저 멀리, 주차장 너머 약 800미터 정도 떨어진 창고로부터 퍼져 나왔다.

앙리 유이가 오라클들을 오염시키는 데 성공한 것이다.

'괜히 또 미친놈에게 밥 지어 떠먹이는 거 아닌가 모르겠군.'

한세건은 전략적 승리를 확신하며 혀를 찼다.

이 두 여자 흡혈귀는 굉장히 위험한 적, 지금 여기서 살려 보냈다가는 어찌 될지 모른다. 그러니 가급적 여기서 제거해 버리고 싶었는데…….

쿠르르릉!

그런데 어째 관제탑 방향의 낌새가 이상하다.

"윽……."

사니타는 갑자기 속이 울렁거리는 느낌을 받으며 반신반의했다.

"브리아레오스 님이?"

유할리도 이 상황을 알아채고 깜짝 놀랐다.

"우리를 상대하는 동안 동료들을 보냈구나! 비겁한……."

"……."

한세건은 자신에게 비겁하다고 말하는 여자 뱀파이어들을 보며 황당해했다.

'왜인지 최근에는 뱀파이어 놈들이 비겁하다는 소리를 많이 하는데… 이놈들 단체로 돌았나?'

뱀파이어 헌터가 뱀파이어와 정정당당하게 싸우면 그것 자체가 불공정한 싸움이 된다.

아무래도 저 두 여자 뱀파이어는 머리에 나사가 다들 한 주먹

씩은 빠진 것 같다. 기왕 나사 빠진 거 이 상황에서도 끝까지 싸워주면 좋겠는데 그렇지는 않은 것 같다.

"브리아레오스 님을 구출하고 탈출한다! 유할리! 더 이상 이 녀석을 상대할 필요는 없어!"

"알겠어!"

그들은 더 이상 한세건을 상대하지 않으려 한다.

한세건이 가장 우려하던 일이다.

'곤란하군.'

한세건은 가까운 유할리를 노리고 칼을 집어 던졌다.

하지만 유할리는 들고 있던 양산으로 쳐내고 그 양산을 한세건에게 겨누었다.

쾅!

양산 끝에서 산탄이 불을 뿜었다.

하지만 한세건은 쓰러진 차량을 뛰어넘어 간단히 그 공격을 피하고 비스트를 꺼냈다.

'젠장… 탄을 다 썼군.'

한세건은 비스트의 탄피를 제거하고 새 탄을 장전하려다 혀를 찼다. 이곳, 연구 단지로 돌입하면서 비스트를 물 쓰듯 썼더니 역시 탄이 다 떨어진 것이다.

아직 부적에 봉인해 둔 비스트의 탄이 남아 있으니까 그걸 쓰면 괜찮겠지만 그럼 다른 탄약들이 더 남아버린다.

'부적별로 골고루 탄을 담으면 이게 문제라니까.'

한세건은 글록으로 무기를 바꾸어 사니타와 유할리를 추격했지만 이미 사니타와 유할리는 50미터 이상 멀어져 있었다. 다들 괴물이다 보니 잠깐 사이에 도망가는 속도가 장난이 아니다.

한세건이 그쪽을 추격하려 했지만 그때였다.

관제탑의 지붕이 날아가는 게 아닌가?

콰드드드득!

그리고 관제탑으로부터 사방팔방으로 석화의 저주가 춤춘다.

유리나 철골의 겉에 얇게 돌가루 같은 것이, 정확히는 시간 정체가 일어나면서 빛이 감속하는 현상이 일어난다.

'석화, 죽음의 사안인가?'

한세건이 놀라는 사이 실베스테르가 관제탑에서 뛰쳐나오는 게 보였다.

그는 반구형으로 된 격납고 지붕 위에 착지하고 몸을 돌려 데 저트 이글을 무서운 속도로 연사했다.

실베스테르가 사격하는 대상은 이미 뱀파이어라고 할 수도 없는 거대한 괴물이었다.

코끼리만 한 덩치에 온통 사안이 돋아 있는 괴물이 포효하며 격납고 지붕을 부수고 밑으로 떨어졌다.

第32夜

성사

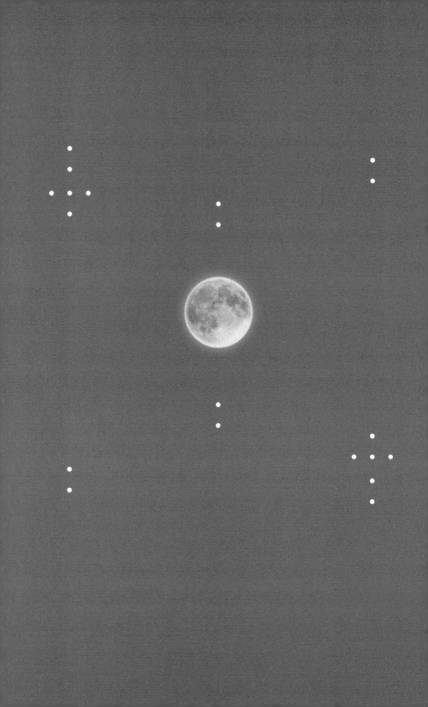

1

앙리 유이는 양손으로 머리를 감싸 쥐고 있었다.

오라클 시스템이 가동해 이미 일개 단말로 화한 뱀파이어들이 생명유지장치에 들어 있는 채 그의 앞에 진열되어 있다. 마치 시체를 보관하는 납골당 화장터의 시체용 냉장고들 같다.

다만 다른 게 있다면 이곳에 보관되어 있는 것들은 굳이 저온 보관 하지 않더라도 썩지 않기 때문에 콤프레서 돌아가는 소음을 내지 않는다는 것뿐.

그 대신 생명유지장치로부터 펌프 작동음이 들린다. 영양액을 주입하고 소변, 대변을 빨아내는 장치가 작동한다.

생명을 누군가 똥 만드는 기계라고 표현했었지. 여기 이곳에 있는 무수한 뱀파이어의 생명만큼 그 단어에 부합되는 것도 없으리라.

'저런 게 꽂혀 있다면 아무리 생명의 존엄성을 설파하는 자라도 버티기 힘들겠지. 나는 체험해 보지 않았지만 말이야.'

앙리 유이는 가톨릭계 호스피스 병동을 돌아다니며 죽음에 임박한 사람들을 지켜보았다. 그때 그들의 모습을 보며 앙리 유이는 저들처럼 되고 싶지 않다는 공감 능력에 눈을 떴다.

비록 다른 뱀파이어들에게 일종의 공감 능력 부재자, 사이코패스 취급을 받고 있는 그이지만 뛰어난 마법사가 되기 위해서는 공감 능력은 필수다.

설령 진정으로 공감하지는 않더라도 그 감정의 화학반응 수식을 암기할 필요는 있었다.

'그런 의미에서 이미 존엄을 상실한 저들을 내가 장악하는 건 전혀 문제 될 게 없는 일이지. 암… 그렇고말고.'

앙리 유이가 암기한 감정의 화학반응에 의하면 앙리 유이가 하고자 하는 짓은 더할 나위 없이 정당하다.

물론 제정신 박힌 이라면 항변의 여지가 다분한, 아전인수 격인 해석이다.

그러나 앙리 유이는 아담카드몬 강림 실패에도 불구하고 여전히 오만했다. 2천 년을 오만하게 굴어왔는데 한두 번 실패했다고 바뀔 리 없다.

앙리 유이는 즉시 몸의 구조를 변형시켜 독충들을 만들어 쓰러진 오라클들에게 날려 보냈다.

인간의 뇌 구조, 뱀파이어의 뇌 구조와 면역 구조를 꿰뚫고 있는 그는 어렵지 않게 오라클들을 제어하는 데 성공했다.

이미 의식을 잃어버린 그들 중 상당수는 앙리 유이가 만들어 낸 아웃레이지에 감염되어 있었고 이 아웃레이지는 감염자가 많으면 많을수록 앙리 유이에게 힘을 부여한다.

게다가 이들에게 아웃레이지는 일종의 백도어 역할을 해서 앙리 유이가 손쉽게 이들을 조종하게 한다. 보통 인간이나 뱀파이어라면 누구나 가지고 있는 자의식의 방어기제를 무마시키고 앙리 유이의 소유물로 상대를 탈바꿈시켜 버리는 것이다.

문제는 과연 오라클 시스템에 이미 편입되거나 폐기 처분 되다시피 한 개체들에게도 효과가 있는가 하는 것인데…….

"서린이 예언했으니 나는 분명히 쓸모가 있을 거다. 그리고 그건 이게 성공한다는 뜻이겠지."

앙리 유이는 거리낌 없이 심층 의식까지 단번에 파고들었다. 독충들이 오라클들에 붙어서 신경독을 분무했고 그것이 아웃레이지라는 정보 병균과 결합해 완성되었다.

앙리 유이는 그렇게나 원하던 정보 능력을 마침내 손에 넣었다.

"하… 하하하하하하! 마침내! 마침내 손에 넣었군!"

앙리 유이는 자신이 테트라 아낙스의 힘을 손에 넣었음을 깨달았다.

그때 갑자기 계단 쪽이 어수선해졌다.

아직도 남아 있던 보안 요원들이 오라클들을 폐기하기 위해 브리아레오스의 명령을 듣지 않고 따로 접근한 것 같았다.

"소용없다!"

앙리 유이가 손을 휘두르자 사법이 퍼져 나가 문 입구에 마치 모래 속에 숨은 독 전갈처럼 매복했다.

문이 열리고 보안 요원들이 들어서는 그 순간 사법의 저주가 그들을 덮치고 거기에 앙리 유이는 텔레파시를 쏘아 보내 그들의 뇌를 표백해 버렸다.

마치 스턴 건이나 테이저 건을 맞고 쓰러지는 인간들처럼 전신을 파들파들 사시나무 떨듯 떨며 쓰러지는 모습이 가관이다.

"충분하군! 역시 이 능력, 내 예상대로야."

오래전부터 테트라 아낙스의 능력을 넘봐왔던 앙리 유이는 순식간에 능력의 구조를 해독하고 응용 단계까지 끌어 올릴 수 있었다.

그는 브리아레오스와 대적하고 있는 실베스테르, 그리고 팬텀을 지원하는 한편 원거리의 적도 발견할 수 있는지 자신의 능력을 테스트해 보았다.

실험은 성공적이었다. 그가 꽂아 넣은 텔레파시의 검은 사안 능력을 가지고 있는 브리아레오스조차 일격에 쓰러뜨렸다.

당연하다. 누구도 정보에 대항할 수는 없다.

상어에게는 로렌치니 기관이라는 것이 있다. 이는 물속에서 전기의 흐름을 파악하는 기관인데 이 기관이 민감하면 민감할수록 상어는 더욱더 넓은 영역의 변화를 느낄 수 있게 된다.

하지만 그만큼 발달한 로렌치니 기관은 오히려 약점이 되기도 한다. 약간의 전기 자극만으로 로렌치니 기관이 과잉 흥분, 거대한 상어가 무력해지는 것이다. 적은 자극만으로도 정보를 얻기 위해 발달한 기관은 대량의 정보 앞에서는 외려 약점이 된다. 태양을 직접 바라보면 실명하는 것과 같은 이치다.

테트라 아낙스와 몇몇 마법사 외에는 면역이 없는 정보의 힘, 그것은 무한의 돈이며 힘이며 권력이다.

'비록 아직도 아낙스의 적수가 되기엔 부족하지만… 좋아. 면역이 없는 것보다야 훨씬 낫지. 하, 너무 떨려서 소름이 돋을 지경이군. 마침내 오랜 숙원이 이뤄지다니.'

앙리 유이는 기뻐서 몸서리를 쳤다. 아웃레이지를 확산시켜 무수히 많은 사람을 죽일 때, 아담카드몬을 강림시켰을 때도 이렇게 기쁘지는 않았다.

실제로 아담카드몬 아낙스는 그의 제어를 벗어나 버렸으니 기뻐할 것도 없긴 하다. 그것은 반쪽 성취에 불과했다. 아낙스가 인간을 희생하려 마음먹었다면 훨씬 예전에 도달했을 경지…….

그러나 이건 다르다. 역시 아낙스는 처음부터 가지고 있던 능력이지만 앙리 유이는 그 아낙스의 손에서 탈취해서 자신의 것으로 만들었다.

아낙스에게 빼앗은 성취니 그 어찌 기쁘지 않을까?

'아웃레이지에 감염된 오라클들이 죽더라도 나는 정보 능력을 시뮬레이트할 수 있다. 물론 효율은 극히 떨어지겠지만… 자, 그럼 이제부터 어쩔까?'

물론 브리아레오스는 이 정도로 죽지 않는다. 한세건과 대적하고 있는 것들, 여자 계승자 둘도 굉장히 강력하다. 석세서, 계승자라는 뱀파이어들의 전투 능력은 객관적으로 볼 때 진마 이상이다.

여기서 앙리 유이가 적극적으로 저들을 몰살시키는 데 개입하지 않으면… 저것들은 반드시 살아서 도주할 것이다.

'서린의 예언에 의하면 나는 분명히 도움이 된다고 했었지? 하지만 그렇게까지 열심히 할 생각은 들지 않는군.'

그는 한세건이 자신을 모욕하던 걸 떠올렸다. 물론 천만이나 되는 인간을 몰살시켰으니 한세건이 그를 가만히 내버려 둘 리가 없다. 그나마 팔을 잘라 가고 모욕하는 정도로 끝낸 것은 한세건이 성장, 혹은 변화했기 때문에 가능한 일이다.

그렇다고 해도 기분 나쁜 건 나쁜 것이다.

"적당히… 태업을 해볼까?"

앙리 유이는 자신의 방침을 결정했다.

2

브리아레오스는 포효하고 있었다.

원래부터 거구이던 그의 몸은 훨씬 비대해져 있었고 몸 전체에 무수한 눈이 나 있었다. 마치 그리스 신화의 헤카톤 케일처럼 부정형으로 출렁이는 몸에서 네온사인처럼 눈들이 떴다 감았다 물결치고 있었다. 그리고 그때마다 사안의 힘이 방출되어 사방팔방을 석화시켰다.

분수대 근처의 정원의 나무가 사안의 힘을 받고 굳었다가 바

사삭 비스킷처럼 바스러졌다.

실베스테르의 몸에선 방어용 술식이 번쩍이고 있지만… 빛이 너무 밝다. 마치 꺼지기 직전의 양초가 가장 크게 타오르는 것처럼 위태롭다.

"실베스테르?"

한세건은 그를 확인하고 눈살을 찌푸렸다.

실베스테르의 능력은 분명히 초인적이지만 그가 상대하고 있는 적은 뭐랄까, 마법적인 재앙 그 자체다. 마치 허리케인과 같다. 아무리 기술이 발전했다 해도 허리케인 같은 압도적 재앙 앞에서 인간은 무력할 뿐, 실베스테르가 누구보다 뛰어난 뱀파이어 헌터라고는 해도 저 사안은 거의 반칙에 가깝다.

"브, 브리아레오스 님?!"

사니타는 그 모습을 보며 혀를 찼다.

"젠장! 이 성불구 새끼들! 네놈들이 지금 무슨 짓을 한 줄 아냐?"

사니타는 이 모든 게 뱀파이어 헌터인 한세건 때문이라는 것처럼 맹렬한 비난을 퍼부었다.

한세건으로서는 참신한 반응이라 얼떨떨할 지경이었다.

"너 지금 내가 무슨 데이트 신청하러 온 줄 아나 보지? 브리아레오스가 커럽티드가 된 건 원하던 바인데?"

한세건은 USAS—12에 슬러그 탄을 꽂고 사니타에게 쏘아냈다.

사니타가 기모노 옷자락으로 슬러그 탄의 공격을 막아내었지만 슬러그 탄이 들어 있는 20발들이 드럼탄창 중에는 4의 배수마다 인과 질산염 산화제 캡슐이 들어 있는 촉발형 발화탄이 섞여 있었다.

아무 생각 없이 물레타 능력을 발현시키던 사니타는 자신의 옷에 불이 붙고 나서야 그 사실을 알아챘다.

"꺄악!"

놀란 사니타가 호들갑을 떨었다.

'본래는 서현을 상대해야 할 경우를 상정해서 넣었지만 효과 만점이군.'

한세건은 그 효과에 만족스러워했지만 옷에 불을 붙였다고 저 여자 뱀파이어에게 치명상을 줄 수 있을 것 같지는 않다.

'물레타 능력을 쓰지 못하게 태워 버리는 건 흡족하지만 역시 화력이 부족해.'

거리가 가까워야 숨통을 끊을 수 있을 텐데… 현재 거리가 너무 멀다.

"아, 안 돼요, 사니타! 브리아레오스 님은 커럽티드가 된 게 아니에요. 일단 브리아레오스 님과 함께 철수를……."

유할리는 그렇게 말했지만 한세건이 앞으로 달려오면서 이동 사격으로 사니타를 몰아붙였다.

연발 샷건이 불을 뿜으며 그때마다 슬러그 탄 세 발 뒤 플레어 한 발로 이뤄진 복합 공격이 사니타를 괴롭혔다.

"짜증 나네!"

사니타는 불이 붙은 우산을 휘두르며 한세건의 공격을 막아 내었다. 무시하고 도망치면 도망치지 못할 것은 아니나 브리아레오스의 변모는 그녀조차 당황하게 했다. 브리아레오스와 함께 도망치거나 함께 힘을 합쳐 맞서 싸운다는 결의를 품고 왔는데 현재 그는 폭주하고 있지 않은가?

"그럼 사니타가 생각 정리할 동안 제가⋯⋯."

유할리는 사니타를 구하기 위해 한세건에게 다시금 날아들었지만 빤히 보인다.

한세건은 부서진 차량에서 튀어나온 앞 범퍼나 펜더 판금 등을 발로 차올려 위에서 급강하해 오는 유할리에게 쏘아 보냈다.

유할리가 그 범퍼를 쳐내고 한세건을 향해 양산을 찍으려 했는데… 한세건은 그 잠깐 사이에 유할리의 시야에서 사라져 있었다.

"어머?"

어느새 튀어오른 한세건이 유할리를 공중에서 걷어찼다.

유할리가 양산으로 그 공격을 막아내었지만 그 순간 유할리만 뒤로 총탄처럼 튀어 나갔다. 한세건이 그녀보다 체중이 더 나갈 테지만 유할리는 적요의 변이 능력을 가지고 있어서 체질량을 순간적으로 무지막지하게 늘릴 수 있다. 그게 아니더라도 작용 반작용의 법칙은 둘 다에게 적용될 텐데 그녀만 튕겨 나가다니?

"아윽~!"

날아간 유할리가 브리아레오스의 곁에 떨어지자 브리아레오스에게서 발산되는 사안의 힘이 유할리를 덮쳤다. 브리아레오스는 지금 이성을 완전히 잃어버려 피아를 가리지 않고 마구 공격하는 상황이다. 실베스테르와 접전을 벌이고 있던 중에 갑자기 누군가가 간격 안으로 뛰어들었으니 바로 반응한 것은 당연했고 그 결과 유할리에게 사안의 힘이 집결되었다.

유할리의 몸의 표면이 경화되면서 바스러지고 그때마다 유할리는 비명을 질렀다.

"아윽! 아웅! 아… 흑. 아파요! 주인님! 잘못했습니다! 잘못했어요!"

유할리의 비명이 콧소리가 섞인 게 어째… 되레 좋아하는 것 같다.

—성직자 입장에서 이런 말 하긴 그렇지만 참 듣기 좋은 소리로군.

실베스테르가 한세건에게 말을 걸어왔다.

"어필이 화려해서 나도 마음에 들던 차예요. 실베스테르, 그쪽 상황은?"

—앙리 유이의 몸을 빌린 팬텀은 소멸… 나도 상태가 썩 좋지는 않다. 이 녀석은 진짜 괴물인데?

실베스테르는 브리아레오스와의 교전에서 마력을 많이 소모했음을 자백했다.

"라이칸스로프 놈들하고 싸울 때는 이러지 않았는데……."

—그사이에 진화한 거겠지. 하지만 이 정도도 못 이기면 아담 카드몬 아낙스는 어림도 없어. 탐랑은 어떤가? 쓸 만한가?

"저 아가씨 둘이 내 앞에서 굴러다니는 걸 보면 쓸 만한 것 같긴 한데… 아직은 잘 모르겠군요."

한세건은 실베스테르와 대화하면서 샷건의 탄창을 갈았다.

그때 브리아레오스가 한세건을 발견했다.

"샤아아악!"

브리아레오스가 위협하는 그 순간… 그의 몸 곳곳에 퍼져 있던 눈알들이 한곳으로 이동해 거의 할로윈 호박만 한 크기의 안구로 변했다.

그 안구로부터 사안의 힘이 한세건을 향해 발출한다.

"윽!"

한세건의 몸에서 탐랑의 힘이 끓어오른다.

검은 그림자가 한세건의 몸을 감싸고 그 그림자에 사안의 힘이 충돌했다.

한세건을 중심으로 좌우 후방으로 아스팔트가 부서지며 불길이 치솟아 올랐다.

"저… 저걸 버텨?"

사니타는 그 모습을 보며 놀랐다. 한세건이 월야에서 악명을 쌓아 올린 유명한 뱀파이어 헌터지만 브리아레오스의 전력을 다한 사안은 진마사냥꾼이든 뭐든 한 방에 끝내 버릴 무시무시한 힘을 가지고 있었다.

그런데 그걸 버텨내다니?

'뭐야? 한 방에 찍 죽었어야 한다는 건가? 저게 지금 날 무시하는 건가?'

그리 생각한 한세건이 힐끔 뒤를 흘겨보니 아스팔트 위로 불길이 달리며 그 균열이 격납고에 직격해 유리창이 전부 바스러지고 철골도 먼지처럼 바스러졌다.

강화 샌드위치 패널로 만들어진 격납고 외벽이 조각나면서 커다란 구멍이 뚫리는 모습을 보니 확실히 이걸 막아낸 자신이 대견할 지경이다.

'무시하는 게 아니라 그냥 내가 이놈이랑 상성이 좋군. 실베스테르나 앙리 유이는 위험할지도… 아니, 탐랑의 힘이 없었다면 나도 죽었다.'

한세건은 사안의 공격을 버텨내며 아랫입술을 깨물었다.

"브, 브리아레오스 님……."

사니타와 유할리에게도 브리아레오스가 이성을 잃은 괴물이 된 모습은 충격이었다.

게다가 브리아레오스는 그녀들에게도 거침없이 공격을 가했다.

"으… 사니타! 어쩌지요?"

"물러납시다."

"하지만 브리아레오스 님이… 꺄악, 주인님! 음란한 절 벌해 주세요!"

유할리에게 사안이 적중하자 마치 불 맞은 고양이처럼 팔짝 뛰면서 외치는데 그 말이 아주 가관이다.

"……."

"버릇이 들어서 어쩔 수 없어요, 사니타."

"어째서 그런 버릇이 들었는지 모르겠는데 어쨌든 물러서지."

사니타는 브리아레오스가 피아 식별 없이 폭주하기 시작한 이상 그를 데리고 돌아가는 건 위험하다는 결론을 내렸다.

"두고 보자, 뱀파이어 헌터!"

"……."

한세건은 사니타의 반응을 보며 혀를 찼다.

언제부터 뱀파이어랑 뱀파이어 헌터가 서로 비겁함을 논하거나 두고 보자는 소리를 했었던가?

"두고 보려면 지금 네놈들이 여기서 살아 나가야 가능하겠지……."

한세건이 샷건을 들어서 다시금 사니타를 겨누자 브리아레오스가 머리를 치켜들더니 갑자기 지면에 들이박았다. 석고대죄를 한다거나 죄인이 자결하기 위해 기둥이나 주춧돌에 머리를 들이받고 죽는다는 게 한국 사극에서 많이 나오는데 그런 장면을 연상시키는 호쾌한 박치기였다.

물론 브리아레오스가 자살하려고 머리를 땅에 박은 건 아니다.

콰드드득!

한세건의 주위로 네 개의 기둥이 솟아올랐다. 살점으로 이뤄진 그 기둥에서 무수한 눈알이 나타나 눈을 떴다.

화르르륵!

사방팔방에서 사안의 힘이 한세건을 덮친다.

"썅… 다재다능한 새끼!"

욕인지 칭찬인지 알 수 없는 소리와 함께 한세건의 몸이 그림자에 휩싸였다.

"역시… 계승자는 하나같이 괴물이었군."

앙리 유이는 폭주하는 브리아레오스의 힘을 멀리 강 건너 불구경하듯 하면서 내심 자신의 몸을 점검해 보았다.

팬텀에게 내준 몸의 일부분은 브리아레오스의 사안과 독기에 휩쓸려 손실했다.

상당량의 육신이 죽어버렸다. 당연히 그에 따른 VT인자도 소멸……. 앙리 유이의 VT인자는 엄청나지만 그럼에도 불구하고 무시할 수 없는 타격이었다.

그래도 지금 그는 잃은 것보다 얻은 것이 더 많다. 오라클 시스템에 침입하는 데 성공했으며 그로 인해서 테트라 아낙스의 정보 능력을 손에 넣었으니까.

─만족스러운가?

팬텀이 그렇게 물어보고 있었다. 앙리 유이가 귀에 끼고 있는 트랜스리시버를 통해서 팬텀의 가라앉은 목소리가 들려왔다.

지금 상황은 강 건너 불구경할 상황이 아니다. 그들의 발등에 불이 떨어져 있는데 객관적이고 냉정한 자세를 유지하면 그게 미친놈이다.

테트라 아낙스의 세력과 싸워야 할 처지에 아낙스의 충복인 브리아레오스가, 계승자가 저런 강력한 힘을 감추고 있다면 이건 재앙이라고 할 수 있었다.

그걸 남의 일처럼 이야기하는 앙리 유이를 보니 평상시 앙리에게 너그러웠던 팬텀도 아무래도 한마디 하지 않을 수 없었다.

─무슨 신경인지 모르겠군, 앙리.

"이봐, 난 지금 격하게 감격하고 있다고. 원래 계승자들에겐 필요한 경우 진마를 죽이고 그들을 대행하기 위해서 특수한 능력이 부여될 예정이었으나… 아쉽게도 구세대의 VT인자로는 다양한 능력을 부여할 경우 그릇이 깨어지는 현상이 발생했어. 쉽게 말하자면 설계 스펙에 비해서 실제 스펙이 떨어질 수밖에 없었단 말이지."

―……

"그것을 아웃레이지로, 아니, 비셔스 바이러스로 대체함으로써 계승자들은 설계 스펙대로의 힘을 낼 수 있게 되었다. 즉 아낙스도 나의 연구를 받아들였다는 뜻이지. 나의 지식, 나의 재능이 아낙스를 능가했다는 거지!"

앙리 유이는 아낙스가 자신의 연구 성과를 받아들였다는 사실에 흡족한 표정을 지어 보였다.

트랜스리시버로 대화하고 있으니 앙리 유이의 얼굴을 보았을 리도 없건만 팬텀은 목소리만으로 앙리 유이의 표정을 유추해 낼 수 있었다.

―그런 걸로 상당히 만족스러운 표정을 짓고 있을 것 같은데… 중증이군. 중환자실에 한자리 마련해 줘야 할 것 같은데.

"음? 뭐가?"

―아낙스가 아웃레이지를 응용했다고 기뻐하는 것 자체가 상당히 슬픈 일 아닌가? 아낙스가 차량이나 비행기를 발명한 것도 아닌데 쓰고 있는 건 어떻게 생각하지? 자신이 만들어낸 걸 쓴다고 그렇게까지 기뻐하다니 안쓰럽군. 전화로 이야기하고 있어서 지금의 내 안쓰러운 표정을 전달 못 하는 게 아쉬울

정도야.

팬텀이 그렇게 이야기할 때 그의 옆에서 누군가가 투덜거리는 소리가 들려왔다.

—역시 나중에 저놈 토막 내서 티본스테이크로 만들어야겠다.

—먹지도 못할 놈이지만 말이지.

팬텀과 함께 이동하고 있는 이들이 앙리 유이에게 분통을 터뜨리는 게 간접적으로 들려왔다.

아무래도 이런 분위기면 태업을 벌였다가 정말 적개심에 가득찬 적들을 상대해야 할지도 모른다. 오라클 시스템의 일부를 손에 넣긴 했지만… 서린이나 서현 형제, 그리고 베오울프의 한니발은 확실히 적으로 돌아서겠지.

지금 티본스테이크 운운한 녀석이 바로 한니발이고 거기에 맞장구친 녀석이 서현이다. 그 녀석들이라면 저 말을 실행에 옮기고도 남을 거다.

아무리 앙리 유이가 눈치가 없는 놈이라 해도 여기서는 자신의 장점을, 이점을 어필할 필요가 있다는 것쯤은 알 수 있었다.

"지금 나는 오라클 시스템에 침입했고 그 권한 일부를 획득했다. 그게 아니더라도 아담카드몬 아낙스에게는 내가 미리 깔아둔 심상이 남아 있으니 아담카드몬은 날 직시하지 못할 거야."

—어째서지?

팬텀은 자신만만하게 말하는 앙리 유이에게 의문을 품었다. 아담카드몬을 제어하기 위해 앙리 유이는 자신에게 충성하는 강아담이란 소년을 그릇으로 써버렸다. 하지만 그럼에도 불구하고 아담카드몬이 완전히 독립해 버렸건만 어디서 이런 자신감이 샘솟는 것일까?

"말하자면 좋지 않게 헤어진 연인이라고 할 수 있지. 어지간하면 서로 피하려고 할 거 아냐?"

―…….

―비유 쩔어.

팬텀 대신 서린이 감탄하는 게 들려왔다.

―연애도 안 해봤을 놈이 비유는 참…….

서현도 투덜거린다.

약간 이상한 비유를 쓰긴 했지만 덕분에 분위기 전환은 된 것 같다. 앙리 유이의 존재가 그들에게 필요하다는 걸 어필할 기회다.

"일단 이 정도면 뉴욕으로 직접 비행기를 타고 날아가도 괜찮을 것 같아. 미사일 공격을 당하지 않도록 할 수 있을 것 같군. 마침 이곳엔 비행기도 있으니까 합류하면 바로 뉴욕으로 날아가도록 하지."

앙리 유이가 그런 제안을 하자 트랜스리시버 너머에서 술렁거리는 게 들려왔다.

―조, 좋은 제안이다.

역시 다들 앙리 유이의 필요성을 인정할 수밖에 없다. 미 서부 해안에서 유타―네바다 경계까지 오는 데 그들은 10시간 이상 스트레이트로 차를 몰면서 왔다.

아무리 실내가 넓고 편하게 개조되어 있는 리무진 차량이라 해도 좀이 쑤실 터. 이동 시간을 단축할 수 있다면 영혼이라도 팔 지경이리라.

"그럼 난 비행기를 확보해 두겠어. 브리아레오스와의 싸움에 서 빠지더라도 이해해 주면 좋겠군. 내가 없으면 육로로 가야 한다는 걸 감안해서 인내와 배려를 부탁드리지."

앙리 유이는 그리 말하고 통화를 끊었다.

"허⋯⋯."

통화를 듣고 있던 서현이 혀를 찼다.

"비행기 타고 싶으면 브리아레오스랑 너희들이 드잡이질을 해라. 난 숨어 있지. 뭐, 이런 뜻인가? 뭐지, 이 자식은?"

한니발도 앙리 유이의 말을 듣고 실소를 머금었다.

앙리 유이는 자신이 브리아레오스와 직접 싸우지 않겠다는 뜻을 노골적으로 내비쳤다. 아니, 객관적으로 볼 때 앙리 유이 의 요청은 틀린 게 아니다. 오라클 시스템을 손에 넣어 테트라 아낙스의 조기 경보망을 피할 수 있는 그를 전면전에 내보냈다 가 덜컥 죽기라도 하면 그게 바로 개죽음이다.

문제는 앙리 유이가 노골적으로 다른 이들을 총알받이로 세 우려고 한다는 것이다.

'분명 똑똑하긴 한데 이거 엄청 헛똑똑이네.'

서린도 쓴웃음을 지었다. 앙리 유이는 역시 대인관계에 있어 서는 완전 멍청이다. 인간이든 뱀파이어든 감정이 이성을 초월하는 존재다. 조금만 머리를 굴리면 이런 말은 해봐야 역효과라는 걸 모르지 않을 텐데 대놓고 말해 버리다니.

앙리 유이는 도저히 사람 마음을 모른다.

"마, 마스터. 그동안 제 무례를 사과하고 싶습니다."

운전대를 잡고 있던 빌헬름이 새삼스럽게 말했다.

"아니, 왜?"

"평상시 마스터의 게으르고 불성실한 점에 불만을 품고 있었습니다만 저분에 비하니 마스터는 정말 훌륭한 품성을 유지하고 계신 거로군요. 흑흑, 전 감동했습니다. 저 정도 아닌 것만 해도 어디인데 언감생심 성실하기까지 바랐으니… 제 죄가 깊어 마리아나 해구를 시추할 지경이로군요."

빌헬름은 얼굴색 하나 안 바꾸고 우는 시늉을 했다.

"…그것참 고맙구나. 하지만 지금은 조금 긴장해야 할 거다. 앙리 유이의 몸을 빌렸다고는 해도 내가 완패했을 정도니까. 브리아레오스가 가진 능력은 너무 특출 나서 걱정이 되는구나."

팬텀은 능청을 떠는 빌헬름에게 주의를 환기시켜 주었다.

"계승자가 뱀파이어들을 통제하기 위한 암살자라는 건 알고 있었지만 설마 그렇게까지? 그리고 보면 아르곤도 계승자 축에 들지요? 아르곤은 그런 거 있어요?"

창영이 아르곤에게 질문을 던졌다.

그러자 아르곤이 코에 붙어서 너덜너덜해진 서포터를 떼어내고 어깨를 으쓱해 보였다.

"나 때는 그런 거 없었는데? 그리고 원래 능력이니 뭐니 그런 거에 신경 쓰는 건 할 짓 없는 놈들이나 하는 거야. 난 달리 신경 쓸 데가 많다고. 인생을 충실하게 살고 있으니까."

인생을 충실하게 사는 녀석은 혈인 능력이니 뭐 그런 초상 능력에 관심이 없다.

아르곤의 말은 지론이었지만 듣고 있던 정야와 창영의 표정이 구겨졌다.

"충실하게 살아서 그것밖에 안 된다면 건성으로 살았으면 큰일 날 뻔했군요."

정야가 대놓고 아르곤을 모욕해서 다른 이들이 흠칫 놀랄 정도였다.

그러나 당사자인 아르곤은 되레 미소를 짓고 있었다.

"건성으로 살기 때문에 인생이 충실한 거지."

"아… 그건 이해가 되네요."

파트타임 잡으로 정신없이 굴러본 정야 입장에서는 이해가 되었다. 열심히 일하고 성실하게 살아봐야 남의 수족에 불과하다면 충실한 인생이라고는 할 수 없겠지.

그런 점에서 아르곤은 철저히 자신만을 위해 산다. 뱀파이어답지 않은 진취적이고 도덕적인 목표가 있고 자신을 사랑하면서 충실하게 살아간다. 돈에 쪼들리기야 하겠지만 그런 것 따윈 전혀 신경 쓰지도 않는다. 그렇게 살면 그야 충실하겠지.

'더 화나는데?'

정야는 그런 아르곤에게 시기심을 느꼈다. 그녀는 평생 저런 경지에 도달할 수 없겠지. 그런데도 에스프리의 일원이 되어서 저 모습을 지켜봐야 한단 말인가? 우습군. 왜 다른 뱀파이어들은 저런 놈을 내버려 두는 거지?

"어쨌거나 그렇다는 건 지금 사안을 가진 녀석이랑 한세건, 실베스테르만 남아 있다는 거군. 이 뱀파이어 놈이 태업하겠다고 선언한 이상 둘이 그 괴물을 막아야 한다는 거지?"

서현이 그나마 그 현장에 앙리 유이의 몸을 빌려서 가보았던 팬텀을 바라보았다.

"걱정이군요."

팬텀은 솔직히 그렇게 말했다.

실베스테르의 실력은 그도 인정하고 있고, 한세건 역시 보통 뱀파이어 헌터는 아니지만 브리아레오스는 진마인 그나 앙리 유이조차 가볍게 압살하는 사안의 힘을 가지고 있었다. 게다가 다른 계승자들도 있었고 안에는 테트라 아낙스의 경비 병력도 있다. 절대 낙관할 수 없는 일이 아닌가?

사방팔방에서 기둥이 치솟아 오르고 그 기둥으로부터 사안의 힘이 한세건을 집중적으로 노린다.

"다재다능한 새끼!"

한세건은 브리아레오스의 능력에 욕설을 퍼부었지만 욕을 퍼부어야 할 쪽은 사실 브리아레오스였을 것이다. 왜냐면 사안의 힘은 한세건의 몸에 범접하지 못했기 때문이었다. 검은 짐승, 탐랑은 한세건의 그림자 안에서 으르렁거리며 사안을 마주했고 그때마다 사안의 힘은 허공에서 부서져 버렸다.

그리고 그 맹수의 목에 걸린 사슬에 연결된 한세건은 몸은 비틀어 가볍게 도폭선을 쏘아낸다. 선의 형태를 하고 있지만 금속 코일에 컴파운드 폭약을 덮어 만들어진 이 줄은 굵고 무겁다. 인간의 힘으로 그걸 던져서 풀어내는 건 어려운 일이지만 한세건은 가볍게 도폭선들을 날려 원하는 곳에 감아냈다.

바직!

하지만 한세건이 점화 플러그를 당긴 순간 사안이 도폭선의 중간에 명중했다.

도폭선이 폭발했지만 중간에 불발하면서 뚝 끊겨 버렸다.

'도폭선을 막아?'

놀란 한세건은 USAS—12를 들고 기둥들에 총격을 퍼부었다.

사안들이 터져 나갔지만 그때마다 브리아레오스의 몸이 재생된다.

브리아레오스는 맞으면 맞을수록 오히려 거대해져 가고 있었다. 처음에는 황소만 한 크기였다면 지금 이 순간은 마치 거대한 트럭처럼 변해 있었다. 커럽티드들의 재생력이 폭주해 체적이 커지는 건 흔한 일이지만 혈인 능력이나 이능력은 되레 약해지게 마련이다.

그러나 브리아레오스는 몸이 커지면 커지는 만큼 사안의 힘도 덩달아 강력해졌다. 처음에는 한세건 근처에도 미치지 못한 사안의 힘이지만 브리아레오스가 재생을 거듭하고 커지는 걸 반복하면서 사안은 점점 접근해 온다.

치익!

한세건의 머리칼이 열기에 그을려 타들어간다.

"이런……."

한세건은 즉시 바닥의 콘크리트를 뜯어 차폐막으로 세우고 그 뒤로 숨었다. 사안의 힘을 버틸 수 있다고 해도 그걸 받아주면서 싸우는 건 멍청한 짓이다.

"어쩌지… 내가 가진 무기로는 도통… 안 먹히는데."

한세건은 화력 부족을 실감했다. 그가 들고 있는 것도 비스트나 USAS—12, 총화기법이 느슨한 미국에서도 개인에게 허용되지 않는 중화기들이지만 그것만으로는 부족하다.

'RPG나 팬저파우스트 같은 것도 닿지 않을 테고… 도폭선도 베어내는 무기다. 고폭탄이나 소이탄을 쓸까? 하지만 사안을 쓰는 놈에게 이걸 던진다고 효과가 있을 리가.'

실제로 한세건은 엄폐물 뒤에 숨어서 수류탄을 던져보았지만 수류탄이 사안의 힘에 의해 석화되어 불발탄이 되어 떨어질 뿐이었다. TNT 바에 신관을 장입해서 던진다 해도 마찬가지겠지. 도폭선도 도중에 막아낸 놈이다.

'비스트를 쓰면 될 테지만 비스트 탄을 쓰자고 다른 탄약이 많이 남아 있는 지금 새 부적을 뜯자니 아까운걸? 탄약 보급을 언제 받을지 모르는데 지금 뜯어버리기는 좀……'

한세건이 망설이고 있는 바로 그때 한세건에게 무선이 들어왔다.

—곤란해하고 있는 것 같군.

실베스테르의 평상시와 다를 바 없는 무심한 목소리였다.

"살아 있군요?"

―그 정도로 죽을 만큼 허술하진 않아.

"그럼 협력해서 도와주시지요. 엄폐물들이 자꾸 못 버티는데……."

한세건은 콘크리트 벽들을 세우고 그 벽과 차량들 사이를 오가며 브리아레오스의 공격을 피하고 있었다.

누군가가 시선을 끌어주지 않으면 계속 일방적으로 공격당할 뿐이다. 탐랑이 사안을 막아주니까 그냥 맞서 싸우면 되겠지만 그런 무식한 맞치기는 한세건의 스타일이 아니다. 탐랑의 힘이라는 걸 그렇게 마구 써도 되는지 의문이기도 하고.

실베스테르가 유인을 해주면 좀 분위기가 전환되겠지?

하지만 실베스테르는 한세건의 요청을 거절했다.

―아니, 지금 브리아레오스의 사안을 맞으면 나라도 위험하다. 30% 밑으로 떨어졌어.

아마도 보호 술식의 마력을 말하는 거겠지?

그렇지만 도와달라는데 대놓고 협력을 거부하다니?

"그럼 이대로 손가락 빨고 당할까요?"

한세건이 어이없어하자 실베스테르가 흠흠 헛기침을 몇 번 하고 말했다.

―나라고 논 건 아니다. 몇 차례 저격용 라이플로 눈알을 날려 버렸지만 하나 날리면 그 자리에서 두 개 나는 꼴이라… 어째 지금 화력으로는 도저히 방법이 없군. 탄에 마법이나 성자의 축복을 걸어서 쏴봐야 몸에 박히는 것만 해도 기적이군.

즉 실베스테르가 공격을 안 한 건 아니지만 그걸로 브리아레오스의 주의를 끌 수 없었다는 뜻이다.

"아… 하긴."

탐랑을 쓰는 한세건도 화력 부족을 느끼고 있는데 실베스테르는 확실히 곤란할 것이다.

―대신 재미있는 걸 발견했군. 이걸 써보는 건 어때?

"뭔데요?"

한세건이 물어보자 실베스테르는 말로 하는 대신 메일을 보내왔다. 휴대폰을 들어서 그 메일을 본 한세건의 얼굴이 순간 굳어졌다가…….

"허… 후후후……."

절로 웃음이 지어졌다.

입가가 위로 올라가다 못해 찢어질 것 같다.

―쓸 수 있겠나?

"물론 써야지요."

―그렇다면 지금 그쪽으로 간다!

실베스테르가 그렇게 말한 순간… 어디선가 육중한 엔진음이 들리기 시작했다.

브리아레오스는 늘 불만과 공허감에 시달리고 있었다. 아낙스에 의해 의도적으로 만들어진 뱀파이어여서만은 아니다. 누군가의 의도가 자신을 만들었다고 좌절한다면 이 세상 모든 인간은 부모가 자신을 의도적으로 낳았음에 절망해야 할 것이다.

'아, 물론 피임 실패로 우연히 태어난 이들은 예외가 되겠지만……..'

브리아레오스는 의식의 흐름 속에서 실소를 머금었다. 이런 상황에서 그런 우스꽝스러운 방향으로 의식이 빠지다니…….

하여튼 브리아레오스는 충족되지 못할 갈증으로 고통받고 있었다.

물론 모든 뱀파이어는 혈액에의 갈증에 시달린다.

하지만 그것만이 아니었다. 브리아레오스는 항상 자신의 존재가 어딘지 모르게 결핍되어 있고 그것을 채울 방법은 사실상 존재하지 않는 게 아닐까 겁에 질려 있었다. 피를 마시고 육욕을 충족시키고 온갖 쾌락과 향락에 몸을 던진다 해도 갈증은 오히려 더 심해져만 갔다.

그러는 와중에 점점 기억의 손실이 찾아오게 된다. 인간의 정신은 오랜 시간을 버티지 못하게 되어 있으며 불운하게도 뱀파이어 역시 마찬가지다. 뱀파이어의 정신은 인간의 그것과 크게 다르지 않으니 시간이 지날수록 공허감은 더욱더 커져 그를 좀먹었다.

무엇을 위해 사는지 모르겠다. 어차피 그의 위에는 테트라 아낙스가 있고 아낙스가 가진 특수 능력을 생각해 볼 때 반역은 언감생심 꿈도 꿀 수 없다. 설령 반역을 해서 그 정점에 오른다고 해서 행복해질까?

브리아레오스가 보기엔 테트라 아낙스도 만성적인 우울증에 시달리고 있었다. 브리아레오스도 우울했다. 뱀파이어의 삶은 필연적으로 결손되어 있고 고통스러웠고 우울했다.

그런데 지금 이 순간 브리아레오스는 그 우울증에서 해방되었다. 언제나 그를 괴롭혀 온 공허감은 사라지고 종교적인 희열, 법열이 그를 휘감았다.

위대한 존재와의 합일!

비셔스 바이러스를 통해서 그는 위대한 존재, 아담카드몬과 합일되었고 그가 알고자 했던 사실들이 마치 원래 알고 있었던 지식처럼 스며들어 왔다. 지혜의 법열이 그의 고통을 씻어 준다.

'그래, 이래서 사람들이 종교에 귀의하는군!'

브리아레오스는 자신을 휘감는 법열에 몸을 떨며 기뻐했다.

이건 커럽티드가 된 게 아니다. 보다 위대한 존재와 결속된 것이다. 이 기쁨을 항구히 누려야지 어째서 다시 뱀파이어의 수준으로 떨어질까?

그는 유할리와 사니타의 외침을 무시하고 눈앞의 적, 한세건을, 탐랑을 노려보았다.

그가 합일한 위대한 존재와 대칭점에 존재하는 흉악한 괴물.

이단의 교적(敎敵)이다.

한세건은 평상시에도 혐오스러운 헌터였지만 지금 이 순간은 저것이 존재하는 것만으로도 참을 수가 없다.

저것을 멸한다. 브리아레오스는 그것에 의식을 집중하고 있었다.

그런데 그때였다.

쿠르르릉…….

기괴한 장비를 등에 실은 트랙터 한 대가 활주로를 따라 달려오고 있었다.

원래 저런 거대한 트랙터는 설령 대전차 로켓이 있다고 해도 쉽게 부술 수 없는 것이지만 지금의 브리아레오스는 훨씬 강력한 힘을 갖추고 있었다.

그런데… 차량이 접근해 오는 걸 본 브리아레오스는 무심코 놀라고 말았다.

'저게 저렇게 작았나?'

브리아레오스의 몸이 그만큼 단시간에 너무 거대해진 것이다.

갑자기 찬물이 끼얹어졌다. 위대한 존재와의 합일, 그동안 마음을 움켜쥐고 괴롭혀 왔던 우울증이 사라져서 좋아할 때가 아니다. 자신이 너무 변해 버린 것이다.

그 사실을 인식한 순간 그 틈을 노리고 한세건이 움직였다.

'제길! 생각할 틈을 안 주는군! 이 자식!'

분노한 브리아레오스가 사안의 힘을 방출했지만 한세건 역시 탐랑으로 사안을 차단했다.

치이이익!

한세건의 몸 근처에 불길이 일었지만… 그 순간 한세건이 손가락을 딱 튕겼다.

픽!

브리아레오스의 몸, 마치 거대한 버팔로의 등짝 같은 몸통에 커다란 구멍이 뚫렸다.

"크르르르르······."

브리아레오스가 상처를 재생하는 동안 한세건은 트레일러 위에 올라탔다.

"자··· 끝장을 내주마!"

한세건의 외침과 함께 트레일러 뒤에 탑재된 '그것'이 들어올려졌다.

플렉스 메디칼 연구 단지에 대공방어용으로 설치된 '메가와트급 DF 레이저'가 검은 가시덩굴에 휘감겨 하늘로 솟아오르고 있었다.

"크아아아아!"

이미 인간의 형상을 잃어버린 사족 보행의 괴물, 브리아레오스가 지면을 짚고 달려온다.

마치 도살장에서 탈주한 황소처럼 머리를 들이밀고 사안의 힘을 한세건에게 집결시키며 질주하는 그 모습은 이미 체질량 100톤을 넘어서고 있었다.

하지만 그 순간 브리아레오스의 머리가 끓어오르기 시작한다. 한세건의 탐랑에 사로잡힌 DF 레이저가 최대 출력으로 레이저 광선을 쏘아내기 시작한 것이다.

화르르르륵!

브리아레오스의 머리가 날아가고 몸이 끓어오른다. 물론 브리아레오스는 그럼에도 불구하고 질주해 왔지만······.

쿵!

브리아레오스의 쇄골과 어깨가 잘려 나가며 팔, 아니, 앞발이 절단당했다.

브리아레오스가 달려오던 속도 그대로 엎어져 지면 위를 구르며 관제탑에 충돌했다.

"크아아아……."

브리아레오스가 신음을 토하며 몸을 일으켰다.

여전히 재생 속도가 엄청나지만 그걸 보고 있을 한세건이 아니었다. DF 레이저로 지탱하는 팔의 상부, 어깨를 중심으로 태워 버리자 몸통까지 구멍이 뚫리며 팔이 잘려 나갔다.

팔이 어깨부터 떨어져 나간 브리아레오스가 허우적거리며 다시 쓰러진다.

그리고 그 순간 쓰러진 브리아레오스의 구멍 난 몸으로 은색 와이어들이 날아들어 그를 휘감았다. 트렉터의 운전석에서 빠져나온 실베스테르가 은사를 풀어 그를 휘감은 것이다. 게다가 실베스테르는 그렇게 은사를 풀어낸 코일을 전력선을 향해 집어 던졌다.

전력선에 코일이 휘감기는 것과 동시에 고주파음이 건조한 공기를 뒤흔들었다.

바지지지직!

브리아레오스의 몸이 감전되며 타오른다. 워낙 거대한 몸이라 전력선 정도로 그 몸을 마비시킬 수는 없겠지만 DF 레이저가 무자비하게 팔다리를 잘라 떼어버렸기 때문에 충분하다.

"아아아아아!"

브리아레오스가 분노를 표하며 사안의 힘을 사방팔방으로 쏘아냈지만 이미 기울어진 형국을 뒤집을 수는 없었다.

DF 레이저의 중수소 탱크가 거의 비어갈 때 즈음… 브리아레오스는 더 이상 재생하지 못하고 인간의 모습으로 돌아와 있었다.

"커헉……."

신음하며 빈맥을 일으키고 있는 그의 모습은 누가 보더라도 죽음으로 향하고 있었다.

'굳이 죽이기 전에 말을 섞을 필요는 없지.'

한세건은 그리 생각하고 레이저를 퍼부으려 했지만 중수소가 완전히 비어버린 바람에 더 이상 레이저는 쏠 수가 없었다. 어딘가에 중수소 탱크가 추가로 있겠지만 그것을 가지러 다녀올 필요는 없을 것 같다.

무한할 것만 같았던 브리아레오스의 생명력도 점차 꺼져가고 있었다.

실베스테르가 그런 브리아레오스의 앞에 섰다.

"커럽티드가 아니었군. 몸이 그렇게 변하길래 커럽티드가 된 줄 알았더니."

"쿨럭… 하하하… 놀랍군. 너희들은 지금 너희들이 쓴 힘이 뭔지 알고나 있냐?"

브리아레오스는 탐랑의 힘을 두고 말한 것이었지만 실베스테르는 일부러 딴청을 피웠다.

"DF 레이저 말인가? 과학의 힘이지. 아, 자본의 힘이라고 말하는 걸 원했나?"

"……"

"어째서 다른 뱀파이어와의 협력을 거부하고 혼자서 싸웠나? 완전히 커럽티드가 된 게 아니라면 의식이 있었을 테고 연계 플레이를 할 정도의 생각은 있었을 텐데?"

유할리와 사니타, 두 여자 뱀파이어는 굉장히 강력한 존재였고 그녀들 역시 계승자라면 브리아레오스처럼 강력한 특수 능력을 하나씩은 갖추고 있을 것이었다. 브리아레오스가 커럽티드가 된 게 아니라면 그녀들과 손을 맞춰서 협력할 수도 있었을 텐데 어째서 브리아레오스는 그들의 협력을 거부했나? 실베스테르는 그걸 물어보았다.

브리아레오스의 질문에는 딴청을 부리면서 자기 질문만 던지다니 뻔뻔하다.

하지만 브리아레오스는 왜인지 모르게 대답하고 싶어졌다. 이제 곧 그의 생명이 끝날 것이기에… 그 임종을 지켜보는 자에게는 질문에 대한 대답 정도 해줘도 손해 볼 게 없겠지.

"내 능력은 협력 플레이에 특화되어 있지 않기 때문이지. 그게 아니더라도 그 순간에는 정말 지고의 행복을 느껴서 굳이 누군가의 도움이 필요하리라고는 생각지 않았다."

브리아레오스는 순순히 대답했다.

"지고의 행복?"

"이 생명의 근원, 외령 아담카드몬과의 합치를 느낀 거지. 누군가를 흡혈할 필요도 없고 고독을 느끼지도 않고 공허감에 우울증을 느끼지도 않는 완벽한 존재와의 합일! 그 때문에 협력이라는 걸 생각 못 했어. 아니, 설사 힘을 합쳤다 해도 저것에겐 통했을지 어떨지 모르겠군."

브리아레오스는 멀찍이 떨어져 있는 한세건을 가리켰다. 브리아레오스의 숨통을 끊은 것은 DF 레이저의 힘이긴 하지만 그 전에… 저 탐랑의 힘 앞에 이미 압도당하고 있었다. 설령 유할리와 사니타가 합세했다 한들 탐랑의 힘을 넘어서진 못했을 것이다.

"아담카드몬과의 합치에서 위대함을 느꼈다고?"

실베스테르는 브리아레오스의 말에 코웃음 쳤다.

"마약중독자들이 그런 소릴 하더군. 마약을 하면 먹지 않아도 배부르고 공허감도 사라지고 힘이 나고 우울증도 소멸한다고. 단순히 정신적 쾌락을 준다고 위대한 존재라고 주장하겠다면 마약 역시 위대한 존재겠군그래?"

실베스테르는 물론 브리아레오스가 말하는 위대한 존재가 무엇인지 알고 있었다. 눈앞의 계승자는 VT인자 대신 비셔스 바이러스로 치환된 존재. 그리고 그것은 아담카드몬 아낙스와 연결되어 있다. 즉 브리아레오스는 아담카드몬을 찬양하고 있는 것이다.

하지만 실베스테르는 그런 것을 위대한 존재라고 인정하고 싶지 않았다.

"너의 고통을 지워주는 것에 신성을 부여하지 마라, 뱀파이어. 믿음으로써 평안과 안녕, 행복을 얻을 수 있는 것은 그릇된 신앙이니⋯⋯."

"그래, 당신은 썩어도 성직자인가?"

브리아레오스는 쓴웃음을 지었다. 실베스테르가 입고 있는 가톨릭의 성직자 복장은 그야말로 난센스의 집합체였다. 저 교단의 극렬 성직자들은 피임조차 부자연스럽다고 거부하며 시험관아기조차 불경한 것으로 본다. 그런데 하물며 인간도 아닌, 연금술로 빚어낸 마인이 성직자의 옷을 입고 있다면 얼마나 분노할까?

실베스테르의 존재는 고전적인 인간들에게는 인간성에 대한 도전 그 자체였다. 그런 존재가 정작 진실된 신앙을 가지고 있다니⋯⋯.

"하, 난센스로군. 더 이상 말을 섞는 것조차 무의미하고 짜증나는 일이다. 너는 제정신이 아니야, 신부."

"물론 네놈들 뱀파이어도 제정신이 아니지."

"그래. 나는 먼저 이 미친 달의 세계에서 빠져나가지. 쿨럭⋯ 너희들은 어디⋯ 고생해 보라고."

브리아레오스가 기침을 했지만 사실 그의 신체는 이제 해부학적으로 말하는 것도 불가능한 손상을 입은 상태였다.

"⋯⋯."

한세건은 실베스테르와 브리아레오스가 나누는 대화를 들으며 멍한 표정을 지어 보였다.

뱀파이어의 모든 것을 거부하고 경멸하겠다고 결심했던 한세건이지만 지금의 브리아레오스가 하는 말은 부정하거나 거부할 건덕지가 없었다.

"너희들에게 한마디 조언을 하자면… 아담카드몬 아낙스는 아담카드몬의 권화, 아바타라이긴 하지만 아담카드몬 그 자체는 아니다. 비셔스 바이러스를 통해 아담카드몬과 잠시나마 일체화를 해본 나로서는 그렇게 느꼈다. 그렇게… 서린에게 전해주게. 그 정도면 알 거야."

브리아레오스는 최후의 순간 자신의 적들에게 외려 조언을 했다. 역시 아무리 그래도 브리아레오스로서는 서린이 테트라 아낙스의 수장일 때가 마음에 들었다.

"전할 말은 그 정도면 되나?"

"그 이상은 사족이니까."

"그럼… 좋아. 주께서 네 죄를 사해주시길 빌어주마. 아주 좋은 뱀파이어로 만들어주지. 좋은 뱀파이어는 죽은 뱀파이어뿐이거든."

실베스테르는 늘 가지고 다니는 은색 세이버, 아르젠트 하르페시언을 빼 들어 브리아레오스의 숨통을 완전히 끊었다.

그 모습을 보며 한세건은 실베스테르가 자신보다 좀 더… 앞서 나가 있는 존재라는 걸 깨달았다. 실베스테르는 뱀파이어를 경멸한다. 언제나 뱀파이어들에게 욕설을 퍼붓고 그들의 존재를 부정한다는 점에서는 한세건과 같지만 그 감정은 완벽히 절제되고 통제되고 있다.

그 점이 대단하다는 것이다. 한세건은 자신이 증오하는 게 사실은 뱀파이어가 아니라 자기 자신이라는 걸 안다. 그의 가족이 뱀파이어에게 살해당했기 때문에 뱀파이어에게 분노의 화살 끝을 돌렸지만 사실은 자기 파괴적인 행동이었고 그 때문에 끝을 모르고 폭주했었다.

실베스테르도 그와 다르지 않다.

실베스테르는 연금술로 만들어진 마인임에도 불구하고 가톨릭 신부를 자처하고 있다. 물론 그의 신앙은 일반적인 교리와는 좀 다르다. 어디의 가톨릭 신부가 인간이나 뱀파이어 머리통에 매그넘 탄을 박아 넣으며 창녀, 갈보 같은 욕설을 입에 달고 사는가? 그래서 파문 신부인 것이겠지만 그럼에도 불구하고 실베스테르는 결코 헛된 마음으로 신부복을 입고 있는 게 아니다.

자신의 존재 자체를 부정하는 신앙을 가진 자. 그것은 매 순간순간이 고통일 것이다. 독실한 종교자이면서 동성애자인 이들이 자신의 신앙과 성적 정체성의 괴리를 견디지 못하고 파멸하는 것처럼… 실베스테르 역시 매 순간순간 고통을 겪을 것이다.

뱀파이어들과 같은 초상 존재들은 그러한 실베스테르의 고통을 자극할 것이다. 그들을 보거나 떠올릴 때마다 실베스테르는 자신 역시 인간이 아니며 가톨릭 교단에서는 그 존재 자체가 부정하다는 걸 싫어도 자각하게 될 것이기에…….

그럼에도 불구하고 실베스테르의 증오는 중도를 지키고 있다.

'괜히 300살이나 먹은 마인은 아니라는 거겠지.'

한세건은 브리아레오스의 숨통을 끊어주는, 실베스테르의 말을 빌리자면 나쁜 흡혈귀를 좋은 흡혈귀로 바꾸는 이상적인 성사를 보며 새삼스럽게 감탄했다.

第33夜

마경 입성

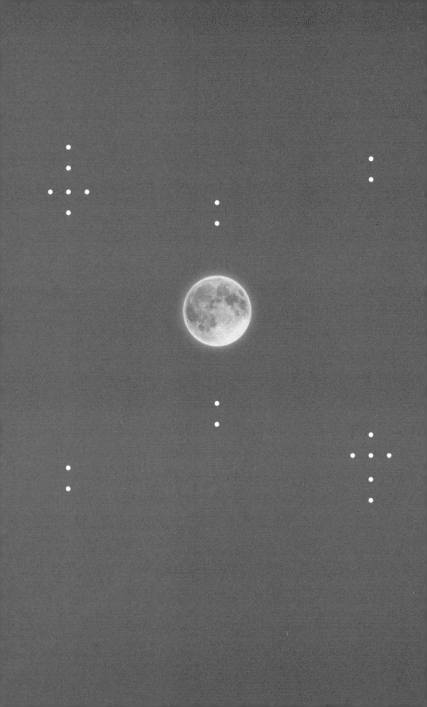

1

미 동부 해안은 때 이른 폭염에 시달리고 있었다. 뉴욕의 맨해튼 섬 같은 경우는 그 정도가 심해서 땀이 아스팔트 위로 떨어져 바로 증발할 정도다. 그럼에도 불구하고 습한 공기는 도시 전체를 에워싸서 찜통으로 만들고 있었다. 위도는 40도로 샌프란시스코와 비슷함에도 불구하고 동쪽에 바다를 끼고 있는 죄인지 여름에 뜨겁고 겨울에 춥다. 카리브 해에서 시작된 걸프스트림이 적도로부터 열에너지를 끌고 와 도시에 뿌리고 있는 것이다.

에어컨들이 전기를 빨아들이며 열을 내뱉고 있지만 그게 외려 더 도시를 뜨겁게 만들고 있었다. 높은 곳에서 보면 건물들 사이로 아지랑이가 피어오르는 게 확연하다.

그 모습을 바라보며 아담카드몬의 권화는 손가락을 바다에 겨누었다.

약 10분 뒤 바다에서 폭발적으로 증발한 수증기가 거대한 구름으로 변해 맨해튼 섬과 뉴욕 주 전체를 뒤덮었다. 천둥번개가 치고 빗줄기가 쏟아져 내린다.

아담카드몬 아낙스는 흡족스러운 표정으로 공중 정원에서 양팔을 벌리고 쏟아지는 비를 맞고 있었다.

"어째서 이런 짓을 하는 거지?"

마틴은 우산을 들고 걸어 나와 아담카드몬 아낙스에게 질문을 던졌다.

아담카드몬 아낙스는 쓴웃음을 지으며 반문했다.

"구체적으로 어떤 짓? 비를 내리게 하는 거? 아니면……."

"브리아레오스가 죽었어."

"…그가 원한 일이야."

아담카드몬 아낙스는 대수롭지 않다는 듯 답했다.

"물론 브리아레오스가 원한 일이긴 하겠지. 사춘기 소년 소녀들이 다들 자살 충동에 휩싸이는 것과 성적 충동에 시달리는 것처럼 말이야."

마틴이 그렇게 말하자 아담카드몬 아낙스가 피식 웃음을 터뜨렸다. 소년의 모습을 하고 있는 마틴이 사춘기 소년 소녀들을 언급하는 모습은 확실히 기이했다.

"뱀파이어 중 타나토스가 없는 녀석은 없을 거야. 그렇다고 해서 그게 진심으로 죽음을 원했다고 할 수는 없지. 사춘기 소년들이 성적 충동에 시달린다고 해서 그들이 강간범이 되길 원하진 않았을 거야. 안 그래?"

"하고 싶은 말이 뭐지?"

"차라리 단번에 압살해 죽일 것이지 왜 이렇게 어정쩡한 태도를 취하는 거냐고. 당신이 정말 뱀파이어들의 수를 줄이고 싶다면, 정말 아담카드몬의 권화로서 인류를 다음 단계로 진화시키고 싶다면 직접 쳐버리면 되잖아? 왜 열심히 살아가는 것들을 손바닥 위에 놓고 희롱하는 거야?"

마틴은 그렇게 말하면서도 내심 상처를 받았다. 열심히 살아가는 것들을 손바닥 위에 놓고 희롱한다. 그것이야말로 테트라 아낙스가 그동안 해온 짓이 아닌가?

물론 변명할 여지는 있다. 테트라 아낙스의 손바닥은 너무 컸다. 싫어도 전 세계가 손바닥 위에 올라와 버리는 데야 어찌할 수 있을까?

그것을 견디지 못하고 아낙스는 타락했다.

그래서 마틴은 잘 알고 있다. 지금 아담카드몬 아낙스가 하고 있는 것이 얼마나 어리석은 짓인지. 아담카드몬 아낙스는 외령 아담카드몬을 강림시킨 존재지만 결코 외령 그 자체가 아니다. 릴리쓰가 강림한 존재들은 편의상 릴리쓰라고 부르지만 그녀들은 결코 릴리쓰 그 자체는 아니었다. 서린과 서현, 두 형제를 봐도 알 수 있는 일 아닌가? 아무리 릴리쓰가 신적인 존재, 외령이라고 해도 인간의 육신을 빌리는 순간 릴리쓰의 그릇이 된 그녀들, 인간들의 의식과 정신, 욕망이 반영된다.

"넌 신에 가까운 힘을 가지고 있다 해도 신이 아니다. 그것은 지성을 가지고 있는 모든 것의 한계야. 왜냐면 지성이 바로 불완전성에서 나오기 때문이지. 아담카드몬의 본성으로 정말 아인소프를 발한다 해도 결국 넌 너 자신의 불완전성으로부터 구원받지는 못할 거야."

마틴은 그렇게 단언했다.

"신에 가까운 힘을 가지고 있기에 넌 신조차 구원할 수 없는 존재가 될 거다."

"독설이 지나치군. 우선 확실한 건……."

"……."

"뱀파이어의 수를 줄일 필요가 있다는 것에는 아낙스조차 동의했다는 거다. 실제로 난 지금까지 무수히 많은 뱀파이어의 수를 줄였어. 그렇지?"

아웃레이지와 비셔스 바이러스 사건으로 뱀파이어의 수는 급감, 약 80%가 살해당했다.

특히 미국 내의 뱀파이어들은 테트라 아낙스와 라이칸스로프 여단이 직접 손을 써서 그야말로 몰살이라고 해도 과언이 아니다.

"손을 더럽힐 수 없는 너희를 대신해서 내가 손을 더럽혔다. 기뻐해라. 나를 비난함으로써 너희는 자책에서 벗어날 수 있고, 나를 물리치려고 애씀으로써 그 기나긴 삶 속에 충실함을 더할 테니까."

"……."

"하지만 게임 마스터로서 나도 최선을 다해야지. 게임이 너무 쉬우면 재미가 없는 법이거든."

천둥번개가 마천루 도시의 첨탑을 연거푸 강타하며 뇌광을 뿌린다.

그 뇌광을 등지고 서 있는 아담카드몬 아낙스의 그림자가 길게 이 땅에 드리워졌다.

"나는 운명을 동전에 담아 던진다. 이 동전이 앞으로 떨어질지 뒤로 떨어질지… 예언자인 나는 유감스럽게도 알고 있지만 그럼에도 불구하고 운명이 내 기대를 배신하길 바라지."

"……."

"너희도 바라라… 테트라 아낙스의 그림자들. 이 순간을 즐겨라. 내가 너희에게 알 수 없는 내일을 선사하는 것도 그리 길진 않을 테니까."

빗줄기와 바람은 이윽고 폭풍이 되었다.

2

해가 뉘엿뉘엿 서쪽으로 지고 있었다.

활주로에는 걸프스트림의 비즈니스 제트 한 대가 대기하고 있었다.

서현과 서린이 차에서 내려보니 그 비즈니스 제트 앞에는 한세건과 실베스테르, 그리고 앙리 유이가 대기 중이었다.

"거참… 상황 다 정리되고 나서야 오다니 엉덩이 무거운 놈들이군."

앙리 유이가 투덜거렸다. 팬텀조차 긴장했던 적, 브리아레오스가 정리된 것을 보니 그렇게 투덜거리는 것도 이해는 가지만…….

앙리 유이의 옆에 있던 한세건과 실베스테르의 표정이 확 구겨졌다.

'브리아레오스를 정리하는 데는 별 도움도 안 되었던 녀석이 지금 무슨 소리를 하고 있는 거지?'

앙리 유이의 뻔뻔함에 둘 다 질려 버렸다.

"일단 제트기는 상태 깔끔하게 구비되어 있고 연료도 채워져 있지만… 미 항공교통국에 운항 허가를 얻기 위해서는 이 항공기의 소유주, 혹은 관리 회사가 요청해야 해. 우린 이 비행기의 소유주가 아니기 때문에 이대로는 날릴 수가 없겠어."

앙리 유이가 그렇게 말하자 듣고 있던 창영이 난색을 표했다.

"…이 비행기의 소유주는 테트라 아낙스라고 했잖습니까? 그럼 테트라 아낙스가 우리보고 자기네 비행기를 쓰라고 허락해 줘야 한다는 뜻이로군요. 그게 가당키나 합니까?"

좀비물이나 각종 재난 영화 등에서 보면 재난 상황에서 비행기를 이용해 탈출하는 건 흔히들 볼 수 있다.

그러나 남의 비행기를 절취하는 짓이 그렇게 쉬울 리가 없다. 하물며 목적지가 뉴욕 도심으로 접근하는 것이라면 당연히 항공교통국의 관리를 받아야 한다. 작은 비즈니스 제트라 해도 아음속으로 빌딩에 들이받으면 무슨 일이 벌어질까? 9.11 테러의 재래가 일어나지 말란 법이 없다.

당연히 도심 인근의 비행기 항로에 대해서는 빡빡한 감시와 관리가 필요한데 도난품으로 뉴욕에 날아오겠다니? 항공교통국 관리들이 단체로 코카인을 빨고 근무한다 하더라도 그런 걸 허락해 줄 리가 없다.

"포기하고 다른 비행기를 이용할까요? 오라클 시스템의 일부를 손에 넣어서 그들을 교란시킬 수 있다면 일반 비행기로도 뉴욕에 가는 것은 어렵지 않을 겁니다."

정야가 그렇게 물었지만 팬텀이 자신의 휴대폰을 들어 보였다.

"현재 일반 민항기 대다수는 결항 중입니다. 비셔스 바이러스 사태를 해결하기 전까지는… 무리지요."

"그럼 어떻게 하지? 다시 차로 이동해?"

서현은 그리 말하며 기지개를 켰다. 친한 친구끼리 차를 타도 이렇게 장거리 여행이면 불평불만이 튀어나올 것이다. 하물며 지금 이건 오월동주가 아닌가. 피를 빠는 괴물, 인육을 먹는 괴수, 살인을 맹세한 광신도라니 도저히 장거리 자동차 여행을 즐길 만한 멤버 구성이 아니다. 장거리 자동차 여행을 즐길 시간적 여유도 없다.

"항공교통국을 텔레파시로 조작해서 정보를 덮어쓰면 되지요. 테트라 아낙스가 허락하지 않아도 항공교통국의 승인이 나 있고 항로가 기록되어 있으면 아무 문제 없을 겁니다. 문제는……."

그렇게 말한 서린은 힐끔 앙리 유이를 바라보았다. 앙리 유이가 눈을 빛내며 자신을 보고 있는 게 보였다.

"어떻게 하는 거지, 그건? 일반적인 텔레파시와는 전혀 용법이 다른 것 같은데?"

오라클 시스템을 침탈해서 테트라 아낙스와 흡사한 능력을 가지게 된 앙리 유이지만 아직 제한적인 사용법에만 익숙할 뿐이다. 고전적인 텔레파시 능력, 인간의 정신을 조작하는 건 쉽지만 전자 장비의 정보까지 뒤집어씌우는 전산 정보 기술은 아직 익히지 못하고 있었다.

'앙리 유이는 지금 테트라 아낙스의 능력을 사용하는 법을 배우고 싶어서 안달이 나 있는데 내가 그 앞에서 시범을 보여주는 격이 되는 게 문제지……. 해도 되는 걸까?'

서린은 그 점을 걱정했지만 그 외 다른 수가 없었다. 서린이 직접 정보 능력을 사용하려 하면 반드시 아담카드몬 아낙스의 방해가 들어온다. 아담카드몬 아낙스는 서린의 능력을 써서 난관을 타개하는 것을 허락하지 않고 있었다.

앙리 유이가 미 항공교통국의 서버에 침입해 뉴욕으로 향하는 항로를 승인받는 데는 그리 오랜 시간이 걸리지 않았다.

예상대로 아담카드몬 아낙스는 그런 상황을 막지 않았다. 서린이 직접 하려고 할 때는 강력한 저항감을 느꼈지만, 앙리 유이가 할 때는 아무런 저항도 없이 수월하게 진행되었다.

"게임 메이커… 로서의 역할에 충실하군요."

서린은 아담카드몬 아낙스의 작위적인 작태에 쓴웃음을 지었다. 아담카드몬 아낙스는 결국 오라클 시스템에 앙리 유이가 독소를 불어넣는 걸 승인한 것이었다. 마치 어린아이를 상대로 장난감 칼로 칼싸움을 벌이는 것 같다. 장난감 칼이어도 모욕적일 텐데 무수한 이의 목숨이 실제로 오가고 있는 걸 생각하면 이보다 더 모욕적일 수는 없다.

"어째서 전력을 다해 싸우지 않고 운명을 주사위에 던지는 거지?"

한니발이 그렇게 물어보며 운전석에 앉았다. 일행 중 항공기 면허를 가지고 있는 이는 오직 팬텀뿐이었지만 한니발은 자신이 평소 스포츠기나 수송기를 몰아보았다고 주장하며 자신이 먼저 조종석에 앉아 이륙할 것을 주장했다.

"결정할 수 없기 때문이지요. 사람들 사이에서는 흔히 있는 일입니다."

"결정할 수 없다? 무엇을?"

"세상의 운명과 자신의 운명을 말이지요. 가(可), 부(否) 어느쪽도 결정할 수 없을 때 동전을 던져 결정하듯 선택을 운명에 맡기려는 게 아닐까요?"

"왜 그런 짓을 하지? 아담카드몬이라면 신적인 개념, 외령 아닌가?"

"일단 인간의 육신을 입는 그 순간 그것은 외령 그 자체와 별격의 다른 존재가 됩니다. 물론 외령의 권화로서 외령의 개념에 지배당하긴 하지만 그렇다고 해도 그것은 일단 섞인 존재입니다. 우리가 편의상 릴리쓰라고 부르는 것도 외령 릴리쓰의 본질 그 자체는 아닙니다."

"그렇다면 아담카드몬 아낙스는 자신의 아담카드몬으로서의 본질이 실패하길 바라고 있다는 뜻이기도 하군. 왜 굳이 이런 번거로운 방법을 쓰는 걸까?"

한니발은 비행기의 각 계기판을 보면서 조작법을 익혔다. 그가 몰아보았다는 구식 수송기에 비하면 많은 조작계가 간략화되어 있다. 최신의 비즈니스 제트라 대부분의 기능이 터치 패널로 되어 있으며 비행 보조 장치도 충실해 오히려 구식 수송기보다 훨씬 쉽다. 그렇다고 해도 적응 연습이 필요하다.

팬텀 역시 직접 비즈니스 제트를 몰아본 적은 없는지 계기판을 보며 한니발의 질문에 대답해 주었다.

"자신을 증오해서 스스로를 학대하는 사람들도 자기 머리에 방아쇠를 바로 당기진 않지요. 운명이 자신을 처단하길 바라는 겁니다."

듣고 있던 한세건이 흠칫거렸다.

마치 그보고 들으라고 하는 말 같다.

"뭐, 좋아. 다살익선! 덕분에 전 세계의 인구가 좀 줄어서 좋군. 특히 자칭 문명국에서 꽤나 많이 죽은 게 마음에 들어. 늘 제3세계 사람들만 뒈지다가 이제 좀 평화에 찌든 놈들 엉덩이에 불이 붙었다는 점에서 난 대환영이야."

한니발은 아담카드몬 아낙스가 벌인 생명에의 모독을 외려 즐겼다. 그에게 생명은 소중한 것이 아니라 도리어 모독해야 마땅한 존재다.

"하지만 난 축제의 호스트를 잡고 싶지 남이 벌인 축제의 광대가 되고 싶진 않군. 전 인류를 다 죽여 버려야 한다면 그 칼자루는 내가 잡고 싶어. 남이 차려주는 밥상만 받아먹으면 사람이 나태해진다고."

"진취적이시군요. 이거 참 뭐라고 해야 할지."

팬텀은 쓴웃음을 지으며 부조종사용 헤드셋을 머리에 썼다.

"굳이 그런 걸 모두 있는 데서 떠벌려야 속이 시원한가?"

서현이 그렇게 물어보았지만 한니발은 고개를 끄덕였다.

"당연히 말해둬야지. 말하고 싶은 걸 굳이 속에 쌓아두고 끙끙대거나 말하지 않아도 알아주길 기대하는 건 바보 같은 짓이라고."

"…별로 너에 대해서 알고 싶지 않거든?"

"무슨… 이제부터 나에 대해서 더더욱 자세히 말할 테니까 나를 알게 되라구, 응?"

"닥치고 출발이나 하시지?"

서현이 더 이상 상관 않겠다면서 어디서 구했는지 모를 이어폰을 끼고 시트에 몸을 기대자 한니발은 투덜거리며 스로틀을 열었다.

비행기 엔진이 요동치기 시작했다.

서린 일행은 물론 아그니와 헤카테, 파군을 위해 준비된 비행기도 뉴욕행 항로를 승인받았다.

목적지는 뉴욕 시 라구아디아 공항. 주로 국내선이 취항하는 곳으로 여기서 맨해튼 섬 한복판에 있는 플라자 호텔까지는 코앞이다.

물론 게임 마스터를 자처하는 아담카드몬 아낙스는 그들이 라구아디아 공항으로 와서 손쉽게 맨해튼에 돌입하는 걸 허락할 생각이 없었다. 너무 쉽다. 창영처럼 대기 조절 능력이 있는 놈들은 라구아디아 공항에서 한 번 뛰면 센트럴파크까지 단번에 날아올 것이다. 그래서야 시련이 되지 못한다.

"레벨 디자인이라는 건 어떤 게임에서든 중요한 거란 말이지. 그러면 손님맞이 준비를 해볼까."

아담카드몬 아낙스가 뉴욕 시내를 굽어보며 손을 뻗자 비셔스 바이러스가 사방팔방으로 퍼져 나갔다. 지금까지 뉴욕은 비셔스 바이러스의 청정 지역이었지만 그건 아담카드몬 아낙스가 손을 쓰지 않았기 때문이다. 이렇게 강제적으로 비셔스 바이러스를 퍼부으면 곧 많은 사람이 감염될 것이고… 뉴욕 시는 순식간에 지옥으로 돌변할 것이다.

인류 문명이 개화한 이래 가장 거대한 자본과 문화가 교류하는 도시가 비과학적인 초상 능력에 의해 침탈당하고 많은 이가 살해당할 것이다.

테트라 아낙스 사인방의 나머지 삼 인은 그런 아담카드몬 아낙스의 모습을 혐오스럽다는 듯 바라보고 있었지만 말리진 못했다.

"안심해. 너희의 손은 더럽히지 않고 세계의 관리자로서의 사명은 다하게 해주지."

아담카드몬 아낙스는 자신을 바라보는 이들에게 그리 답하고 호텔의 엘리베이터 앞에 섰다. 플라자 호텔은 모 TV쇼에도 출연한 유명한 부동산 재벌이 소유하고 있지만 지금 이 호텔은 완전히 아담카드몬 아낙스의 통제하에 있다. 아담카드몬 아낙스가 엄선한 정예부대들, 그리고 그의 영향하에 있는 진마와 계승자들이 대기 중이었다.

"현재 준비 4스테이지에 들어서 있습니다. 계승자 유할리와 사니타도 곧 임무에 복귀할 예정입니다."

엘리베이터 앞에 서 있던 테트라 아낙스의 직속부대원이 경례를 붙이며 그리 말했다.

"그래. 손님맞이를 충실히 해야지. 오늘을 기점으로 테트라 아낙스는 더 이상 뱀파이어들 뒤치다꺼리를 하며 힘을 뺄 필요가 없을 거다. 이 월야의 세계에 대규모 긴축을 실시할 테니까."

아담카드몬 아낙스는 그리 말했다.

듣고 있는 테트라 아낙스의 부대원들이 조금만 머리를 굴려보면 그 긴축이란 게 자신들의 죽음도 의미하고 있다는 걸 모를 리 없건만… 이미 완전히 아담카드몬 아낙스의 정신파에 조종당하는 이들은 말없이 경례를 붙이고 자신들의 임무 위치로 이동했다.

"자, 축제의 시작이다."

아담카드몬 아낙스의 선언과 동시에… 센트럴파크에서 불기둥이 치솟아 올랐다.

본격적인 좀비 사태의 시작이었다.

이미 미국 서부에서 비셔스 바이러스가 번졌으니 언제든지 동부 해안 지역으로 그 불씨가 튈 거라는 것은 예상할 수 있었다.

당연히 뉴욕 시의 모든 공무원은 만약의 사태에 대비하고 있었다. 가능한 한 모든 감염 루트를 사전에 차단하고 위생과 방역을 철저히 하였다.

그러나 비셔스 바이러스는 이미 너무 퍼졌다. 일반적인 바이러스라 해도 이 정도로 유행하면 이미 방역만으로 차단하는 데 한계에 달한다. 더구나 이 비셔스 바이러스는 정보 감염체… 영적인 질병이다. 물리적인 검역으로 막아낼 수 있을 리 없다.

"어… 어째서?! 방역복을 입고 있는데도?!"

경찰들은 기겁하며 총화기를 들고 자신들의 동료를 바라보았다. 방금 전까지 그들과 함께 교대로 작업하던 이들이 차례차례 구울로, 괴물로 변해간다. 심지어는 방역복을 입은 이들조차!

"이건… 말도 안 돼!"

한 명, 아니, 두 명이라면 방역복이 오염되거나 어딘가 구멍이 나서, 파손되어서라고 변명할 수도 있을 것이다. 그러나 마치 일부러 방역복을 입은 자들만 노린 듯 먼저 감염되었다. 이것이 단순한 질병이 아니라고 표명하듯이…….

시민을 지키는 저지선, 검역을 유지하는 방역선의 첨병들 간의 사투가 벌어진다. 구울로 변한 경찰, 의료대원과 그렇지 않은 경찰 간의 총격전이 시작되었다.

이 순간 라구아디아 공항과 JFK 공항, 뉴어크 공항은 폐쇄.

그 공항으로 예정되었던 모든 항로는 인근 공항으로 수용되었다.

규정을 어기고 접근하는 자들은 오염체로 간주, 최악의 경우 격추시킬 것이라는 위협과 함께 도시 전역이 폐쇄되었다.

"아주 지랄 나셨군."

한니발은 무전을 통해 항로 변경을 지시하는 항공교통국의 명령을 듣고 혀를 찼다.

"뉴욕이 불바다가 되고 있다고. 현재 항로를 링컨파크 공항으로 변경하라는데? 링컨파크가 어디야?"

한니발은 그렇게 중얼거리며 비즈니스 제트의 액정 모니터를 손으로 툭툭 눌렀다.

감압식 터치 패널이 작동하면서 인근 공항이 나타났는데 링컨파크 공항은 뉴욕에서 역시 상당수 떨어져 있었다.

뉴욕 인근이 되어서 슬슬 고도를 낮추고 있긴 했지만 더 급격하게 낮추어야 공항 활주로에 진입할 수 있을 것 같다.

"아아, 잠시 후 본 비행기는 링컨파크 공항에… 아니, 씨발 어쩌라고?"

한니발은 비행기 착륙 안내를 하려 했지만 이내 짜증을 냈다. 링컨파크 공항으로 인접하는 불꽃을 몇 대 보았기 때문이었다.

인근의 세스나기가 링컨파크 공항으로 몰리고 있었다. 갑자기 항로변경 명령이 떨어져서 많은 비행기가 오가느라 꼬이고 말았다. 게다가 저 작은 공항의 관제사들은 그렇게 급작스러운 상황에 대응하지 못한 것 같다.

애초에 스포츠기용 활주로 하나가 전부인 작은 공항이다. 프로펠러 추진의 피스톤 엔진, 저속기를 위해 마련된 활주로라 비즈니스 제트의 이착륙에는 좀 빠듯하다.

갑자기 항공교통국의 명령이 하달되어서 어버버 하면서 교신을 청하고 있었는데 한니발도 팬텀도 평상시 비행을 자주 하던 파일럿이 아닌지라 상호간의 어리바리함이 상승효과를 불러일으키고 있었다.

"이거 평상시 남이 모는 걸 타기만 해서 영 어색하군. 면허 딴 지도 오래되었고."

팬텀이 난처해하자 빌헬름이 보충 설명을 했다.

"차는 오너드리븐을 선호하시지만 비행기는 쇼퍼드리븐을 선호하시니까요. 한동안 선회하면서 활주로가 비길 기다려 보지요."

"이러는 사이에도 뉴욕에 방어진이 강화될 텐데 시간과 연료를 낭비하면서 계속 공항 위를 선회해?"

한니발이 비행기를 선회시키며 링컨 공항에 들어갈 수 있도록 고도를 낮추고 있는 사이 또 다른 비행기가 시야에 들어왔다.

"아이고, 맙소사."

그것을 본 한니발이 혀를 찼다. 이 공항의 수용 능력을 생각해 봤을 때 계속 비행기들이 몰려오면 내내 선회만 하다 끝날 수밖에 없다. 은근슬쩍 선회하다가 비행금지구역으로 들어가면 대공포와 미사일 세례를 받을 거다. 현재 뉴욕 인근 공역은 비행금지구역으로 지정되어 있고 경찰과 소방용 헬기만이 비행이 허가되고 있다.

"그냥 우리는 여기서 뛰어내릴 테니까 천천히 주차하고 오지 그래?"

서현이 한니발에게 그렇게 말하자 한니발이 빽 소리를 질렀다.

"이봐! 나만 따돌릴 거야?! 내가 없으면 너희만으로 그 괴물을 상대할 수 있을 것 같냐?"

"가급적 그러고 싶은데."

서현은 왠지 한니발과 거리를 벌리고 싶었다.

한니발이 가지고 있는 능력이 다른 초상 존재들에게 특효약이라는 건 이해하고 있지만 그것과 별개로 생리적으로 한니발과 맞지 않는다.

하지만 그때 창영이 눈치도 없이 나섰다.

"제가 한번 상황을 정리해 보겠습니다."

그 순간 공항 활주로 위에서 돌풍이 일어나기 시작했다. 공항 활주로 위에서 아직 어디에 격납해야 할지 몰라서 우왕좌왕하고 있는 비행기들이 돌풍에 휩쓸려 밀려난다.

그뿐만이 아니다. 한니발이 몰고 있는 비행기의 밑으로 바람이 불어오더니 비행기가 위로 뜬다.

놀란 한니발이 스로틀을 줄이자 비행기의 자동항법장치가 실속 경고음을 내기 시작했다. 고정익기는 일정 속도 이하가 되면 양력을 얻지 못하고 추락하는 실속 상태에 빠지는데 착륙시퀀스가 아니면 당연히 이런 상황을 경고하게 되어 있다.

하지만 지금 이 비행기는 실속 상태에 빠졌음에도 불구하고 무난하게 수평을 유지하며 천천히 내려서고 있었다. 비행기와 항공연료, 탑승객과 화물 중량을 생각하면 엄청날 텐데 그걸 바람으로 들어 올리면서 하강시키다니. 창영의 혈인 능력은 컨트롤과 출력, 양쪽 면에서 발군의 경지에 올라 있었다.

"쓸 만하군. 뱀파이어들이 잔뜩 모여서 껄쩍지근했는데 그만큼 다재다능해서 쓸모가 있어."

"그것도 못 하면 밥값이 아깝지. 이 사태 자체가 뱀파이어 놈들의 밥값이라는 걸 생각하면 말이야."

말을 꺼낸 건 한니발인데 대답한 것은 한세건이었다.

서현이 뉴욕이 불바다가 되는 것에 대해서 분개하고 있듯 한세건 역시 뱀파이어들이나 구울, 기타 초상적인 존재가 이성의 세계를 살고 있는 인간을 침해하는 것을 용납할 수 없었다.

한세건을 절망시킨 것은 가족이 죽었을 때 그리 많이 슬퍼하지 않던 자신의 추악함, 비정함이었지만 그렇다고 자신만을 증오하고 뱀파이어는 뭐 사랑스러운가 하면 그건 아니다. 가족에게도 비정해서 걱정이었던 그가 가족도 아닌, 인간도 아닌 것들에게 애정을 뿜어낼 이유가 있는가?

무엇보다도 지금의 그는 탐랑이 속에서 들끓어서 견딜 수가 없다. 목적지가 가까워질수록, 아담카드몬 아낙스처럼 초월적인 초상 존재가 가까워질수록 한세건의 안에서 악의가 끓어오른다. 미끼를 앞두고 막 튀어나갈 준비가 끝난 개 경주의 사냥개처럼 한세건의 몸 안에 아드레날린이 돌고 있었다.

"좋아서 뱀파이어가 된 것도 아닌데 너무하는군. 나랑 정야가 뭐 원해서 뱀파이어가 된 게 아니라는 걸 모르지는 않을 텐데? 만약 운명이 장난을 쳐서 당신이 나나 정야 대신 뱀파이어라도 되었다면 그때는 기꺼이 자살이라도 했을 건가?"

"그런 가정을 해가면서 뱀파이어를 사냥할 만큼 여유 있지 않았어. 지금도 상황은 마찬가지고."

한세건은 들끓어 오르는 탐랑을 제어하기 위해서 숨을 몰아쉬었다. 헐떡이는 숨소리가 상처 입은 짐승처럼 들리지만 창영은 물러서지 않았다.

"웃기지 마, 한세건. 나나 정야는 사람을 해치지 않았어. 목숨으로 갚아야 할 죄 따위 짓지 않았는데 단지 선택할 수 없는 운명 때문에 죽어야 한다고 네가 주장하고 있을 뿐이라고. 응? 게다가 지금 내가 뭘 하려는지 알아? 네놈이 하는 일 잘되라고 돕고 있잖아!"

창영은 그리 말하며 혈인 능력을 끌어 올려 바람을 불러일으켰다.

"자, 내가 착륙을 도울 테니까 랜딩기어 내리고 착륙 준비하세요."

창영은 한세건의 적대적인 태도에 짜증을 내면서 비행기를 떠받치기 시작했다.

창영 덕분에 일행이 타고 온 걸프스트림은 거의 공간을 사용하지 않고 수직이착륙기에 가깝게 착륙할 수 있었다.

실속 상태라서 비행기 경보기가 요란을 떠는 걸 감당할 수 있다면 꽤 쾌적한 착륙이었다.

3

아담카드몬 아낙스는 자신의 존재를 위협하는 적이 당도했음을 깨닫고 길게 숨을 들이쉬었다. 피부를 따끔하게 찌르는 살의, 탐랑과 마수의 이름을 가진 헌터, 한세건의 살기가 느껴진다.

또한 그를 안에서부터 위협하는 존재, 아낙스의 기억과 선의를 이어받은 또 다른 제왕 서린의 존재가 그를 흔들고⋯⋯.

앙리 유이가 그의 인간됨을 자극한다.

"귀한 손님들이 왔군."

"미쳤네."

테트라 아낙스 사인방의 일원인 레베카는 적의 도착을 반기는 아담카드몬 아낙스를 보며 쓴웃음을 지었다.

"왜냐면 적이 바로 나의 존재를 규정해 주기 때문이지. 좋은 적은 곧 나의 거울이니⋯⋯."

"거울은 상을 비추는 존재지 나를 규정해 주는 존재가 아니야. 내 모습이 먼저고 거울에 비춰지는 상은 나중이지. 불쌍하구나, 앙리 유이가 만들어낸 창조물. 넌 너 자신을 찾을 수 없어서 운명을 동전에 실어 던지고 게임의 이름으로 적을 불러들이지 않고선 자신을 규정할 수 없었겠지."

"재미있는 견해군, 레베카. 아낙스의 그림자에 불과한 너희가 그런 견해를 피로하다니 말이야."

아담카드몬 아낙스는 그렇게 말하며 양손을 들어 올렸다.

하늘의 먹구름이 아낙스의 손짓에 호응해 잘 조련된 교향악단처럼 웅장한 음향을 자아냈다.

"아낙스는 처음부터 뱀파이어가 문명과 함께하면 이런 파국이 오리라는 걸 알고 있었지. 뱀파이어의 유지 비용이라고 해야 하나? 늙어 죽지 않는 뱀파이어의 사회는 고독을 견디지 못하고 혈족을 늘리는 이들에 의해서 계속 비대화되어 결국 붕괴하리라는 걸……. 그것을 막기 위해서 뱀파이어를 처단해야 한다는 걸 알고 있었어. 그렇지?"

"그래서 네가 모두의 운명을 가지고 희롱할 자격이 있다는 건가? 그들의 목숨을 칩으로 바꿔서 주사위를 던지고… 설령 이기든 지든 뱀파이어들은 이 사건으로 파격적으로 죽어 없어졌으니 만족이다, 뭐 그런 뜻인가? 그런 건 다 좋은데 왜 우리를 무슨 병풍처럼 깔아두고 놓질 않는 거지?"

레베카 대신 베이런이 물어보았다.

현재 테트라 아낙스 사인방의 삼 인, 마틴, 레베카, 베이런은 강제로 아담카드몬 아낙스와 행동을 함께하고 있었다.

아담카드몬 아낙스는 다른 오라클들처럼 그들을 재우지도 않고 그들에게 자신이 저지르는 악행을 보여주고 설명하며 고통을 주고 있었다.

"물론 너희는 이 상황을 반드시 지켜보아야 하기 때문이지. 만약 운명의 주사위가 나에게 떨어져 내가 패한다 하더라도 이 사건은 아낙스의 욕망이 만들었다는 사실을 너희에게 각인시켜야 하지 않겠는가? 다음의 아낙스를 위해서도 말이지."

"다음의 아낙스… 솔직히 몇 년 전만 해도 상상할 수 없는 단어였는데."

마틴이 빈정거렸다.

고든의 몸이 노화되면서 몸을 갈아탈 준비를 하고 있었지만 그때는 설마 고든의 아이덴티티가 사라지고 다른 아이덴티티가 아낙스의 지위를 대신할 거라고는 누구도 상상하지 못했다.

하지만 서린이 아낙스가 되고 난 이후 모든 것이 달라졌다. 서린은 아낙스가 타락하기 전의 이상을 그들에게 다시금 일깨워주었고 아담카드몬 아낙스는 그 아낙스가 타락하고 절망한 이후에도 미처 시행하지 못한 광기에 가득한 계획을 시행하며 다시금 테트라 아낙스라는 지위가 가진 무게를 깨닫게 해주었다.

이미 충분히 깨닫고도 남은 것 같은데 무엇을 더 각인시키려 한단 말인가?

"자, 그럼 병력을 배치해 볼까? 뉴욕의 시민들이 다 죽기 전에 이 상황이 해결되면 좋겠군. 너무 많이 죽이면 세계 경기가 위축되리란 예측이 나오니 말이지. 헥토르!"

아담카드몬 아낙스가 헥토르를 부르자 텔레파시를 통해서 헥토르가 연결되었다.

[아, 위대하신 분이시여. 전 아직 당도하지 못했습니다.]

어쩜 이렇게 태도가 손바닥 뒤집듯 바뀌면서 스스로 귀족이라 자처하는 것일까? 얼굴 가죽이 저 정도로 두꺼우면 피도 한

방울 안 통하지 않을까?

마틴과 레베카, 베이런은 헥토르의 우스꽝스러운 언행에 실소를 머금었지만 놀랍게도 헥토르의 마음에는 한 점 그늘도 없다.

'제왕 앞에서 조아리는 것이 귀족.'

'일인지하 만인지상의 위치 또한 좋지 않은가?'

헥토르가 진심으로 그렇게 믿고 있기 때문에 가능한 것이리라.

테트라 아낙스의 정보 조작 능력이 없으면 인간에게 사냥당할 수밖에 없는 수면형 뱀파이어였기에 헥토르가 아낙스에게 보이는 충성심은 일견 이해할 수 있는 것이었으나 우스꽝스럽다고 여기는 것만은 어쩔 수 없었다.

"여기에 그대의 육신을 만들 테니 안심하도록 해라. 피륙을 넘어서 단지 염사(念寫)만으로 나에게 봉사할 기회를 주지."

[네? 그 무슨…….]

"그대의 몸과 생명이 상하는 일 없이 활약할 기회를 주겠다는 것이다. 품위를 해하지 않는 선에서 잠들어 있으라."

아담카드몬 아낙스는 그리 말하고 센트럴파크 입구에 펼쳐진 방역망을 노려보았다. 이미 구울들에 의해 시체가 널려 있는 그곳에서 인간의 유해가 붕괴하며 정보저주가 집결했다.

"…맙소사."

그 모습을 보고 있던 다른 테트라 아낙스 삼인방이 전율했다. 다른 뱀파이어의 능력을 에뮬레이트하는 것은 벌레 능력을 가지고 있어 막대한 체질량을 유용할 수 있는 앙리 유이에게나 가능한 일이다.

하지만 앙리 유이의 에뮬레이트는 자신의 육신을, 영혼을 담보로 하는 위험한 일이다. 인간의 뇌는 다른 어떤 생물보다 많은 산소와 영양 공급을 필요로 하는 사고 기관이며 그것을 벌레들로 에뮬레이트하면 벌레들의 호흡기, 순환기로는 감당할 수가 없다. 앙리 유이가 다른 뱀파이어의 능력을 자신에게 전사시키는 것은 목숨을 건 곡예인 셈이다.

그런데 아담카드몬 아낙스는 그것을 커럽티드로, 아무런 손해 없이 간단히 발동시킨다.

잠시 후 센트럴파크 한복판에는 완전무장 한 헥토르와 역시 완전무장 한 계승자 조반니 반테로가 서 있었다.

시체들로 육신을 만들고 그 육신에 조반니와 헥토르의 정신을 연결시켜 그들의 능력과 의식을 투사시킨 것이다.

[하…….]

조반니는 명백히 반감이 엿보이는 한숨을 내쉬었다.

당연한 반응이다. 아무리 처음부터 모든 생사여탈을 아낙스가 쥐고 있다고 해도 지금까지 아낙스는 계승자들에게 이런 무도한 짓을 벌이지 않았다. 설령 자신의 손에 다른 이들의 목숨이 있고 그들의 영혼조차 유린할 수 있다고 하더라도 그 사실을 이렇게 노골적으로 드러내며 압도하진 않았다.

"애초에… 가식이 너무 심했다. 뱀파이어들에게 자신들이 자유 속을 유영하고 있다고 착각하게 만들기 위해서 아낙스는 너무나도 많은 것을 보아 넘겼지. 너희는 아낙스가 주는 혜택에 길들여져 투쟁하지 않고 그저 나무 수액을 빨아먹는 진드기같이 살아왔지. 이제 와서 내 처사가 혹독하다고 느낀다면 그건 되레 그간 아담카드몬 아낙스가 너희에게 얼마나 큰 자비를 베풀었는지 깨닫는 계기가 될 거다."

"그런 식으로 말하면 곤란하군. 수사학의 존재 의의를 깡그리 무시한 처사가 아닌가?"

베이런은 대놓고 도발하듯 말하는 아담카드몬 아낙스를 보며 한탄했다. 하지만 그런 베이런의 말은 외려 은연중 아담카드몬 아낙스의 말을 긍정하는 것이기도 했다.

"자, 그럼… 시작해라."

아담카드몬의 명령과 동시에 조반니가 헥토르를 붙잡고 텔레포트해 센트럴파크에서 자취를 감추었다.

링컨파크에 창영의 도움으로 무사히 착륙한 일행은 뉴욕으로 들어가기 위한 차량을 수배했다.

우선적으로 생각한 것은 회전익기, 즉 헬기였다. 높은 운동에너지를 가지는 고정익기가 빌딩에 충돌할 경우를 대비해 뉴욕 전역의 상공은 비행 제한 구역으로 묶이고 모든 고정익기 항로는 취소되었다.

하지만 고정익기에 비해서 회전익기의 운동에너지는 낮다. 주 방위군이나 뉴욕 시경, 소방국도 헬기를 이용하려 했기 때문에 회전익기에 대해서는 아직도 비행 허가가 나고 있었다. 그렇기에 팬텀과 빌헬름은 유타—네바다의 플렉스 메디칼 연구 단지에서 출발할 때 이미 헬기를 빌려둔 상태였다.

그러나 그들이 도착해 보니 그들이 예약한 헬기는 이미 긴급 상황이란 명목으로 차출당했다. 다른 헬기를 수배해 보려고 했지만 역시 마찬가지다.

"헬기를 수배하고 있기는 한데… 지금 이 근방의 헬기가 씨가 말랐군요."

빌헬름은 헬기를 보유하고 있는 회사들에 전화를 걸어서 물어보면서 연거푸 고개를 절레절레 저었다. 뉴욕에 거주하고 있는 주재원들을 탈출시키느라 각 회사가 헬기를 대절해서 헬기가 남아나질 않는다.

"으음, 어쩔 수 없이 육로로 가야 하나?"

팬텀은 이미 돈다발을 던져 주어 링컨파크의 직원으로부터 툰드라 픽업트럭 한 대를 빌렸다. 그러나 그 차량으로 뉴욕으로 진입하는 건 힘들 것 같다. 왜냐면 지금 이 순간 뉴욕과 연결된 80번 고속도로에서 끊임없이 차량들이 쏟아져 나오고 있기 때문이었다. 게다가 주 방위군은 무슨 생각에서인지 진입로를 차단하고 뉴욕 시내로 들어가는 방향의 차선으로도 차량들이 나올 수 있도록 유도하고 있었다.

"대단하군."

고속도로 진입로가 차단되어서 들어가지 못하긴 했지만 서현은 감탄했다.

지금까지 아웃레이지나 비셔스 바이러스, 통칭 좀비 바이러스라 불리는 이것들이 발생했을 때 도시로 진입하는 도로는 죄다 막혀 버렸었다. 도로에서 도망쳐 나오는 사람들로 교통 정체가 시작되고 구울들이 차량 정체를 습격해서 사람들이 차를 버리고 도망치면 그것으로 길이 메워져 막혀 버린다. 순식간에 도시 전체가 동맥경화에 시달려 봉쇄당하고 그다음에는 대량 학살이 벌어질 수밖에 없었다. 동경도와 자카르타에서 인명 피해가 그렇게나 많았던 것은 그 때문이다.

하지만 현재 80번 도로는 꾸역꾸역 뉴욕으로부터 차들이 쏟아져 나온다. 평상시에도 교통 체증으로 유명한 이 도로가 이런 긴급 상황에서 막히지 않고 계속 유유히 흐르는 강물처럼 흐른다는 것은 정녕 놀라운 일이다. 지금까지 보아온 어떤 도시보다 더 이 사태에 잘 대처하고 있는 것이다.

"고속도로로 들어가지 못하는 건 아쉽지만 엄청나게 대응을 잘하고 있군."

서현이 그렇게 말하자 한세건이 혀를 찼다.

"이게 일반적인 질병이라면 정말 잘하고 있는 일이지. 하지만 아담카드몬 아낙스가 이 상황을 지휘하는 이상 소용이 없어."

일반적인 질병이나 폭동, 소요라면 빠른 긴급 대피로 사태가 소강될 때까지 피해를 최소화할 수 있겠지만 아담카드몬 아낙스는 공정하지 못한 게임 메이커다. 이 상황을 그가 납득하지 못하면 뭔가 더 손을 써서 수작을 부릴 게 분명하다.

"나는 따로 바이크를 구해서 국도로 들어가겠어."

한세건이 그렇게 말한 순간 길가에서 한 인영이 뛰쳐나왔다. 비셔스 바이러스에 감염된 구울이 툰드라 픽업트럭에 매달렸다. 힘이 어찌나 강한지 차가 달리고 있는데도 떨어지지 않고 되레 자기 다리를 트럭 후륜에 끼우는 게 아닌가? 다리가 말려 들어가자 뒷바퀴가 들썩거리며 차량의 속도가 줄었다.

"이런 젠장!"

창영이 흔들리는 차의 짐칸을 잡고 옆차기로 구울을 걷어찼다.

구울의 상반신이 잘려 나갔지만 구울의 다리는 트럭에 여전히 말려 들어가서 차량을 들썩이게 했다.

멕시칸 노동자들처럼 픽업트럭 짐칸에 앉아 있는 이들은 최악의 승차감에 치를 떨었다.

"지금 뭐라고?"

창영은 돌풍을 일으켜 접근해 오는 구울들을 날려 버리며 재차 물어보았다.

"따로 행동하겠다고."

"잠깐. 지금 어떻게든 들어갈 방도를 구하고 있는 중이야. 여기서 따로 움직이는 건 좋지 않은 생각 같은데?"

서현은 따로 행동하려 하는 한세건을 말렸다.

그러나 한세건은 그런 서현의 생각에 동의하지 않았다.

"아니… 지금 내가 뱀파이어들과 함께 행동하고 싶지 않아. 어차피 이제 네놈들이랑 함께 행동해서 이득 볼 것도 없고… 비행기는 잘 얻어 탔다."

한세건은 그렇게 말을 끝마치고 차량이 흔들리는 순간 짐칸에서 뛰어내렸다. 미처 말릴 새도 없이 한세건의 몸이 쏜살처럼 날아가 인근 가로수를 짓밟고 어둠 속으로 사라져 버렸다.

"저!"

보고 있던 창영이 폭발했다.

"이 개새끼가 진짜!"

현생인류는 7만 년 전 아프리카에서부터 시작되었다.

아프리카를 벗어나 전 세계로 인류가 퍼지는 데는 약 1만 년이 걸렸으나……

인류가 문명의 기록을 남기는 데는 그 후 5만 5천 년의 시간이 필요했다. 도합 6만 5천 년간 무수히 많은 인류가 문자도, 기록도 남기지 못하고 그저 석기와 몇 가지 도구, 혹은 패총(貝塚)이나 화석만을 남기며 사라졌다.

그렇게 생애의 대부분, 70년 인생이라 치면 65세가 될 때까지 미명 속에서 살던 인류는 어느 날 갑자기 문명의 개화를 맞이했다. 언어와 문자가 만들어지고 난 이후 인류의 발전은 너무나 놀라운 것이었다. 생애의 대부분을 이동과 수렵 채집에 몰두하던 종족이 어느 순간 갑자기 폭발적으로 문명을 일으키기 시작해 마침내 지구 전역을 지배했다.

많은 마법사와 뱀파이어들은 그 변화에 강력한 정보생명체, '태초의 영'이 개입했음을 기정사실로 여기고 있었다.

정보생명체, '태초의 영'이 접촉함으로써 비로소 인류는 언어를 정립하고 문자를 만들 정도로 강력한 지능을 갖게 되었다는 게 마법사들이 말하는 인류의 비밀이었다.

이러한 신적인 정보생명체, '태초의 영'을 연구하고자 하는 것은 모든 마법사의 꿈이었다.

그리고 지금, 한세건에게는 태초의 영이라고 할 수는 없으나 확실히 정보생명체라고 할 수 있는 존재, '탐랑'이 있었다. 물론 완전한 '태초의 영'과 달리 저것은 저주의 집결체다. 그렇다고는 해도 저것은 분명 아담카드몬 아낙스를 위협할 수 있는 존재… 그런데 그 탐랑을 가진 한세건이 뱀파이어들과 결별을 선언해 버린 것이다.

"와, 창영이 이렇게 폭발하는 건 간만에 보는데? 늘 순둥이처럼 굴다가 그렇게 성질내니까 아주 좋아. 인간적인걸?"

아르곤은 창영이 분노하는 걸 보며 엄지손가락을 추켜세웠다. 놀리는 건지 진심으로 칭찬하는 건지 분간하기 힘들었다.

"지금 그럴 때예요? 탐랑인지 뭔지가 중요하다면서요?"

정야는 아르곤에게 핀잔을 주며 한세건이 몸을 날린 곳을 바라보았다. 해가 졌다. 물론 뱀파이어에게 해가 뜨고 짐은 별다른 문제가 되지 않지만 이곳은 가로수도 우거진 교외 지역이다. 한세건의 몸에서 방사될 약한 적외선조차 가로수에 가려져 보이지 않는다. 다시 불러오기에도 너무 먼 거리다.

차에서 내려서 찾아갈까?

정야가 그렇게 생각할 때였다.

"뭐… 너희와 우리는 이 정도 거리감이 적당한가?"

실베스테르도 그렇게 말하며 몸을 일으켰다.

"당신도 가실 건가요?"

정야는 어이가 없어서 실베스테르를 바라보았다. 뱀파이어 헌터들이 뱀파이어와 손을 잡기 싫어한다는 건 이해할 수 있다. 하지만 원해서 뱀파이어가 된 것도 아닌 그녀와 창영의 경우… 이런 증오와 멸시를 받는 건 너무 억울하다. 아담카드몬 아낙스와 싸울 때 힘을 합치는 것조차 거부할 정도로 미워하다니?

그녀는 원망스러운 표정으로 실베스테르를 바라보았다.

"저나 창영이 무고한 영혼이라는 걸, 아직 인간이던 시절의 우리를 기억하고 있는 당신들이 이렇게까지 할 수 있다니 정말 박정하군요. 사람 피를 빠는 괴물인 아르곤이 훨씬 인간적으로 느껴질 정도예요."

"왜 거기서 가만히 있는 날 들먹거려……."

어째 정야와 창영은 아무렇지도 않게 아르곤을 누군가를 평가할 때의 기준점으로 삼는다. 듣는 아르곤 입장에서는 '에잇 아르곤만도 못한 비인간적인 놈들 같으니……' 라고 욕하는 걸 듣는 기분이라 느낌이 이상하다.

하지만 그때 실베스테르의 입에서 나온 것은 예상 밖의 말이었다.

"아니, 내가 가야지. 누군가 연락책을 하지 않으면… 기껏 와서 무의미해질 거 아냐?"

"네?"

"한세건은 너희와 협력하지 않겠지만 뭐, 가는 위치, 목적지, 만나는 적, 정보는 내가 공유하겠다. 너희는 그걸 철저히 이용해. 우리 역시 너희의 정보를 철저히 이용해 주마."

"……."

사실상 협력하되 명분상 적대하겠다는 소리나 다름없다.

"뭐야, 눈 가리고 아웅이냐? 어쨌거나 그쪽 둘이면 좀 너무 밸런스가 무너지지 않아?"

한니발이 그렇게 말하자 실베스테르가 서현을 지목했다.

"그렇다면… 그쪽 리림, 네놈이 이쪽으로 오지? 베오울프, 너역시 환영하지."

일행 중 뱀파이어가 아닌 이들은 서현과 한니발 정도가 남아있다.

실베스테르는 바로 그들을 지목한 것이다.

"서현이야 그렇다 치고 내가 그쪽에 가면 너무 밸런스 붕괴아닌가? 여기 뱀파이어들 수저보다 더 무거운 거 들어봤는지 모르겠는데?"

한니발은 그렇게 투덜거리면서도 서현이 일어나자 자신도 냅다 일어났다.

"……."

서현은 잠시 그를 바라보았지만 이내 한숨을 내쉬었다.

"그래, 마음대로 해라."

서현과 한니발이 떠날 채비를 하자 실베스테르는 빙글 돌아섰다.

"그럼……."

실베스테르는 정야와 창영을 뒤로하고 몸을 날려 차량에서 뛰어내렸다. 서현과 한니발도 실베스테르의 뒤를 따랐다.

정야는 그들의 모습을 눈으로 쫓으며 한숨을 내쉬었다.

"정말… 질풍노도의 사춘기 소년들도 아니고 뭔가 사과 한마디도 안 하는군요."

"그런 걸 기대하기엔 이미 너무 멀리 왔……."

창영이 정야에게 말하다 차량을 막아서는 구울들을 발견하고 얼른 전투 위치에 섰다.

픽업트럭에서 뛰어내린 한니발과 서현, 실베스테르는 길거리 옆의 가로수와 도로 표지판 기둥을 잡고 속도를 줄여 착지에 성공했다.

"자, 그럼… 여기서 한세건 찾느라 뻘짓하느니 뉴욕으로 진입할 다른 루트를 찾아보지. 그쪽으로 가면 만날 수 있을 테니까. 그런데 80번 도로 말고 뭐가 있지? 난 뉴욕은 영화로밖에 안 봐서 잘 몰라."

서현이 그렇게 말하자 한니발이 어깨를 으쓱해 보였다.

"원~ 원~ 촌놈이군."

그렇게 말하면서 한니발은 휴대폰의 맵 어플을 작동시켰다.

어둠 속에서 휴대폰의 빛이 한니발을 비추는 모습을 보니 서현은 왠지 짜증이 났다.

"너도 모르나 보네."

"요즘 세상에 내비게이션을 안 쓰면 그게 어리석은 거야."

한니발은 그렇게 대꾸했다.

그런데 GPS가 잘 잡히지 않는다. 하늘을 올려다보니 두꺼운

구름들이 빠르게 지나가고 있었다.

'구름 때문에 전파가 잘 안 잡히는 걸까? 뉴욕은 자동차도 많고 통신망과 GPS 송출국도 많이 깔려 있을 텐데? 아, 통신망과 전력망이 손상을 입었나 보군. 그나저나 비가 오겠는데? 그것도 엄청난 폭우가?'

한니발은 느리게 펼쳐지기 시작하는 지도 화면을 보면서 눈살을 찌푸렸다.

그런데 그때 실베스테르가 그들에게 손짓했다.

"온다."

그들의 앞, 막 차로 지나쳐 온 사거리에는 주유소와 주유소 매점, 그리고 작은 정비 공장이 붙어 있었는데 이곳에 적어도 5~60개체는 되어 보이는 어마어마한 수의 구울이 있었다.

"뉴욕 근처에도 벌써부터 구울들이 쫙 깔리다니… 그야말로 마경이군."

실베스테르는 그리 말하고 데저트 이글을 만지작거렸다. 총을 일단 발사하면 총성이 구울들을 자극할 텐데… 물론 저런 구울들은 그들에게 아무런 문제가 되지 않지만 피할 수 있는 적을 굳이 때려잡고 싶지는 않았다.

그런데 그때 외려 구울들이 이쪽을 발견하지도 못했을 텐데도 달려오는 게 아닌가?

아마도 처음 그들이 차를 타고 지나갈 때 차 소리를 듣고 나왔다가 그들과 조우한 모양이다.

"주유소라서 화기를 쓰긴 좀 그렇겠는데."

"그보다 한세건도 이 근처에 있을 확률이……."

과연, 서현과 한니발이 싸울 준비를 할 때 어디서 부다다당 하고 육중한 엔진음이 들리기 시작했다.

잠시 후 구울들 사이로 한 대의 인디언 스카우트 오토바이가 모습을 드러내었다.

"젠장, 왜 다 이런 것밖에……."

오프로드 바이크나 슈퍼모터드 장르를 주로 선호하는 한세건 은 어울리지 않게 아메리칸 클래식 바이크를 타고 나타났다.

크르르르르!

구울들은 갑자기 자신들의 배후에 나타난 한세건에 반응했다.

하지만 한세건은 USAS—12 샷건으로 가차 없이 구울들을 쏘아 쓰러뜨렸다. 주유소가 있어서 화기 사격을 좀 꺼릴 만도 한 데 그런 거 없다.

"…미친놈이네."

자타 공인 정신병자인 한니발이 진심으로 그렇게 말했다.

"뭐, 그건 동감이군."

서현은 그리 말하며 주차되어 있던 차의 보닛 철판을 뜯어내 어 원반처럼 구울들에게 집어 던졌다. 구울들의 허리가 토막 나 며 구울들이 나가떨어진다.

"어이, 한세건! 설마 정말 아주 혼자서 돌진할 생각은 아니 겠지?"

"왔냐, 전범? 뱀파이어를 달고 오진 않았겠지?"

말하는 걸 보니 뱀파이어가 아니면 괜찮은 모양이다. 역시…

그가 갑자기 결별을 선언하고 뱀파이어들에게서 도망치듯 빠져 나온 것은 탐랑 때문인가?

한세건의 탐랑이 그의 의지가 투사되어 있고 또한 VT인자와 혼팅을 베이스로 하고 있다면 뱀파이어와 함께하는 것이 탐랑에게 안 좋은 영향을 끼칠 것이었다.

하지만 역시 한세건이라고 해야 하나. 사정을 자세히 설명하고 양해를 구하는 방법도 가능했을 것이다. 그런 유화책을 상상 못 할 만큼 멍청하진 않을 텐데 한세건은 대놓고 너희들 싫으니 난 내 갈 길 간다 하고 떠나 버렸다. 불필요한 싸움을 억지로 걸고 다니는 게 그답다. 뱀파이어들에게 양해를 구하는 건 못 하겠다 이거지.

"어째 그럴 거라고 생각했지. 이쪽엔 뱀파이어 한 명도 없어! 프랑켄슈타인이 있지."

서현이 그렇게 답하자 한니발이 정정해 주었다.

"보통 편의상 프랑켄슈타인이라고 하지만 프랑켄슈타인은 박사 이름이고 괴물은 따로 그냥 '그것' 이라고 불러."

"한국어에서 그것은 보통 생식기를 가리키는 말 아닌가?"

"뭐, 인마? 무슨 뜻에서 하는 말이냐?"

"너 좆같다고. 인간 남성의 생식기와 여러모로 유사성을 느낀다는 뜻이지."

서현은 대수롭지 않게 말하고 달려드는 구울의 몸통을 미들 킥으로 후려갈겨 구울들을 저 멀리 날려 보냈다.

"아까 전에 촌놈이라고 말한 것 때문에 삐진 거냐?"

한니발은 자신에게 폭언을 퍼붓는 서현에게 그렇게 물어보았다.

"정말 삐진 사람에게 삐졌냐고 물어보는 건 사태를 악화시킬 뿐이지."

서현이 그렇게 말하는 순간 한니발이 서현에게 손을 뻗었다. 서현 역시 한니발의 손을 발로 밀어 차니 둘 다 동시에 뒤로 몸이 날아가 간격이 벌어졌다.

그리고 그들이 있던 곳으로…….

거대한 SUV 차량 한 대가 데굴데굴 구르며 걸리는 모든 것을 폐기물로 바꿔 버렸다.

"크르르르르."

짐승이 으르렁거리는 소리와…….

부르르릉…….

육중한 차량의 엔진음 소리. 그리고…….

뚜벅… 뚜벅…….

믿어지지 않게 크게 들리는 군홧발 소리가 들렸다.

"오래간만이군. 아니, 사실 얼마 안 되었나?"

그곳에는 거구의 백발 남자가 날씨에 어울리지 않게 두꺼운 갈색 군복을 입고 꼿꼿하게 서 있었다. 라이칸스로프 여단, 볼코프 레보스키와 그 부하들이 얄궂게도 일반 도로를 통해서 접근해 온 것이다.

뉴저지 주에서부터 80번 도로가 통제되고 있을 테니 이것은 우연이 아니라 필연이지만 하필 이런 타이밍에서 만나다니…….

"……."

"아, 오늘 일진이 정말 남성의 생식기 같군."

서현은 투덜거렸다.

4

현 뉴욕 시장인 조지프 오서는 비셔스 바이러스가 하와이에 상륙할 때부터 체계적인 대피 계획을 수립했다. 조지프 오서는 평소부터 좀비 영화나 생존주의 소설 등을 즐겨왔기에 대도시가 얼마나 좀비 사태에 취약해지는지 잘 알고 있었다.

하지만 뉴욕은 전 세계 금융의 중심지이며 가장 거대한 도시다. 잠재적인 위협만으로 사람들을 대피시켜서 전 세계 금융을 마비시킬 것인가?

뉴욕 시장에게 전 세계 금융, 경제를 경색시킬 권리가 있는가 묻는다면 누구도 섣불리 대답할 수 없을 것이다.

하지만 학생들, 어린아이들, 그리고 가정주부나 관광객들을 먼저 뺀다면 어떨까?

금융이나 기업에서 근무하는 이들은 명백한 위협이 있기 전에는 생계의 현장에서 벗어날 수 없지만 학생과 어린이들, 관광객들은 이야기가 다르다.

조지프 오서는 대피 계획을 수립하는 한편 휴교령을 내릴 준비를 했다.

물론 반대가 엄청났다. 만약 그렇게 해서 사람들을 피신시켰다가 아무 일도 없다면 그 피해는 어떻게 보상할 것인가? 조지프 오서의 정치생명이 끝나는 것은 물론이고 천문학적인 소송에 시달릴 수도 있는 일이었다.

그러나 조지프 오서는 자신의 정치생명마저 걸고 도박판에 뛰어들었다.

조지프 오서의 정치적 맞수들은 이때다 하고 '극단적인 생존주의자', '좀비 영화광'이라는 단어를 붙여가며 조롱했다. 흑인 시장인 조지프 오서의 사진에 남부 연방기 마크를 붙인 조롱용 합성 사진이 쉽게 보일 정도였다.

그리고 비셔스 바이러스는 뉴욕 전역을 강타했다.

뇌우가 으르렁거리며 대서양으로부터 진군해 오고 있었다.

뉴욕 시내의 전등이 파도에 휩쓸린 야광충 떼처럼 출렁인다.

도시의 동쪽부터 거대한 비의 장막이 질주해 구울들에게 습격당한 콘크리트 정글을 집어삼킨다.

대도시 곳곳에 배치된 전력 배전반이 구울들의 습격을 받아 터지면서 전력 공급이 불안정해지고 있었는데 거기에 비구름의 어둠이 덮어씌워진다.

"젠장… 전력 분배소마다 경찰을 배치한 게 오히려 화근이었나."

조지프 오서는 자신의 시장 집무실에서 올라오는 보고들을 보면서 혀를 찼다. 개인적으로 좀비 영화를 좋아하는 이 남자,

조지프 오서는 비셔스 바이러스에 대항해 무리한 피난 계획을 짜놓았다.

뉴욕이 정말 비셔스 바이러스에 의해 공격받게 되었을 때… 조지프 오서의 결단이 옳았음이 입증되었다. 80번과 95번 고속 도로의 진입 차량을 막고 긴급 대피를 유도한다는 조지프 오서의 긴급 대피 계획은 매우 효과적이었다. 학교를 휴교시키고 여자와 아이들, 환자와 노인들을 미리 빼낸 것도 주효했다.

문제는 맨해튼 섬이었다. 대피령을 내려도 떠날 수 없는 샐러리맨들이 가장 많은 곳… 게다가 섬이라는 이름대로 다리와 터널로 연결되지 않으면 고립되는 곳이다.

—큰일입니다, 시장님. 현재 롱 아일랜드 변전소가 좀비들에게 공격당하고 있습니다!

—링컨 터널에 좀비들이 몰려들고 있습니다! 지원을!

맨해튼 섬 한복판에 위치한 시청 건물은 1800년대 초에 완공된 석조 건물로, 그 안에 위치한 시장실은 현재 시 긴급 상황실로 쓰이고 있었다. 이미 전시 태세 상황실을 방불케 하는 이곳 집무실에는 연이어서 흉보가 날아들고 있었다.

드드드드드!

시청 입구에서는 연신 기관총 소리가 울려 퍼지고 있었다.

"할 수 있는 건 다 했는데……."

조지프 오서는 시청 집무실 창문 밖으로 보이는 브루클린 브릿지를 보며 혀를 찼다. 맨해튼의 전력이 불안정해지면서 브루클린 브릿지의 불이 점멸하는 게 보였다.

'이건 절대 질병 따위가 아니다. 메디컬 체크를 했던 경찰들은 물론 방역복을 입은 이들이 먼저 좀비가 되다니……'

조지프 오서는 그리 생각했지만 자신의 생각을 누군가에게 토로할 방법도 없었다.

그때 시장의 개인 전화가 울렸다.

"음? 뭐지?"

시장이 전화기를 들어보니 젊은 청년의 목소리가 들렸다.

─안녕하세요, 시장님. 아직 살아계시는군요.

"다, 당신은?"

─플렉스 재단의 전 이사장 서린입니다.

"아……."

그 순간 조지프 오서는 자신의 기억 속에서 서린의 모습을 끄집어내었다.

문득 이상하다는 생각이 들었다.

플렉스 메디칼 그룹, 플렉스 재단의 이사였던 자로 조지프 오서의 자선 파티에 참석해서 막대한 기부금을 주어서, 사실상 그를 뉴욕 시장으로 만들어 준 이가 바로 서린이었다. 그런데 바로 지금, 그에게 전화를 받기 전까지 조지프 오서는 서린에 대해서 까맣게 잊고 있었다.

어째서 이제야 떠올린 것일까?

"그러고 보니… 이 대피 계획은……."

조지프 오서는 자선 파티에서 서린이 만약 좀비 사태가 벌어질 경우에 대해서 말을 걸어왔던 걸 떠올렸다. 지금 이 대피 계획은 그때 조지프 오서가 말했던 답변 그대로였다. 물론 전력 분배소가 먼저 공격당해서 기능을 상실한다든가 방역복을 입은 대원들이 먼저 좀비가 된다든가 하는 것은 상정 외의 일이지만……

"무슨 일입니까? 써 서(Sir seo)?"

서린에게 작위 따윈 없지만 조지프 오서는 그렇게 물어보았다.

그러자 서린이 답했다.

—80번 고속도로로 제 일행이 들어가려 하는데 통행 허가를 내주시지요. 차량 번호는 지금 사진으로 보내겠습니다.

"하지만……"

—저는 이 바이러스를 통제할 수 있습니다.

"아니, 그게……"

조지프 오서는 아랫입술을 깨물었다. 허가를 내려줄 수는 있지만 지금 당장 그가 죽게 생겼다. 시청 앞으로 무장 좀비들이 쇄도하고 있었으니까.

—무장한 구울들이 습격해 오고 있지요? 그걸 일단 치워 드리겠습니다.

"무슨 농담을 하는 거요?"

조지프 오서는 농담이라고 생각했다.

하지만 그다음 순간…….

콰앙!

폭음과 함께 시청 건물이 뒤흔들렸다.

시청 건물 앞에 폭발물이 떨어져 시청에 진 치고 있던 좀비들이 쓸려 나갔다. 적어도 반경 4~50미터가 날아간 걸 보면 포격이 분명하다. 하지만 어디서 이런 걸 날렸단 말인가? 뉴욕 시청은 브루클린 브릿지 앞, 시티 홀 파크에 위치해 있으며 그 주위로는 고층 빌딩들이 빽빽하게 늘어서 있다. 빌딩 때문에 포격 각도가 나오지 않는다. 일반적인 곡사포로 공격이 가능하려면 롱 아일랜드 방향에서 이쪽으로 쏴야 할 텐데 그것도 굉장히 힘든 일일 것이다.

—허가를…….

전화에서는 담담하게 서린이 진입 허가를 요청하고 있었다.

"아, 알겠소."

조지프 오서는 즉시 80번 고속도로를 관리하고 있는 뉴저지 주 주지사에게 연락을 넣었다.

그런데…….

"하하하하하하!"

웃음소리와 함께 갑자기 시청 집무실의 유리창이 깨졌다.

"키키키키."

미치광이 같은 웃음소리가 마치 영화관의 음장 효과 테스트 화면처럼 빠르게 주위로 돌아간다. 즉 저 웃음소리를 내고 있는 것은 엄청나게 빠른 속도로 시청 건물 주위를 돌아다닌다는 것이다.

"시, 시장님!"

경호원들이 당황해서 뉴욕 시장에게 다가왔다.

"얼른 헬기로 피하시지요. 여긴 위험합니다."

"네! 이 정도면 충분합니다. 시장님이 무슨 타이타닉 함장도 아니잖아요?"

선박의 운행자라면 승객과 승무원의 안전이 전부 확인될 때까지 현장에 남아 지휘해야 할 의무가 있다. 그러나 시장이 시청에 남는 걸 고집해야 할 이유는 없다. 물론 사건이 터지자마자 빠르게 내뺐다면 나중에 비난을 받겠지만 조지프 오서는 이미 비난받기에는 너무 많은 일을 해냈다.

그러나…….

콰직!

천장에 금이 가고 돌가루가 떨어지기 시작했다.

시청 건물 전체가 뒤흔들린다.

"크헤헤헤헤! 크헷… 크헤헤……."

웃음소리가 사방팔방에서 동시에 들려온다.

그리고 창문 너머로… 종이 인형처럼 구겨진 시코르스키제 민수 헬기 한 대가 날아가 거리에 서 있던 투어 버스에 충돌했다. 쇠 찢어지는 굉음과 함께 폭발이 뒤따랐다.

'훌륭하다.'

어째 너무 비현실적인 일이라서 조지프 오서는 되레 감탄했다.

"어디로… 피신할 건가?"

방금 전 떨어진 헬기는 바로 시청 위 헬리포트에 대기하고 있던 것이었다.

저게 구겨져서 날아가는 걸 본 경호원들은 모두 입을 다물었다. 아무리 방탄 장갑을 덜 두른 민수용 회전익기라 해도 저 거대한 걸 구겨서 집어 던지는 괴물이 이 주위에 있다면 답이 안 나온다.

서린이 신비한 포격을 해주긴 했지만… 지금처럼 좀비들이 시청 건물에 붙어 있을 경우 포격을 해줄 수도 없을 거다. 포격을 했다간 되레 조지프 오서와 경호원들이 죽을 테니까.

그때 갑자기 창문에서 뭔가가 뛰어들었다.

놀란 경호원이 몸을 돌려서 권총을 쏘았다. 훌륭한 모가디슈 드릴… 권총으로 정확히 상대를 제압하는 3점사였다.

상대가 사람이었다면 말이다.

"으아아아악!"

경호원의 비명과 함께 창문에서 불쑥 들어온 거대한 발, 긴 가시털이 숭숭 나 있는 곤충의 앞발 같은 게 경호원을 찍었다. 키 200㎝에 체중 160㎏을 넘는 좀 비만형의 백인 남자가 허우적거리지만 이 거대한 벌레의 앞발은 간단히 백인 남자의 몸통을 꿰뚫고 그의 몸을 질질 끌고 갔다.

놀란 동료들이 총을 일제히 쏘았지만 벌레의 다리가 총에 맞아 손상되는 것보다 재생되는 게 더 빠르다.

"사… 살려줘!"

몸이 꿰뚫렸음에도 불구하고 이 경호원은 살아서 퍼덕이고 있었다.

"조니!"

"젠장! 미친놈아! 안 돼!"

분노한 경호원 한 명이 청소용 카트를 잡고 미식축구 선수처럼 달렸다. 창문에서 또 다른 벌레의 발이 들어와 접근해 오는 경호원을 노렸지만 경호원은 카트를 벌레의 발에 던져 주고 자신은 슬라이딩으로 미끄러져 이미 벌레의 발에 관통된 경호원에게 다가가 그의 손을 잡았다.

하지만 몸이 관통된 상태에서 손을 잡아끌어 봐야 고통만 더 가중시킬 뿐이었다.

"으아악……."

게다가 문제는 방금 그 상처가 변이되기 시작한다는 것이다. 비셔스 바이러스가 이 경호원에 감염되어 빠르게도 그를 좀비, 아니, 구울로 만들고 있음에 틀림없었다.

"제… 젠장. 아, 아프지 않아. 가려워!"

"오, 맙소사."

경호원들은 그 의미를 알아채고 절망했다. 몇몇 경호원은 방금 전까지 그의 동료였던 자의 머리를 겨누었다.

"히익……."

오서 시장은 창백하게 질려서 그 모습을 바라보고 있었다.

그런데 그때였다.

"아, 정말, 정말 빡치는군."

퉁명스러운 청년의 목소리와 함께 갑자기 벌레의 발이 허공에 들렸다.

휘이이이잉…….

돌개바람이 시청 주위를 감돌며 기압이 낮아진다. 너무 기압이 낮아져서 경호원과 시장이 숨쉬기 힘들 지경이었다.

하지만 그 덕분에 이 돌개바람은 시청 건물에 매달린 거대한 괴물을 들어 올리고 있었다.

"크엑… 차… 창영?!"

시청 건물밖에 매달려 있던 괴물이 창영이란 이름을 부르며 고개를 돌렸다. 주위를 두리번거리며 자신을 들어 올리는 바람의 근원을 찾고 있는 것이었다.

"여기다."

소리가 들려서 괴물은 고개를 돌렸다. 곤충의 겹눈들, 마치 파리를 확대한 것 같은 거대한 머리가 갸웃거렸다. 소리가 들린 곳은 배터리 라이트가 켜져 있는 텅 빈 시청 입구였다.

그리고 그 순간 반대쪽에서 한 인영이 날아들었다.

창영이 대기 조정 능력을 활용해 자신의 목소리를 전혀 다른 곳에서 나게 한 것이었다.

"합!"

짧은 기합과 함께 창영의 발차기가 거대 괴물의 머리통을 걸어찼다. 이런 괴물을 발로 차서 어떻게 하나 싶었지만 창영이 원한 것은 발로 차서 상대를 관통하거나 부수는 게 아니었다.

뚜둑!

힘줄 끊어지는 소리와 함께 괴물의 목이 덜렁 떨어졌다.

무시무시한 위력의 발차기가 마치 탁구 라켓으로 공을 깎아쳐 스핀을 걸듯 괴물의 머리에 톱스핀을 걸었다.

"켁!"

괴물의 목을 잘라낸 영웅적인 일을 해낸 인물은 놀랍게도 월마트 노동자였다.

"다… 당신은?!"

시장은 갑자기 나타난 기괴한 월마트 노동자를 보며 기겁했다.

건장한 체구의 동양인 청년이었는데 표정이 풍부하지 않은 동양인치고는 드물게 풍부한 감정을 얼굴에 드러내고 있었다.

바로 불쾌감이다.

"퉤. 당신이 시장님이신가? 고개 내밀지 말고 얼른 대피하쇼. 시장! 정야! 대피를 유도해요!"

"네!"

또 다른 젊은 동양인 여자가 창문으로 몸을 날려 시장의 곁에 착지했다.

엄청난 움직임을 어렵지 않게 해낸 그녀는 살포시 고개를 숙이고 냉랭한 표정으로 말했다.

"시장님과 경호원분들을 탈출시켜 드리지요. 따라오세요. 그리고 그분은 버려야겠군요."

"아… 네……."

"제가 해드릴까요?"

"……."

경호원들이 대답이 없자 그녀는 벽에 걸린 소화기를 잡고 한손으로 휘둘러 방금 전까지 괴물의 팔에 관통당했던 경호원의 머리를 후려쳐 버렸다. 그는 머리가 으스러지며 몸통 안으로 밀려 들어가 척추가 등 밖으로 튀어나오는 처참한 시체가 되었다.

보고 있던 경호원들이 깜짝 놀랐지만 정작 이 동양인 여성은 무덤덤한 표정으로 자신의 귀에 걸린 리시버를 손바닥으로 폐쇄시켰다.

"오서 시장을 확보했습니다, 서린. 네 안 다쳤어요. 창영은 지금 밖의 괴물과 교전 중입니다. 네, 빨리 오세요."

그녀는 그렇게 말하고 시청 계단 쪽으로 향했다.

"그, 그쪽은 정문……."

시장의 경호원들이 경고하기 무섭게 시청 계단으로 진입해 오는 구울들이 보였다. 탄약이 다 떨어져 진압용 방패를 들고 막고 있던 경찰대원들이 구울에게 밀려서 시청 건물 안까지 저지선이 밀렸다는 뜻이다.

"아르곤이 기껏 포격해 줬지만 소용이 없었군요."

동양인 여성은 담담하게 그렇게 말하고 소화기 대신 벽에 세워져 있던 라이트 스탠드를 집어 들었다.

구울들이 그녀를 향해 달려들었지만 그녀가 스탠드를 휘두르자 구울들이 무슨 두더지 잡기 게임의 두더지처럼 기괴한 소리를 내며 나가떨어졌다.

"속이 다 시원하네요. 일할 때 지분거리는 놈들도 이렇게 쳐주면 좋을걸."

그녀는 무표정하게 그리 말하고 라이트 스탠드를 붕붕 휘둘렀다.

최저임금에 시달리는 두 근로자 남녀가 뉴욕 시장을 구출하는 동안 서린과 팬텀, 아르곤과 앙리 유이로 이뤄진 해괴한 팀은 80번 고속도로를 통해 이동하고 있었다.

어마어마한 장대비가 쏟아지고 있었다. 대서양에서 올라온 먹구름은 정말 물에 젖은 스펀지를 쥐어짜는 것처럼 비를 토해 내고 있었고 그게 피난길에 쏟아지니 주위가 온통 어두컴컴하다. 물론 가끔 천둥번개가 치며 천지가 번쩍이긴 한다.

"우리도 창영의 바람을 얻어 타고 함께 날아가는 게 좋지 않았을 까요?"

빌헬름이 그렇게 물어보았지만 팬텀은 고개를 저었다.

"저런 곡예를 우리 전원을 데리고 할 수는 없었을 거다."

"뇌우 속을 날아가는 것도 미친 짓 같고."

아르곤도 한마디 했다.

창영이 단숨에 저 뉴욕 시청까지 날아갈 수 있었던 것은 굉장히 미친 짓이었다. 대기와 바람을 조정하는 창영은 체력만 받쳐주면 어디든지 날아갈 수 있지만 그 가속도는 한계가 있었다. 느릿느릿 바람을 타고 하늘을 날고 있어서야 좋은 표적이 된다.

그래서 부족한 가속도를 얻고, 또 구울들에게 포위된 시청에 약간의 화력지원도 할 겸 아르곤이 얼음대포를 준비했다. 그러나 아음속의 고폭탄을 잡고 함께 날아가는 건 미친 짓이다. 아음속으로 두들겨 맞는 거나 마찬가지다.

하지만 놀랍게도 창영은 거대한 혈인 능력의 에어네트를 펼치고 이 네트로 고폭탄을 캐치… 자신의 몸이 견딜 정도의 가속도만 받으며 포탄과 함께 날아가는 데 성공했다.

그뿐인가? 맨해튼 섬 상공에 도착한 그는 에어네트를 이용해 포탄을 꺾어 뉴욕 시청 앞에 몰려든 구울들에게 직접 포탄을 꽂는 데 성공하고 정야와 함께 내려서서 뉴욕 시장 구출 작전에 투입되었다.

"그렇다고 해도 왜 그 여자를 데려간 거지? 그녀는 전투에 적합하지 않은 원시 뱀파이어일 텐데?"

앙리 유이가 그렇게 묻자 아르곤이 대신 답했다.

"뭐, 그 두 사람은 아무래도 필설로 표현하기 힘든 깊고 애매한 관계니까 이런 위급한 상황일 때 함께하고 싶은 거겠지. 언제 죽어서 사별할지 모르잖아?"

"음… 이해하기 힘든 감성이군."

'너는 그렇겠지.'

아르곤은 실소하면서 앙리 유이를 바라보았다.

그런데 그때 그들의 앞에서 갑자기 총성이 울리기 시작했다.

"으아아악! 뭐야, 이건?!"

"사, 사람 살려!"

차량들이 마치 미니카처럼 날아다니기 시작한다. 저 앞에서 거대한 고릴라 같은 괴물이 도로 위를 달리며 손에 걸리는 차량들을 쳐서 날리고 있었다. 커다란 실버라도 픽업트럭이 장난감처럼 보이는 걸로 봐서 다리부터 어깨까지의 체고가 약 5미터, 체중은 한 30톤은 나갈 것 같다.

놀란 군대가 총격을 퍼붓고 장륜 장갑차에서 대전차 로켓이 발사되었지만 저 거대 고릴라는 주먹을 휘둘러 날아오는 로켓을 후려쳤다. 마치 슬랫 아머에 걸려 찢어지듯 로켓이 찢어지고 비정형 폭발이 일어났다. 당연히 고릴라의 손가락도 찢어졌지만 찢어지는 것보다 재생되는 속도가 더 빠르다.

크워어어어!

느릿느릿 달려서 도망치는 차량들 사이로 괴물이 포효하며 달려든다.

"아르곤!"

"알겠어!"

서린과 아르곤이 동시에 차량에서 뛰쳐나가 쏜살같이 질주했다. 빗줄기를 뚫고 돌진하는 순간 아르곤은 손에 쥐고 있던 소방 도끼를 던졌는데 도끼를 주위로 빗물이 뭉치더니만 순식간에 거대한 얼음도끼로 변해 고릴라의 팔에 박혔다.

거대한 고릴라가 비에 젖은 고속도로 위에서 미끄러지며 자빠졌다.

고릴라가 넘어진 덕분에 고릴라에 쫓기던 차량들이 풀 액셀러레이터를 밟고 질주해 오는데 서린과 아르곤을 치고 지나갈 기세다.

물론 서린과 아르곤은 훌쩍 도약해 차량들을 피해냈다.

커으!

고통의 비명을 내지르는 고릴라의 머리에는 한 사람, 아니, 뱀파이어가 바느질되어 있었다.

"이거 그거지?"

아르곤은 뱀파이어와 라이칸스로프의 조악한 하이브리드를 보며 혀를 찼다. 과거 사혁이 유다의 힘을 흡수하기 위해 라이칸스로프이면서도 저질렀던 짓이지만… 저 마법 자체는 테트라 아낙스가 만든 것이었다.

테트라 아낙스가 성립한 이후 릴리쓰가 만들어낸 리림은 대부분 라이칸스로프뿐, 고든은 그 리림의 육체를 빼앗기 위해 뱀파이어와 라이칸스로프의 이종 교합을 연구했었고 이 괴물은 바로 그 연구의 희생물이었다.

아담카드몬 아낙스는 바로 그 실험체를 풀어놓은 것이다.

"아… 으… 아낙스!"

고릴라의 머리에 붙어 있던 뱀파이어가 서린에게 반응했다. 서린은 테트라 아낙스에서 해임되었지만 여전히 고든의 VT인자를 가지고 있었기 때문이다.

"네… 여기 있습니다! 고든의 잘못이지만 그의 재산을 상속받았으니 그 죄업도 함께 상속받지요. 아, 상속세가 정말 너무하네요."

서린은 불쾌함을 농담으로 억누르며 도폭선을 풀어냈다. 아르곤의 도끼에 맞아 잠시 멈춰 섰던 고릴라의 몸에 도폭선들이 휘감겼다.

그러나 고릴라가 주먹을 내려쳐 교각 상판을 찍자 도폭선이 투둑 끊어졌다.

쿠아아아악!

분노한 고릴라는 자신의 팔을 부러뜨렸던 얼음도끼를 빼 들고 서린에게 휘둘렀지만 아르곤이 손을 털자 얼음이 허공에서 산산조각 나며 도끼가 사라졌다.

"미안하지만 내 전용 무기거든. 계정 귀속이지!"

아르곤이 그렇게 외치자 듣고 있던 서린이 쓴웃음을 지었다.

"해치워요, 아르곤!"

"그래. 야, 비 오는 날은 속도제한이 절반이라고! 히피인 나도 안다!"

아르곤은 그리 말하며 길가에 설치된 속도제한 표지판을 쑥 뽑아 들었다.

표지판에 얼음이 다시 얼어붙으면서 거대한 할버드로 변했다.

아르곤이 그걸 휘둘러 고릴라의 머리통을 후려갈기니 고릴라의 거구가 지면에서 붕 떠서 교각 아래로 추락했다.

"오⋯⋯."

"맙소사."

보고 있던 군인들이 너무 놀라워했다. 그중 일부는 박수까지 치고 있었다.

하지만 라이칸스로프의 생명력을 알고 있는 자들이라면 지금 이걸로 안심하진 않으리라. 게다가 오늘은 만월이다. 비구름에 가려서 달이 보이지 않지만⋯ 애초에 아담카드몬 아낙스는 만월을 약속 날짜로 잡았다. 만월의 라이칸스로프가 이 정도에 죽을 리가 없다.

"또 온다!"

과연 고릴라는 교각 아래에서 지면을 박차고 도약해 다시 날아올랐다. 대부분의 고릴라들은 상체가 크고 하체가 짧아서 이동속도도 사람보다 느리고 수직 방향의 도약도 잘 못 하지만 이

라이칸스로프 고릴라는 수 미터를 가뿐히 날아올랐다.

하지만 아르곤이 코웃음 치며 손가락을 튀기자… 새하얀 얼음창이 날아오르고 나선형으로 서리가 뒤따르며 빗물을 얼어붙게 해 우박들이 사방팔방으로 떨어졌다.

"크어어억!"

공중에 도약했던 고릴라는 아래로부터 솟구치는 얼음칼날에 난자당해 비명을 지르며 휘청거리다 다시 교각 아래로 떨어진다. 떨어지면서 허겁지겁 손을 뻗어 고속도로 옆에 있는 방음벽을 붙잡자 방음벽이 마치 쿠키처럼 바스러졌다.

"불쌍한 실험체지만… 완전히 죽이려면 상당히 많이 패야 하는데?"

아르곤은 이 괴물이랑 상대하면 시간이 많이 소모되리라는 걸 알았다.

"하지만 외통수예요. 여기 80번 고속도로가 피난로라면… 이 괴물을 풀어놓으면 무수히 많은 사람이 죽습니다."

서린은 AA—12 샷건으로 총격을 퍼부으며 외쳤다.

"누군가는 여길 지켜야 하는군. 팬텀! 앙리 유이! 너희들은 차 타고 안으로 가!"

"당신들은?"

"처리하고 곧 가지요. 시간이 없어요!"

서린은 맨해튼 섬의 방향을 가리켰다. 맨해튼 섬에 위치한 센트럴파크, 아담카드몬 아낙스가 호출한 약속 지점인 플라자 호텔이 있는 곳이기도 하다. 그곳으로부터 인간에겐 보이지 않는

푸른빛이 뇌우의 하늘을 꿰뚫고 솟구쳐 오르고 있었다. 승천이 라도 할 것 같은 신성한 그 모습이 되레 불길했다.

"가세요! 곧 뒤따르겠습니다!"

서린은 팬텀에게 그리 외치고 고든의 죄업을 향해 몸을 돌렸다.

第34夜

Extinction

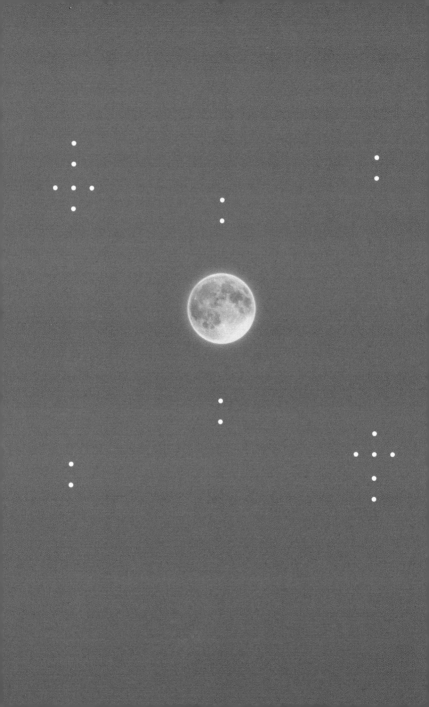

1

대서양에서 불어온 비구름과 뇌우가 뉴욕 전체를 수몰시킬 기세로 비를 퍼붓고 있었다. 폭염으로 달아올랐던 아스콘 바닥은 비에 흠뻑 젖어 거울처럼 반짝이며 불타는 도시를 비춘다. 비가 만들어낸 거울 위에 비추어지는 모습은 한 문명의 파멸.

레온 시마노프는 그 파멸 속에서 춤추며 콧노래를 부르고 있었다. 마치 옛날 뮤지컬 영화 'Singing in the rain' 의 한 장면 같다.

실제로 그가 부르고 있는 노래도 바로 그것이었다. 가로등을 붙잡고 빙글 돌며 우산을 휘두르는 장면에 이르러서는 확신범 도장을 찍어주어야 할 것이다.

"아주 즐겁나 보군……."

레베카는 그런 레온 시마노프를 보고 혀를 찼다.

"아, 이런. 테트라 아낙스가 나와 계시는군. 아니, 그건 아닌가?"

레온은 혼자서 노래 부르고 춤추고 뻘짓을 하던 장면을 들켜서 그런지 살짝 부끄러워하며 인사를 했다.

테트라 아낙스 사인방의 일각인 레베카는 현재 플라자 호텔에 머무르면서 텔레파시를 통해 자신을 투영시켜 레온 시마노프에게 접근한 것이다.

그녀의 모습은 반투명한 허상이라 빗방울이 투과하는 게 보였다.

"당신이 여기에 있다는 건 볼코프와 라이칸스로프 여단이 돌아왔다는 뜻이로군. 어째서 당신은 따로 행동하고 있지? 혹시 마음이 바뀐 건가?"

레베카는 레온 시마노프에게 질문을 던졌다.

크림 전쟁 때부터 살아온 늙지 않는 라이칸스로프, 릴리쓰를 사모하는 미치광이. 세간의 평은 그러하나 레베카가 알고 있는 레온 시마노프는 그 이상의 존재다. 만약 그가 라이칸스로프 여단과 갈라선다면 그것은 매우 큰 전환점이 될 것이다.

그러나 레온 시마노프는 레베카의 기대를 배신했다.

"오, 예언자 아가씨. 예언 능력이 많이 떨어졌나 보군. 어째서 그걸 나에게 직접 물어보시는 거지?"

흥분한 레온은 노래를 부르듯 말했다. 모습만이 아니라 마음까지 이미 뮤지컬 영화 속의 한 장면으로 들어가 버린 것 같다.

하지만 이런 뮤지컬이 있을까? 인류 문명의 상징, 가장 먼저 만들어진 마천루의 도시가 불타오르고 인간들은 구울이 되어 무의미하게 죽어가고 있다. 그 위에서 춤추는 광인, 그 목소리가 흥겨워 들뜨는 것을 억누를 수 없다면……

레베카는 혐오 이상의 감정을 느끼지 못했다.

"이 상황을 즐거워하는 모습을 보니 화가 좀 나는데."

"그럴 리가… 당신들도 내심 기뻐할 텐데? 오, 맙소사. 그런 비통한 표정은 짓지 말자고. 나도 알고 당신도 알고 이 세상이 모두 다 알고 있는데. 아, 물론 이 비참한 참극에 겉으로 기뻐할 수는 없겠지. 하지만 당신들은 뱀파이어의 수가 줄어들기를 간절히 원하고 있지 않았나? 비록 직접 죽이진 않겠지만 참사가 벌어져 뱀파이어들이 알아서 죽는다면 울면서 기뻐하겠지."

레온 시마노프는 그렇게 말하며 웃었다.

"안심해. 당신들이 뭐라고 하든 오늘은 만월. 이 미친 달 아래의 라이칸스로프 여단은 지옥의 군대조차 씹어 먹을걸. 아담카드몬 아낙스의 숙원은 이루어질 거야."

"……"

"아, 좋아. 바로 그 자세야. 슬퍼하는 척하고 있으라고."

평소에도 라이칸스로프는 지옥의 군대조차 한 수 접어줘야 할 괴물 집단이지만 만월 아래의 그들은 평소보다 훨씬 더하다.

"당신은 그럼 아담카드몬 아낙스가 벌이는 일을 막을 생각이 없다? 그렇다면 어째서 라이칸스로프 여단과 지금 함께하지 않고 있지?"

"이봐, 절대 예언자인 당신들이 몰라서 묻는 건 아니겠지?"

레온은 그리 말하고 우산을 잡고 다시 탭댄스를 추기 시작했다.

"아담카드몬 아낙스의 일을 막을 이유도 없지만 손발 걷고 열심히 도와줄 것도 아니지. 무엇보다도 볼코프와 나의 인연은 여기서 그가 끝냈다고. 그가 날 해방해 줬어."

레온은 그리 말하고 목에 걸고 있던 군번줄을 집어 들었다.

"주인님이 군번줄을 주셨어요. 이제 레온은 자유로운 라이칸스로프예요. 내가 지금 무슨 소리 하는지 알고 있나?"

"마지막에 사족을 안 붙이는 게 더 좋을 것 같은데……."

레베카는 한숨을 내쉬었다.

레온이 말하는 것은 완전히 부인할 수 없는 사실이다. 만약 아담카드몬 아낙스가 실패해서 이 세계가 그대로 유지된다면 아낙스는 여전히 자신의 능력 아래 고통받으며 강제로 고정되게 된다.

마치 신화 속에 등장하는 거인 아틀라스 같다. 세계를 떠받쳐야 하는 거인 아틀라스. 그는 하늘의 무게에 짓눌려 고통받고 있지만 그가 하늘을 떠받들지 않으면 세계가 멸망한다. 세계를 위해 희생해야 하는 운명을 타고난 부조리의 상징.

레온이 말한 대로 이 세계의 룰이 바뀐다면 환영하지 않을 이유가 없다. 다만 그걸 곧이곧대로 받아들이기엔 그간 세계를 떠받치고 있던 아낙스의 자존심이, 또한 도덕심이 용납하지 않는다.

"알겠다, 레온 시마노프. 그렇다면 그대는 아담카드몬의 편에 서지도 않을 거고 라이칸스로프 여단에서의 복무 계약도 끝났다 이건가?"

"그렇지, 아가씨. 나는 자유롭게 이 상황을 방관할 거야. 한때 날 패퇴시키고 날 굴복시켰던 위대한 영웅이 그 마지막을 어떻게 장식하는지 보고 싶으니까."

레온 시마노프는 그렇게 말하고 군번줄을 찰랑였다.

"자기가 죽을 거라고 생각하니까 그 전에 날 해방시켜 준 거겠지. 볼코프는 지금 죽음을 각오하고 있다. 안심해, 난 이번엔 정말 방관만 할 거야."

레베카 입장에서는 레온 시마노프를 회유할 수는 없었으나 그가 적대 세력에 가담하지 않는다는 확언을 듣는 정도로 만족할 수밖에 없을 것이다.

"자, 그럼 아낙스. 운명이 자신을 처벌해 주길 기대하라고."

다만 이죽거리는 레온의 빈정거림이 너무나 정확하게 그녀의 급소를 유린하고 있다는 건 역시 짜증 났다.

"그럼……."

레베카는 더 이상 이 남자와 대화하는 건 무의미한 일이라 생각하고 잔영을 지워 버렸다.

2

볼코프 레보스키가 1차 성징을 겪고 처음 만월을 맞이했을 때… 그는 참을 수 없는 갈망에 시달렸다.

그것은 허기였고 공허감이었다. 무언가로 자신을 채우지 않으면 그 자신마저 소멸할 것 같은 위기감. 하지만 분명히 식사는 했는데 어째서 이렇게 배가 고플까? 참을 수 없는 허기에 시달리던 그가 정신을 차렸을 때 그는 자신의 가족을 물어 죽이고 그 시체를 뜯어 먹고 있었다.

놀란 그가 물가로 달려가 자신을 보았을 때 그는 호박색 털을 가진 커다란 괴물을 발견했다.

마치 호랑이의 뻣뻣한 털 같은 것이 얼굴을 뒤덮고 있었다.

대부분의 1세대 라이칸스로프, 그러니까 남에게 감염되어 라이칸스로프가 된 게 아닌, 우연히 인간 부모 사이에서 태어난 라이칸스로프가 겪는 통과의례였다. 자신을 알지 못하는 상황에서 갑자기 찾아온 만월이 부르는 비극.

볼코프도 그 운명에서 벗어나지 못했다. 자신의 충동을 통제하지 못하고 친부모를 직접 살해했을 뿐 아니라 그 고기를 먹다니…….

볼코프는 그 사실에 충격을 받았지만 그 충격보다 더… 그의 안의 공허가 컸다.

배가 고프다. 아니, 이게 진짜 배고픔이 아니라는 걸 잘 알고 있다. 이 공허는 먹이만으로 달랠 수 있는 게 아니다. 야심과 탐욕, 이 세상의 모든 걸 집어삼키고 싶다는 갈망이다. 그 원천적인 허기에 비하면 가족의 죽음으로 생긴 공백은 사소할 정도였다.

볼코프 레보스키는 허기를 달래기 위해 야심이 자신의 고삐를 쥐고 흔드는 것을 허락했다.

히로익 라이칸스로프, 그것은 오직 1세대 라이칸스로프들 사이에서 태어나는 자연재해다. 다른 라이칸스로프보다 월등히 강력한 힘을 가지고 있으며 그것이 태어나면 반드시 인간이나 뱀파이어들에게 재앙을 가져다준다. 인류의 개체가 늘고 뱀파이어의 우세가 확실해지면 뱀파이어의 수를 줄이기 위해, 마치 가열된 대지 맨틀이 지진과 화산을 일으키고 뜨겁게 달아오른 열대의 바다가 허리케인과 타이푼을 만들어내듯… 히로익 라이칸스로프는 재앙의 성질을 가지고 태어난다.

팬텀이 뱀파이어들 사이에서 인정받는 것도 히로익 라이칸스로프였던 구지청을 홀로 처단했기 때문이며 그만큼 히로익 라이칸스로프의 존재는 월야의 괴물들 사이에서도 별격의 존재다.

볼코프가 강력한 허기와 공허에 시달리고 그것을 폭력과 식욕, 그리고 야심으로 메우려 하는 것은 바로 그 때문이다. 반드시 재앙을 불러일으키는 본성. 그것 때문에 볼코프는 자신의 친가족을 살해했고 전쟁터에 뛰어들었다.

당시는 적백내전의 혼란기…….

평민조차 왕후장상이 될 수 있는 유일한 시기가 바로 혼란기라는 것을 볼코프는 교육을 통해서 알고 있었다. 만약 그가 자신의 본성을 마음껏 휘두르고 그 허기를 채우고자 날뛰었다면… 지금쯤 왕이 되지 말라는 법도 없었겠지.

하지만 볼코프는 그 적백내전 속에서 한 라이칸스로프를 만났다.

레온 시마노프 중위였다. 레온 시마노프 중위는 다른 어떤 라이칸스로프보다, 그 어떤 초상 존재보다 강력했다. 저 가벼운 인상에서 믿을 수 없을 만큼의 강력함!

하지만 볼코프는 승리했다. 목숨이 깎이든 말든 전진하며 신조차 때려 부술 공세를 퍼붓는 볼코프의 앞에 레온 시마노프는 굴복했다.

'볼코프가 수명이 다해 죽기 전까지, 혹은 볼코프가 자신의 의지로 그를 해방시켜 줄 때까지 레온 시마노프는 볼코프 레보스키에게 충성한다.'

그런 계약을 나누었을 때 볼코프는 처음으로 자신의 죽음에 대해서, 그리고 자신의 인생에 대해서 생각하게 되었다.

죽을 때, 혹은 모든 욕구를 잃고 레온 시마노프의 봉사가 필요하지 않을 때는 과연 언제 올 것인가? 그 순간까지 그는 어떻게 살아가야 하나.

사유함으로써 볼코프는 자유의지를 갈망하게 되었다. 한정된 인생을 진정 자신의 것으로 하고 싶었다. 어떤 운명이 정한 허리케인으로서 주위의 모든 것을 휩쓸고 파괴하며 살아간다는 것은 그의 삶이 아니라 도구의 삶. 그런 것을 자신의 인생이라고 할 수 없었다.

볼코프는 자유의지를 가진 존재임을 입증하기 위해서 본성에 저항하기로 마음먹었다. 운명이 그에게 본성을, 공허와 갈망을 주어 도구로 삼으려 한다면 볼코프는 그 공허와 갈망을 이겨내리라.

볼코프는 그 갈망을 이겨내었다. 그가 야심으로 공허를 채우지 않게 하기 위해 레온 시마노프를 잠깐 멀리했을 때도… 그의 딸이 릴리쓰에 감염되어 그의 눈앞에 리림들이 쌍둥이로 태어 났을 때도… 볼코프는 밀려오는 야심을 견뎌냈다.

물론 모든 야심을 다 감내하진 못했으나 히로익 라이칸스로 프로 태어난 개체치고는 충실하게 갈망을 통제하고 억제하며 살아왔다.

그렇게 살아온 지 얼마나 되었을까? 볼코프는 점점 회의를 느꼈다. 그가 거부하는 본성은 과연 그의 일부가 아닌가? 지배 하고 싶어 하고 파괴하고 싶어 하고 패도를 걸으며 거슬리는 모 든 것을 파괴하고 싶어 하는 충동과 욕망이… 이렇게나 강력한 마음이 과연 그의 일부가 아니란 말인가?

물론 이 충동과 욕망은 그를 도구로 만들기 위한 운명의 함정 이다. 뱀파이어와 인간을 죽여 수를 줄이기 위해서 그에게 주어 진 욕망.

하지만 그게 어떻단 말인가? 운명의 도구가 되지 않기 위해 스스로를 이성의 감옥에 가두면 그것이 진정 그가 원한 자유인 가? 이것이 그 스스로 만든 또 다른 감옥이고 그가 자유의지의 증거라 믿는 것이 사실상 또 다른 운명의 농간이 아니라는 것을 누가 증명할 것인가?

오랜 세월 방류를 멈췄던 댐에 금이 가기 시작했다.

그것을 가장 크게 느꼈을 때는 아이러니하게도 서현이 그를 용서했을 때였다. 볼코프는 절대로 좋은 외조부가 아니었다. 좋 은 인간도, 좋은 라이칸스로프도 그 무엇도 아니지. 하지만 서현은 그를 용서했다.

용서하는 자신의 모습에 취한 것도 아니고 자신의 무력함, 비겁함을 감추기 위한 용서도 아니었다. 아마도 진정한 용서가 있다면 이런 것이겠지.

문제는 볼코프에게 있었다. 그는 이 화해의 제스처를 받아들이면 앞으로 평생 자신의 본성을 억누른 채로, 좋은 할아버지로 살아야 한다는 걸 깨달았다.

자신이 잘못한 건 잘 알고 있다. 이걸 용서하고 화해의 제스처를 내놓는 서현이 얼마나 큰 것을 감수하고 있는지도 잘 알고 있다.

그렇기 때문에 그는 거부했다. 운명의 도구가 되기 싫어서 자신의 갈망을 억제했듯… 이번엔 갈망이 이끄는 대로 양심을 억제했다.

수치스럽다. 지금도 부끄럽다. 다 늙어서 이제 삶이 얼마나 남았다고 패도를 걷겠단 말인가?

그러나 간만에 다시 받아들인 갈망은 너무나 감미롭고 해방감을 느끼게 했다. 그래, 이게 자유가 아니라면 무어란 말인가? 볼코프는 1세기 만에 느껴지는 해방감에 기뻐하고 있었다.

그런 그의 맞은편에는 서현이 AKS—74U를 들고 쓴웃음을 짓고 있었다.

"역시… 우리 집안은 다 엿 같네."

서현은 볼코프와 몇 마디 섞지 않아도 볼코프가 왜 이런 선택을 했는지 잘 알 수 있었다. 그이기에 알 수 있는 것이다. 자신이 용서했기 때문에 볼코프가 이런 선택을 할 수밖에 없었다는 걸 생각하면 참 아이러니한 일이지만 그렇게 말하는 서현은 웃고 있었다.

"이제 납득했냐, 전범?"

한세건은 이제야 그걸 알았냐고 되레 서현을 타박했다.

"아니, 그런 의미가 아니라… 아니, 됐다."

서현은 자신의 집안 문제를 한세건에게 자세히 설명하는 걸 그만두고 어깨를 으쓱해 보였다.

"여럿이 몰려서 싸우기엔 좀 공간이 부족하니까 일단 내가 먼저 싸울까?"

왕복 4차선의 충분히 넓은 도로다. 교외 주택이 들어서 있지만 차도에서 보행 도로, 그리고 정원이 늘어서 있어서 절대 좁은 공간이 아니다. 일대일의 결투는 물론 일개 소대가 총력전을 벌이기에도 부족함이 없는 공간을 두고 부족하다 말하다니……. 그만큼 자신과 볼코프의 능력을 경계하는 것일까?

한세건이 코웃음 쳤다.

"처음부터 난 네놈들 가정사에 끼어들 생각 없었어. 너희끼리 싸우다 죽여. 네놈들이 이 세상을 이롭게 할 방법이라고 해봐야 서로서로 쳐 죽여서 그 비참한 인생에 말려드는 피해자를 줄이는 것뿐 아니냐?"

한세건이 독설을 퍼붓자 한니발이 반대했다.

"무슨 소릴 하는 거야? 저 노인네는 보통이 아니라고. 여기서는 협공을 해야……."

그러나 서현은 볼코프의 앞으로 터벅터벅 걸어 나갔다.

"아, 몰라. 맘대로 해라."

한니발은 그리 중얼거리고 인근에 주차되어 있는 차량에 올라탔다.

한세건도 인디언 스카우트를 타고 빙글 몸을 돌려서 서현과 볼코프, 그리고 라이칸스로프 여단으로부터 거리를 벌렸다.

기묘한 조손간이 쏟아지는 빗줄기 사이에서 서로를 마주 보고 있었다.

볼코프가 먼저 돌진하며 주먹을 뿌렸다. 일격에 진마 헥토르가 '헥토르였던 것'으로 변하게 한 저 철권은 그야말로 대포나 다름없다.

과연 주먹을 중심으로 폭우가 찢어지며 기묘한 물의 궤적이 그려졌다. 서현의 눈앞에서는 마치 세상이 정지한 것처럼 느릿느릿 날아드는 주먹이었지만… 저것에 스치기만 해도 죽음의 문턱을 밟게 될 것이다.

"흡!"

서현은 그 공격을 피했다.

공격의 여파만으로 주위의 쓰레기통들이 날아가고 목재 울타리가 산산조각 난다.

하지만 그런 공격을 향해 서현도 손을 썼다. 그는 휴게소에서 샀던 직물을 펼쳐 볼코프를 휘감으려 했다. 마치 돌진하는 소를 상대하는 투우사 같다. 이 물레타에 감기면 볼코프라고 해도 위험할 터!

그러나 볼코프는 서현의 물레타 능력에 대놓고 주먹을 뿌렸다. 볼코프의 손만이 수화하면서 날카로운 발톱과 가시 같은 털들이 듬뿍 자란 금수의 팔로 변모했다.

바지지지직!

서현은 볼코프의 팔을 휘감으려 했지만 물레타 능력이 감당하지 못한다. 섬유 구조가 진동을 통해 운동에너지를 흡수하는 것이 이 능력의 요체인데 그 대부분은 무해한 소리로 운동에너지를 변환시키지만… 변환 한계에 달하는 에너지가 집결되면 가시광선을 발하기 시작하고 그게 더 심하면 불이 붙는다.

화르르르륵!

휴게소에서 샀던 인디언풍 직물(하지만 made in china)이 빗줄기 속에서 불타오른다.

"어리석군!"

볼코프는 불타오르는 물레타 너머에 있는 서현을 향해 발길질을 날렸다. 이것 역시 엄청난 위력이라서 볼코프가 서 있는 곳의 아스콘 바닥이 깨지고 바닥에 고여 있던 물들이 무슨 용솟음치듯 하늘로 치솟았다. 스치기만 해도 사람이 두 동강 날 것이고 직격당한다면 원심분리기 안에 들어간 인간처럼 뼈와 살이 분리될 것이다. 그리고 그것은 결단코 비유적 표현이 아니다.

하지만 서현은 확실한 죽음의 화신인 볼코프의 발차기를 종이 한 장 차이로 피하며 역으로 공격을 가했다. 볼코프의 공격이 그야말로 신화 속의 한 장면처럼 장엄한 모습을 만들어낸다면 서현은 그 장엄함 속에 음험함을 숨겼다.

볼코프의 주먹이 부르는 질풍신뢰(疾風迅雷) 속에서 둔탁한 빛이 번뜩인다.

어느새 서현의 손에 나타난 손도끼가 둔탁하나 예리한 빛을 발하며 볼코프의 살을 베어간다. 기성품으로 어디서나 흔히 살 수 있는 사냥용 토마호크다. 사냥물의 가죽을 쉽게 벗기고 해체하기 편하게 만들어진 이 물건은 기념품 가게에서 산 싸구려이지만 균질 압연 공정과 고주파 열처리를 거친 현대적인 도구는 2~3세기 전의 전설의 무기에 맞먹는 품질을 가지고 있었다.

그러나 이게 볼코프에게 명중해도 피륙만 살짝 벨 뿐이다. 신체 강화를 각인 능력으로 가지고 있는 볼코프의 몸은 강건하기가 흡사 전차와 같다.

"흡!"

볼코프는 날을 무시하고 강타를 갈겼다. 자신의 일권이 그 어떤 공격보다 이득이라는 걸 확신하는 신념의 일격은 매 공격마다 서현의 목숨을 노골적으로 탐했다.

그러나 서현은 시스테마 특유의 흐느적거리는 움직임으로 어느새 위협 거리를 벗어나 피신했다. 서현은 헥토르가 아니다.

'저 영감이랑 한 대씩 주고받으면 무슨 일이 일어나는지 잘 알고 있는데 돌진해서 옥쇄하는 건 저능아나 하는 짓이지.'

서현은 진마 헥토르를 거리낌 없이 '저능아'라고 모욕하고 빗물에 젖은 머리를 탁탁 털었다. 스치기만 해도 오체 불만족이 될 볼코프의 공격. 그 태풍 속에 들어갔다 나온 것치곤 상당히 여유 있어 보이는 태도라서 보고 있던 라이칸스로프 여단들조차 감탄했다. 볼코프는 만인이 인정하는 영웅호걸, 그러나 서현 역시 라이칸스로프의 왕자라는 이름을 그냥 릴리쓰의 자식으로 태어나서 얻은 건 아니다. 저 담력과 재주가 놀랍다.

"이게 전부냐? 쇠약해진 게 사실이로구나. 오늘은 만월임에 도……."

다만 볼코프는 서현의 반격이 시원찮은지 애석해했다.

"그런 거 신경 써줄 여력이 있으면 여기서 물러나지그래? 아담카드몬 아낙스가 뭔가 해줬으면 그거 받아먹고 입 싹 씻으면 되잖아? 아니면 뭐야? 외손주 앞을 가로막아서 아직 자신이 팔팔함을 증명해 보고 싶어?"

서현이 그렇게 물어보자 볼코프가 어깨를 으쓱해 보였다.

"그렇다면?"

"그럼 저기 가. 진마 아르곤이랑 못다 한 승부를 내셔야지? 왜 나에게 온 거야?"

"음?"

순간 볼코프는 어 하고 말문이 막혀 버렸다.

생각해 보니까 그렇…….

"자, 장군님!"

보다 못한 라토바가 뒤에서 볼코프를 불렀다.

라이칸스로프들은 적든 싫든 공허의 피해를 받는다.

그것은 식욕이고, 정복욕이고, 성욕이며, 야성이다.

이것은 당연히 라이칸스로프들에게 비이성적인 행동을 강요한다.

그나마 공허의 폐해를 덜 받는 이들은 여우, 쥐, 고양이 등 평소 인간에게 교활하다는 이미지를 가진 동물로 변하는 이들이다. 대부분의 라이칸스로프가 공허로부터 고통받는다는 걸 감안할 때 라이칸스로프들 사이에서는 축복받은 존재라고 할 수도 있을 것이다.

라토바는 바로 그 고양이인간이었다. 그래서 그녀는 낮은 계급에도 불구하고 라이칸스로프 여단의 참모로서 활약했다. 볼코프의 비서겸 부관, 그리고 참모로서 그녀는 각 작전을 평가하고 그것이 실무에서 매끄럽게 굴러갈 수 있도록 관리하는 존재다.

그러나 때로는 이치를 벗어난 싸움이 있는 법. 그때가 되면 라토바는 그저 볼코프가 여한이 없도록 뒤에서 지켜볼 수밖에 없었다.

문제는 상대가 서현이라는 것이다. 이사카 베르게네프, 아주 어린 시절부터 리림으로 각성해 많은 암살자를 상대하고 때로는 정부군, 때로는 반군을 상대하면서 전장의 시체로 배를 불려온 요괴 중의 요괴. 그런 놈은 혀 역시 간교한 법이어서 말 몇 마디로 볼코프의 넋을 빼놓았다.

여기서 남자답게 날 잡은 아르곤이랑 다시 승부를 가르겠다고 80번 국도로 가면? 그럼 상대의 세 치 혀에 아군 병력이 다 농락당하는 꼴이 된다.

볼코프는 정상적인 군인이라기보다는 군벌의 총수다. 사실상 전제군주나 다름없는 존재다. 하지만 볼코프의 사적 허영심, 명예욕 때문에 병력 전체가 전략적 오류를 범한다는 건 지나치게 바보 같다.

아무리 전제군주라 해도 국가의 경영에는 그 안에 합리성이 있어야 하는 법. 적의 세 치 혀에 농락당하면 이것은 군주만의 불명예가 아니다. 그것은 또한 그 참모인 라토바 개인의 불명예이며 그게 아니더라도 그냥 참을 수가 없다. 그래서 뭔가 다른 라이칸스로프 여단의 대원들을 동원해서 막으려 했지만……

'아, 젠장.'

생각해 보니까 그녀가 뭐라고 한다고 들을 놈들이 없다. 볼코프의 부관, 비서로서 그녀에겐 물론 계급 이상의 권한이 있다. 그러나 그렇다 해도 라이칸스로프 여단의 대다수는 그녀보다 계급이 높고 그녀보다 고참이다. 볼코프의 명령을 하달하는 형식이 아니면 라이칸스로프 여단 상당수는 그녀를 존중하지만 자기 좋을 대로 저지른다.

"장군님! 그의 말을 귀담아들어서는 안 됩니다!"

라토바가 경고하는 바로 그 순간 서현이 총을 쏘았다. 손에 들고 있던 AKS—74U 소총을 발사한 것이다. 볼코프의 방어력은 이미 정평이 나 있기 때문에 서현이 저 소총을 손에 쥐고 있음에도 불구하고 설마 쏘리라고는 생각지 않았다.

그런데 이 타이밍에 총질이라니?

라토바는 지금 눈앞에서 벌어지는 일을 이해할 수가 없었다.

"소총으로 준장님을 뭐 어쩌려고?"

그녀의 지휘 차량 옆에 서 있는 라이칸스로프 여단의 병사들도 놀라고 있었다.

그러나… 볼코프의 몸이 뒤로 밀려났다. 전차포를 맞아서 팔이 잘려 나가도, 몸이 찢겨 나가도 돌진하는 게 볼코프였다. 그런 볼코프를 물러나게 하는 소총탄이라니?

"읍?!"

볼코프의 얼굴에 이채가 떠올랐다.

"이런, 준장님이!"

"장군님을 구해라!"

그동안 뒤에서 보고 있던 라이칸스로프 병력들이 뛰어들었다.

"잠깐! 지금 뛰어들지 마요!"

라토바는 그들을 막으려 했다. 볼코프의 얼굴에 떠오른 것은 그저 당혹감일 뿐이니, 그가 정말 서현에게 당했다거나 치명상을 입었을 리 없다. 저 정도 사소한 반응에 바로 모두들 우르르 달려드는 건 어리석은 짓이다.

볼코프와 서현의 싸움을 보면 알겠지만 일반적인 다른 라이칸스로프는 접근하는 것 자체가 방해다. 차라리 다른 이들을 사냥하는 게 더 낫다. 지금 상황에서는 한세건이나 한니발, 실베스테르를 공격하는 게 훨씬 이득이리라.

문제는 라토바의 명령이 라이칸스로프 여단에게 먹히지 않는다는 것. 그리고 라이칸스로프 여단은 지금 만월이라 흥분해 있었다.

"우아아아!"

흥분한 라이칸스로프 여단이 총질을 하며 서현을 노리고 덤벼든다.

하지만 서현은 우비를 펼치고 자신에게 쏟아지는 총탄을 흘려보냈다. 같은 라이칸스로프임에도 불구하고 뭔가 다르다. 서현은 만월 아래에서도 흥분하지 않고 침착하게 라이칸스로프 여단을 상대하고 있는 것이다.

"죽여!"

"크르르르르!"

침착한 서현과 달리 라이칸스로프 여단의 상당수는 입에 게거품을 물며 흥분하고 있었다.

"안 돼! 모두 정신 차리고 거리를 벌려요! 우리의 전략목표는 그를 쓰러뜨리는 게 아니라……."

라토바는 목청이 터져라 외치며 라이칸스로프 병사들을 제지했다. 하늘을 향해 권총도 쏘았다.

하지만 무용지물이었다. 만월의 라이칸스로프가 일단 흥분하기 시작하면 그 태반은 제어가 되지 않는다. 서현이나 그녀처럼 만월하에서도 이성을 유지하는 쪽이 오히려 적은 것이다.

"고생이 심하군."

서현의 목소리만이 물레타 능력 너머로 들려왔다. 그나마 이성이 남아 있는 라토바를 측은하게 여기는 목소리였다.

하지만 그런 서현을 향해 다시금 볼코프가 달려들었다.

"그녀를 대할 땐 신경을 좀 써, 이놈아!"

볼코프의 발길질이 서현의 물레타를 찢어발겼다.

하지만 서현은 그 자리에 없었다.

"아니?"

"굳이 멍청하게 라이칸스로프 여단을 직접 상대할 필요는 없지."

빗줄기 속에서 서현의 목소리가 들려왔다. 하지만 목소리와 달리 서현의 모습은 보이지 않는다.

놀란 라이칸스로프들이 코를 킁킁거렸지만 서현의 냄새는 빗줄기 속에 흩어져 있다.

라토바가 혀를 차며 서치라이트를 켰지만 비의 장막 속에서는 강력한 서치라이트조차 묻혀 버린다.

다른 녀석은 어디 갔나 하고 둘러보는데 서현이 혼자서 모두의 관심을 끄는 동안 나머지 놈들도 폭우의 장막 속으로 자취를 감추었다.

"괜찮아. 이럴 때를 대비해서 포위를 시켜두었다."

볼코프는 그렇게 말했지만… 각지에서 총성이 들리기 시작했다. 서현 일행을 발견해서 교전 중이라고 하기에는 너무 광범위한 영역에서 교전이 벌어지고 있었다.

"하아… 내가 미쳐."

라토바는 그 모습을 보고 이마를 탁 쳤다. 만월은 라이칸스로프의 야성을 극대화시킨다. 그 말인즉슨 만월의 라이칸스로프 상당수는 바보 멍청이가 된다는 뜻이다.

라이칸스로프의 왕자라는 이명을 가지고 있는 서현은 한니발이 구해준 MTB 자전거에 올라타서 빗줄기를 뚫고 달리고 있었다. 권총을 들고 경찰복을 입은 구울들이 여기저기 총을 쏴대며 배회하고 있고 거리에는 차가 버려져 있어 길을 가로막고 있지만 서현은 가볍게 지면을 구르는 것만으로 자전거와 함께 붕 날아올라 차량을 뛰어넘었다. 경쾌한 움직임이다.

되레 한세건이 차량들을 넘는 데 버거워하고 있었다. 인디언 스카우트는 클래식 바이크 중에서는 비교적 가벼운 놈이지만 슈퍼모터드나 스포츠 바이크에 비하면 여전히 무겁고 둔하다.

아무리 한세건이라 해도 저런 바이크로 곡예를 펼치는 것은 힘들겠지.

"크르르르르!"

구울들이 뒤돌아 쫓고 있지만 서현이 자전거 페달을 밟자 거리가 점점 벌어진다. 모터사이클을 탄 일행과도 별로 거리가 벌어지지 않는다.

"젠장… 나도 자전거로 바꿀까?"

한니발이 투덜거리며 혼다 크로스커브에 올라타서 쫓아오고 있었다. 워낙 거구다 보니 곰이 세발자전거 타고 재주 부리는 장면 같다. 하지만 길에 장애물이 워낙 많은지라 가벼운 차체를 가진 크로스커브는 충분한 메리트가 있었다.

실제로 엔진 출력이 엄청난 인디언 스카우트를 탄 한세건보다 한니발이 더 빠르게 장애물을 돌파하고 있었다.

반면 실베스테르는 전력선을 연결하는 철탑에 은사를 걸고 양쪽으로 강력한 전자기망을 걸어 자신의 몸을 자화(磁化)시켜서 그 사이로 퉁 쏘아져 나갔다. 마치 새총 탄환처럼 단번에 쏘아져 나간 그는 단번에 도시를 날아 수백 미터를 단번에 앞지른다. 대단한 행동이지만 실베스테르니까 할 수 있는 곡예다. 일반 뱀파이어나 라이칸스로프가 저런 짓을 하면 자신의 몸에 양념 바르고 전기구이 오븐으로 낮은 포복을 하는 것과 같다. 죽지는 않겠지만 이동 좀 하겠다고 전신을 굽는 멍청한 짓을 할까.

한세건은 자신을 앞질러 가는 서현의 자전거와 그 뒤를 쫓는 한니발의 크로스커브를 보며 쓴웃음을 지었다. 현재 일행 중 가장 뒤처지는 게 그다. 이런 상황에 이런 생각을 하면 안 되겠지만 모터사이클을 타고 자전거에 뒤처지다니 굴욕이다. 게다가 가장 후방에 처지니 적들의 추격을 항상 뒤에 달고 다니게 된다.

"후방에 적이 추격해 온다!"

한세건은 그리 말하고 비스트를 준비했다.

"알겠어."

서현은 나이프 하나를 들어 구울들에게 던졌다. 서현의 나이프가 구울에게 박히자 나이프로부터 룬 문자가 번쩍이더니 강렬한 연기를 사방팔방으로 뿜어내었다.

그럼 뒤에서 쫓아오던 라이칸스로프 여단의 추적자들이 짐승처럼 짖으면서 나이프가 박힌 구울을 향해 돌격한다.

크르르르!

컹컹!

'미친놈들, 진짜 개소리를 내잖아?'

한세건은 라이칸스로프 여단의 추태를 보며 기겁했다.

그러나 서현은 이런 상황이 우습지도 않은지 태연했다.

"사방팔방 뿌려볼까."

서현은 인근 창고에서 찾은 사냥용 리커브 보우(Recurve Bow)에 평범한 연습용 화살을 재우고 사방팔방으로 쏘았다. 화살이 떨어진 곳마다 연기가 펑펑 터지며 그때마다 라이칸스로프 추격병들이 분산된다.

"…병신들이네."

한세건은 너무나 뻔한 미끼를 덥석덥석 무는 놈들을 보며 기막혀했다. 서현이 사용하는 게 뭐 대단한 마법도 아니다. 간단한 인식 장애술, 변조술에 불과하다. 조금만 생각해 보면 이게 함정이라는 건 잘 알 텐데? 추격해 오면서 정 모르겠다 싶으면 일행의 궁극적인 목표가 뉴욕 맨해튼 섬 진입이니까 링컨 터널이나 홀랜드 터널, 조지 워싱턴 다리 등 맨해튼 진입로를 지키면 될 것이다.

"간단한 마법에 속는다고 우습게 보지 마. 저들은 만월이라 이성을 잃었을 뿐이야. 만약 저 녀석들을 죽이려고 살기를 품으면 그때는 환술이나 인식 장애술을 단숨에 깨버리고 끈적끈적하게 달라붙을 거야."

서현은 심드렁하게 그렇게 말했다.

본인도 라이칸스로프여서일까? 라이칸스로프 여단이 무력한 잡병으로 여겨지는 건 서현에게도 그리 마음에 들지 않는 것 같았다.

—그 점은 동감이군. 라이칸스로프 여단과 정면충돌하는 건 피해야 한다.

실베스테르가 서현의 의견에 무게를 보태주었다.

"그런데 얼마나 더 달려야 하는 거지?"

한니발이 그렇게 물어보았을 때였다.

저 앞에 커다란 철탑 위에 실베스테르가 멈춰 서는 게 보였다. 그 앞으로는 뉴저지와 맨해튼 섬을 이어주는 링컨 터널로 향하는 진입로가 있었는데 이미 차들이 꽉 들어차 있었다. 아직 링컨 터널은 보이지 않지만 주차되어 있는 차량들과 구울들, 간간이 들리는 총성은 확실히 느껴졌다.

그것만이 아니었다.

콰르르릉……

그들의 앞에 천둥번개가 떨어지며 뇌광이 번뜩인다. 그 뇌광 사이로 거대한 공룡 같은 것의 윤곽이 드러나 보였다.

"…망할."

그 모습을 본 한세건은 혀를 찼다.

이 자리에 있어선 안 될 거대한 괴물이 링컨 터널에서 모습을 드러내었다.

—더 있다.

실베스테르가 통신으로 말했다.

"더 있다니요?"

—허드슨 강을 따라 이동하는 저것들이 네 놈… 아니, 다섯 놈이다.

실베스테르는 그리 말하곤 탄식했다. 실베스테르는 연금술로 만들어낸 이성을 가진 인간 형상의 존재다. 다른 의미로는 실베스테르의 존재 자체가 인간의 존엄성에 대한 도전이라고 할 수도 있으리라.

그러나 지금 허드슨 강을 오가는 괴물을 본다면 실베스테르의 존재 따위는 사소한 문제가 되리라. 왜냐면 허드슨 강을 오가며 링컨 터널에 모습을 드러낸 저 괴물은… 변모한 브리아레오스의 모습이었기 때문이었다.

계승자 브리아레오스는 분명히 한세건이 보는 앞에서 죽었다. DF 레이저로 숨통을 끊어놓은 계승자가 어째서 이곳에? 그것도 한 놈도 아니고 다섯이나 존재할 수 있는가?

'빌어먹을…….'

좋은 뱀파이어는 죽은 뱀파이어뿐, 그것이 실베스테르의 지론이다. 뱀파이어의 존엄성 따윈 시궁창에 처박아주겠다만 그럼에도 불구하고 삶과 죽음조차 능멸하는 아담카드몬 아낙스의 행동은 눈살을 찌푸리게 했다.

"뭐야, 저… 건."

한니발은 그 모습을 보며 혀를 찼다.

사안의 힘을 흩뿌리는 괴물이 고개를 돌렸다. 터널의 입구를 막고 있는 거대한 괴수가 그들을 발견한 것이다.

대규모 정전과 함께 도시 기능은 마비되고 구울들이 거리를 배회한다.

뉴욕 시장인 조지프 오서가 자신의 정치생명을 걸고 미리 피난 대책을 수립한 덕분에 이런 상황에 처한 도시치고는 놀랍도록 빠르게 주민들을 소개(疏開)시키고 있지만… 이 재앙은 단순한 질병 재해가 아니다. 인류를 해치고 뱀파이어를 해치기 위한 인재인 것이다.

맨해튼 섬과 뉴저지를 연결하는 78번 도로, 홀랜드 터널의 진입로는 차량들로 가득 차서 소개가 늦어지고 있었다. 뉴욕 맨해튼과 뉴저지를 직통으로 연결하는 링컨 터널이 구울들의 공격에 집중적으로 난타당하고 있었기 때문이었다.

남쪽에 브루클린 배터리나 브루클린 브릿지도 사정은 좋지 않다. 브루클린과 롱 아일랜드에도 많은 사람이 있었고 그쪽으로도 비셔스 바이러스가 번지는 중이었다.

사람들은 어디로 도망가야 할지 몰라서 우왕좌왕하고 있었고 그런 이들이 잠깐 멈춰 서는 것만으로도 도로 전체에 끔찍한 교통 정체가 발생한다.

"젠장! 다시 한 번 말합니다! 지금 끼어들기하면 운전자를 끌어내 쏴 죽일 거요! 갓뎀! 난 지금 농담하는 게 아닙니다! 이 씨발것들아!"

그나마 멀쩡한 경찰들이 끝없이 밀려드는 차량들을 향해 욕설을 퍼부었다. 한 흑인 경사가 확성기를 입에 들고 피난하는 운전자들을 향해 욕설을 퍼붓는데 그 욕설의 강도가 장난이 아니다. 평화 시라면 바로 파직당할 정도의 발언을 마구 퍼부어대고 있었다.

"이 머저리 뉴욕 놈들! 엉덩이에만 스테로이드 맞았냐? 너희가 그 따위니까 뉴욕 메츠가 계속 월드시리즈 근처에도 못 가는 거야! 양심은 뒀다 국 끓여 먹었어?"

그때 그 곁에 있던 백인 경찰이 흑인 경찰의 어깨를 두들겼다.

"아, 씨발 그만해. 어깨 부서지겠다. 왜 그래?"

"오, 맙소사, 토미 방금 그거 봤어? 시청 쪽이 폭발했어."

백인 경찰 한 명이 두려움에 떨며 진압용 방패를 들고 오두방정을 떤다. 평상시 인종차별주의자로 조지프 오서의 모든 행위를 끔찍하게 싫어하던 그가 시청에서의 폭발을 걱정하는 걸 본 흑인 경사가 확성기에서 입을 떼고 비웃었다.

"진정해, 씨발. 시장 새끼 나와 같은 깜둥이라고. 네놈이 언제 시장 새끼 걱정했다고 이제 와서 오두방정이야?"

"하지만 벌써 각지에서 무전이 안 된다고… 여기저기 초소를 의도적으로 공격하는 놈들이 있단 말이야."

백인 경찰이 무전기를 들고 하소연했다. 현재 경찰 채널의 무전에서는 각 구역마다 배치된 이들을 콜하고 있는데 응답하는 이가 반밖에 없다. 즉 이미 배치된 뉴욕 시경의 절반이 죽거나 죽음에 준하는 전투 상황에서 무선에 응답도 못 한다는 뜻이다. 그나마 답하는 이들도 태반이 구조 요청을 연달아 부르고 있었다.

"우린 다 죽을 거야. 다 죽을 거라고!"

"이런 씨발. 내가 널 위해서 존나 끝내주는 사실을 알려줄까? 씨발아?"

"뭐?"

"산타는 사실 네놈 아빠야! 이 병신아! 왜? 놀랍냐?"

"무슨 뜻에서 하는 말이야?"

"우리 모두 다 죽는 건 네 아빠가 산타인 것만큼 당연한 소리라고 병신아. 당연히 우리 모두 언젠가 다 죽지 그럼 천년만년 살려고 했냐? 당연한 걸로 징징 짜지 말고 제발 자리 지켜!"

흑인 경사가 그렇게 말했을 때였다. 마천루들 사이로 접근해 오는 소방 헬기 한 대 옆으로 갑자기 사람이 나타났다. 마치 오락영화에서 등장할 법한 CG처럼 허공에 나타난 이들은 한눈에 보아도 무시무시한 대포 같은 걸 쏴서 날고 있던 헬기를 바로 옆에서 격추시켰다.

추콱!

거대한 소방용 헬기가 핀볼 머신의 핀볼 튕기듯 튕겨 나가 빌딩에 충돌했다. 영화에서처럼 폭염이 일어나진 않았지만 유리 파편들이 쏟아지면서 하늘에서 번쩍이는 뇌광을 반사했다.

"오, 씨발. 저건 뭐야?"

그렇게 공중에서 헬기를 떨궜던 놈들이 다시 공중에서 사라졌다.

투확!

또 광구가 쏘아져 나갔다. 공기와 충돌하면서 마찰열로 인한 폭염 꼬리를 형성한 탄환이 날아가 도시 곳곳에 명중했다.

대폭발, 사방팔방에서 세상의 끝을 알리는 지옥의 북소리가 들려왔다.

"끼아악!"

쿵!

포격에 놀란 사람들끼리 몸을 움츠리는 사이 여기저기서 가벼운 접촉 사고가 일어났다.

하지만 이 끔찍한 일을 벌인 놈들은 자신들이 저지른 짓을 확인할 생각도 없었다. 그들은 계속 사라졌다 나타나면서 그들의 대포로 뉴욕의 교통을 파괴하고 상황을 통제하고 있는 경찰들을 요격했다.

—으아아아악!

경찰 채널에서도 비명의 아비규환이 시작되었다.

죽을 때 무전기 송신 버튼을 누르고 죽는 놈들 때문에 전 경찰 채널에 죽음의 목소리가 리얼하게 전달되었다.

"씨발… 저건 뭐야? 히어로 코믹스의 빌런이냐? 농담이지?"

흑인 경찰은 저것이 점점 이쪽으로 다가오고 있다는 걸 알 수 있었다. 그는 자신의 M—16 소총을 잡고 이를 악물었지만 비의 장막 너머로 무슨 일이 일어나는지 도무지 알 수가 없었다. 다만 분명한 것은 저것이 빠른 속도로 이동하며 무시무시한 포격 같은 걸 날리고 있다는 것.

그리고 저런 위력을 발휘하는 괴물이라면 손에 든 소총 따위는 무용지물이라는 것을 알 수 있었다. 즉 여기 남아 있는 건 무의미하다.

그렇다고 경찰이 이제 와서 도망칠 수는 없다. 여기서 도망치면 아직 맨해튼 섬에서 빠져나가지 않은 사람들은 구울들의 한 끼 식사가 되거나 구울이 될 것이다. 어차피 도망친다고 해도 차가 막힐 텐데 어디로 도망친단 말인가?

"으아아아!"

그러나 백인 경찰은 생각이 좀 달랐던 모양이다. 그는 손에 들고 있던 장비를 내던지고 몸을 돌려 뒤로 도망치기 시작했다.

"싫어! 죽고 싶지 않아!"

터널로 들어가고 있는 차량들 사이로 뛰어든 그는 다짜고짜 차 한 대를 붙잡고 창문을 두들겼다.

경찰이 창문을 두들기자 운전자는 놀라서 창문을 열었고 그 순간 그는 차 문으로 몸을 쑤셔 박고 운전자를 끌어내었다.

차를 빼앗아 타고 도망치겠다는 걸까?

"경찰 놈이 GTA 하고 자빠졌네."

그 한심한 모습을 보며 흑인 경찰이 혀를 찰 때였다.

그들의 앞에 한 젊은 동양인 남녀와 흑인이 착지했다.

"어?"

흑인 경찰은 갑자기 눈앞에 나타난 세 사람을 보며 놀랐다.

마치 위에서 뛰어내린 것 같다.

놀라서 주위를 둘러보았지만 사람이 뛰어내릴 만한, 뛰어내리고도 몸이 성할 만한 구조물은 어디에도 없다.

"으음… 맙소사. 아직도 이렇게나… 이렇게나 많은 사람이 남았다니……."

흑인 남자는 뉴욕 시장인 조지프 오서였다.

"저 장갑차에 들어가세요."

동양인 청년은 조지프 오서를 주 방위군이 가져온 장륜 장갑차를 향해 밀었다.

맥이 빠진 조지프 오서가 휘청거리며 장갑차로 향하자 경찰과 주 방위군이 그의 신병을 인수했다.

"다… 당신들은?"

시장을 구출해 온 두 남녀를 본 경찰들이 당혹스러워했다.

뉴욕 시장을 데려온 청년이 마트 노동자 유니폼을 입고 있다니… 의기충천한 일반 시민인가? 일반 시민이 해결할 수 있는 상황이 아닌데?

그런데 그때… 도로의 딱 한 차선, 주 방위군의 병력 이동을 위해 비워둔 차선으로 픽업트럭 한 대가 접근해 왔다. 픽업트럭은 놀랍게도 면허는 딸 수 있을지 의심스러운 소년이 몰고 있었고 그 뒤쪽 짐칸에는 분명히 법으로 사람의 탑승을 금하고 있음에도 불구하고 사람들이 타고 있었다. 뭐, 지금 같은 상황에서 단속할 생각은 없지만…….

픽업트럭에 타고 있던 이들은 즉시 뛰어내렸다.

"80번 고속도로로 오다가 78번으로… 왜 남쪽으로 왔지?"

70년대에나 어울릴 법한 보브커트를 한 남자가 물어보았다.

"시장을 구해야 하니까요."

긴 검은 머리를 틀어 올린 동양인 청년이 그리 대답하고 뉴욕 시장을 구출한 두 남녀에게 말을 걸었다.

"창영! 정야! 무사했군요. 뉴욕 시장은 구했어요?"

긴 머리를 틀어 올린 동양인 청년은 바로 서린이었다.

"네, 구했습니다만 저 새끼가 아직 건재하네요."

창영은 비의 장막 너머를 가리켰다.

"하하하하하하! 어리석은지고! 어리석은지고!"

빗줄기의 장막 너머로 광소가 들려왔다.

그리고 섬광과 함께 포탄이 날아가 폭발한다. 진마 헥토르, 통칭 광기의 헥토르가 그 힘을 마구 난사하며 혼란을 흩뿌린다.

"아니, 저 새낀 자기는 얼마나 똑똑하길래 남들보고 어리석다고 나불대는 거야?"

창영이 짜증을 내며 돌풍을 일으켰다.

그러나 아르곤이 차량에서 뛰어내려 그런 창영을 막았다.

"잠깐. 지금 혈인 능력 함부로 일으키지 마."

"하지만……."

"헥토르라면 전자기력으로 포를 쏘고 있는 걸 거야. 이 폭우 때문에 제대로 보이지도 않을 텐데 혈인 능력으로 굳이 자극시킬 필요는 없지. 껌 하나 줄까?"

"……."

창영이 입을 다물자 아르곤은 거절의 뜻으로 알고 껌을 자기 입안으로 털어 넣었다.

그때 역시 차량에서 내린 서린이 팬텀을 돌아보았다.

"어떻게 생각해요, 팬텀?"

팬텀은 헥토르가 자신의 능력을 마구 휘두르는 것을 보며 눈살을 찌푸리고 있었다. 그러나 그의 입에서 나온 말은 서린의 예상 밖이었다.

"맨해튼 섬에 진입한 이상 플라자 호텔까지는 얼마 되지 않습니다. 흘란드 터널에서 플라자 호텔까지는 진짜 엎어지면 코 닿을 거리죠. 서린, 당신은 플라자 호텔로 가야 합니다."

"하지만… 눈앞에서 도로를 파괴하고 다리를 끊는 놈을 내버려 둘 수도……."

"그건 이해하지만 아담카드몬 아낙스의 농간이 이 정도에서 끝날 리는 없습니다."

팬텀은 그리 말하고 힐끔 고개를 돌려 경찰들을 바라보았다. 정확히는 경찰들의 무전기를 바라본 것이다.

과연 무전 채널에서는 암담한 소리가 들리기 시작했다.

—대피 지점에서도 바이러스가 발생하고 있다! 좀비들이 떼로 몰려온다!

—망할! 사방 천지가 좀비야!

원래 대피 계획에 의하면 뉴욕 맨해튼 섬을 비롯한 도심에서 사람들을 소개시켜 지방으로 피신시키려 했었다.

하지만 어찌 된 일인지 지방 곳곳에서도 비셔스 바이러스 발병이 일어났다. 상식적으로 인간을 통해서 전염되는 질병이라면 인구밀도가 높은 대도시는 위험하나 그렇지 않은 곳은 위험도가 급감하게 마련이다. 공기감염이 가능한 질병이라 해도 병원균을 확실하게 실어 날라주는 감염자가 없으면 그 효과는 미비하게 마련이다. 그런데 어째서 시골에서 자체적으로 감염이 가능한 것일까?

물론 이건 아담카드몬 아낙스의 농간이다. 아담카드몬 아낙스는 현생인류를 멸종시키려 하고 있었다. 그러나 아인소프 오올을 사용하면 이미 현생인류는 멸종하는 게 아니었던가?

"설마……."

서린은 그제야 아담카드몬 아낙스가 원하는 것이 무엇인지 알아챘다.

3

센트럴파크에 인접한 플라자 호텔은 예부터 고위 관료들이나 외교적 밀담이 오가는 곳이었다. 1980년대 일본의 버블 경제를 끝장냈던 플라자 합의가 바로 이곳에서 벌어지지 않았던가? 그런 만큼 이 호텔은 비록 건물 자체는 오래되었어도 항상 최상의 서비스를 제공하게 되어 있었다.

하지만 현재 비셔스 바이러스가 뉴욕에 퍼지면서 뉴욕 시내의 모든 사람에게 대피 명령이 내렸다. 직원도 없이 건물만 덩그러니 남아 있다면 제아무리 특급 호텔이라 해도 공허한 건물에 불과하다.

그런데 이 플라자 호텔은 현재 서비스가 되고 있었다. 커다란 살덩이들이 어울리지 않는 턱시도 차림으로 꾸물꾸물 걸어와 심야임에도 불구하고 애프터눈 티 세트를 갖춘다. 3단 트레이에는 스콘과 마카롱, 샌드위치 등이 놓이고 전 세계 각지에서 모아 온 다양한 품종의 차들이 준비되어 있다. 도자기로 된 찻잔을 따뜻한 물로 부셔서 데우고 차를 따르는 솜씨 또한 일품이다. 거대한 종양 덩어리들이 종업원인 양 돌아다니며 서비스하는데 그 모습이 심히 기괴해서 테트라 아낙스 사인방의 일각인 마틴조차 눈살을 찌푸렸다.

"온 세상의 망종을 다 보아왔다고 자부했는데 역시 이건 좀 너무하군."

"뭔가 입맛에 맞지 않나?"

아담카드몬 아낙스가 그렇게 물어보았다. 전성기의 아낙스의 모습을 하고 있는 이 인물은 턱시도를 입은 종양 덩어리에게 손가락을 들어 지시한다.

그러자 종양 덩어리가 섬세한 솜씨로 차를 우려내는데 정말 동작 하나하나가 기품이 흘러넘친다.

"이런 암덩이들이 서비스하는 데 와서 충성 서약을 잘도 하겠다. 교통편도 막아두고 말이야."

마틴이 중얼거리자 아낙스가 미소를 지어 보였다. 은은한 붉은빛이 감도는 금발 속에서 금색 눈동자가 마치 고양잇과 맹수의 눈처럼 반짝인다.

"그러라고 한 거지. 뱀파이어는 궁극적으로 없어져야 해. 뱀파이어뿐만이 아니야. 라이칸스로프, 뱀파이어, 현생인류로 이뤄진 이 세계 구조 자체가 애초에 잘못되어 있어."

"아담카드몬에게 주어진 일은 아인소프 오울뿐… 굳이 자신이 믿는 올바른 세계관을 혁파할 필요는 없을 텐데?"

베이런은 아담카드몬 아낙스가 모든 뱀파이어와 라이칸스로프의 존재를 부정하는 것을 듣고 의아해했다.

아담카드몬의 아인소프 오울은 분명히 현생인류를 수확하고 새로운 변혁의 힘을 가진 강력한 '정보'를 발산한다. 그리고 그 정보는 분명히 현생인류의 영적 정보에도 강한 영향을 주어, 이

후 태어나는 이들은 더 이상 현생인류와 온전히 같을 수 없을 것이다. 이미 녹음된 레코드판 위에 다시 기록을 새기는 것과 같다. 판 자체가 부서지거나 그 고통을 견뎌내고 새로운 생명이 다시 일어날지도 모른다. 멕시코 유카탄반도에 떨어진 운석이 공룡의 시대를 끝내고 그 후 포유류의 시대가 온 것처럼······.

아인소프 오올은 이 시대를 끝내고 현생인류를 멸종시킬 것이다. 이것만 해도 한 개인이 벌이기엔 지나친 폭거다.

하지만 아담카드몬 아낙스는 그 아인소프 오올 이상으로 이 세상에 개입하려 한다. 뱀파이어와 라이칸스로프의 멸종이 그 개입의 목표라니······.

"아낙스가 이 월야의 세계를 관리하려 한다고 하지만 초상 능력을 현생인류에게 감추고 살아가는 것은 결국 무리다. 처리해야 할 정보량이 점차 늘어나서 완전한 뱀파이어였던 그가 타락하면서까지 자신을 복제하고 클랜원을 받아들였지."

"······."

그 타락의 소산인 테트라 아낙스 사인방의 삼 인은 입을 다물었다.

"이 세계는 애초부터 잘못되어 있었어. 그러니 나는 아낙스의 또 다른 의지를 이어받아 현생인류를 구축하고 새로운 질서의 세계를 만들 거다. 그것을 위한 비셔스 바이러스고 그걸 위한 미끼로 아인소프 오올을 걸었지."

아담카드몬 아낙스는 그리 말하고 온실에서 일어났다.

"웃기는 일이지. 아낙스야말로 체제의 수호자였다. 하지만 아인소프 오올이라는, 체제를 뒤엎겠다는 선언에 체제의 수호자인 나보다 나에게 매달려 있던 기생충들이 더 집착할 줄이야."

"체제 밑에 있는 인간을 본 거겠지."

레베카가 그렇게 말하자 아낙스가 웃었다.

"그건 그야말로 변명을 위해 억지로 만든 소리에 불과하다. 뱀파이어들이 인간을 언제부터 그렇게 신경 썼단 말인가? 진실로 그들이 다른 민중을 위해 일어섰다고 말한다면 날 너무 우습게 보는 것이다."

아담카드몬 아낙스는 그리 말하고 손을 들어 올렸다.

비구름 사이로 창백한 빛이 퍼져 나간다. 뇌광과는 다른 빛이 구름에 닿아 전기불꽃을 일으키며 사방으로 퍼져 나가는 모습에 테트라 아낙스 사인방은 불안을 느꼈다.

"아인소프 오올로 새 세계가 열리는 걸 두려워해라. 새 세계를 막기 위해 찾아오는 뱀파이어와 라이칸스로프들, 너희를 멸종시키고 인간들만의 세계를 새롭게 만들 것이다."

월야의 수호자 아낙스가 이제 월야를 끝내려 한다. 뱀파이어가 없고, 라이칸스로프도 없는 새로운 세계를 만들려 한다니……. 인위적인 멸종, 종족 청소를 선언한 것이다.

"그렇게는 곤란하지."

그때 플라자 호텔의 로비에서 한 사람이 걸어 들어왔다.

대서양으로부터 밀려온 폭풍우가 울부짖고 있지만 그의 발걸음은 유서 깊은 호텔 로비의 대리석 위로 천둥 같은 소리를 내고 있었다.

"서린!"

"어떻게 여길……."

세 명의 뱀파이어, 아낙스의 그림자들이 일어났다.

"놀랍군. 초대장을 보낸 이들은 오지 않고 초대받지 않은 망령이 찾아오다니."

아담카드몬 아낙스는 서린이 찾아온 것을 보며 재미있어했다. 그의 눈동자가 금색으로 빛나며 번득이는 걸 본 서린이 웃었다.

"초대장을 보내놓은 사람치고는 이상한 반응이군. 잔칫상에 손님이 아무도 없으니 불청객이라도 기뻐해야 할 상황 아닐까?"

서린은 준비된 자리에 앉고 3단 트레이에 놓인 과자를 집어서 입에 넣고 찻잔을 들었다.

연미복을 입은 종양이 기어와 능숙한 솜씨로 서린의 찻잔에 차를 채워주었다.

"밖에 저렇게 괴물들을 깔아놓고 있으니 원하는 건 뻔하군. 아무도 못 오게 하는 건가."

서린은 어깨를 으쓱해 보이곤 주위를 둘러보았다.

초청받은 뱀파이어 군주들, 진마들을 위해 준비된 자리는 텅 비어 있었다. 아담카드몬 아낙스의 밑에서 싸우고 있는 헥토르도 자리에 없다. 물론 헥토르는 아담카드몬 아낙스를 위해 싸우고 있으니 그 본인은 소집령에서 면책되었다고 생각하겠지만…… 아담카드몬 아낙스의 말에서 유추해 보면 그는 헥토르도 살려둘 생각이 없었다. 모든 뱀파이어, 모든 마법사, 모든 라이칸스로프를 제거하려는 것이다.

폭우가 치는 밤, 뉴욕은 폭동의 불길에 휩싸이고⋯ 전 세계로 절멸의 바이러스가 퍼져 나가고 있었다.

비셔스 바이러스가 이제 세계 전역으로 퍼져 나갈 무렵, 바이러스의 원흉인 아담카드몬 아낙스의 앞에는 그에게 아낙스로서의 자리를 빼앗긴 서린이 와서 뻔뻔스럽게도 이야기를 꺼내고 있었다. 정말 넉살 좋은 녀석이다.

"어린 시절에, 내가 아직 아낙스의 지혜를 얻지 못했을 때 나는 이게 늘 싫었어. 학교 선생이나 내 인간 아버지가 나에게 말했었지."

서린은 차를 마시며 스콘을 들어 와작와작 씹었다. 온갖 이국의 화초가 자라난 온실 안에서 서린의 말소리, 그가 음식을 먹는 소리만이 들려왔다.

" '넌 이만큼 성적을 받아야 한다. 나와 약속하자'."

아담카드몬 아낙스가 대신 서린의 말을 이었다. 그것이 서린이 말하려던 것이었기에 서린은 고개를 끄덕였다.

"물론 그 순간의 나는 의욕에 가득 차서 약속을 하지. 학업 성취에 욕심이 없는 아이들은 없거든. 설령 그게 무모한 달성 목표라 해도 약속하는 그 순간에는 가능할 것 같기도 하고⋯ 그게 아니더라도 목표가 작으면 부모나 교사를 실망시킬까 봐 두렵거든?"

"이해할 수가 없군."

듣고 있던 마틴이 중얼거렸다.

그러자 서린이 그를 보며 웃었다.

"마틴을 포함해서 여기 있는 모두들! 어린아이였던 기억이 있기나 해?"

"……."

"아무도 없을 거야. 평범한 인간으로 성장해 본 적 없이 그저 지성과 인식에 따른 감정을 가지고 있지. 너희의 문제점은 바로 그거야. 그러니까 평범한 인간 생활을 해본 날 믿어!"

"대단한 자신감이군."

아담카드몬 아낙스는 서린의 말을 듣고 피식 웃음을 터뜨렸다.

"그래서 말이야, 아이들은 교사나 부모가 제시하는 부당하고 말도 안 되는 목표치를 받아들인다고. 하지만 그런 게 과연 공정한 약속이라고 할 수 있나? 설령 아이들이 자기 입으로 그만큼 성적을 받겠습니다 하고 동의했다고 해도 그건 이미 강압에 의해 나온 말일 뿐이야. 그걸 공정한 약속이라고 주장하는 건 기만이다."

"……."

"여기 이 자리도 그래. 그 수준을 조금도 벗어나지 못했다고, 아담카드몬 아낙스."

서린은 아담카드몬 아낙스의 불공정함을 비난했다.

"당신이 만약 이 자리에 참석하지 못한 것으로 모든 뱀파이어를 처벌할 권리가 있다고 생각한다면 그건 기만이야. 물론 당신이 기만을 하지 말라고 내가 정할 수는 없지. 난 당신의 엄마 아빠도 아니고 선생도 아니니까. 그렇지만 한 가지 지적해 주는 것뿐이야."

"뭘?"

"이따위로 하는 건 전혀 공정하지도 않고 멋있지도 않아. 쪼잔하고 편협하지. 그리고 이 쪼잔함과 편협함을 아마 모두들 잘 알고 있을걸?"

서린은 그리 말하고 티스푼을 입에 물고 빈 찻잔을 들어 보였다.

종양이 또다시 찻주전자를 기울여 찻잔을 채워준다. 찻물 따르는 소리가 천둥소리와 폭우 소리 속에서도 선명하게 들린다.

"탐랑의 힘을 가진 이도 그렇게 생각할까?"

아담카드몬 아낙스는 그렇게 물어보았다.

"뱀파이어와 라이칸스로프, 그리고 마법사들, 모든 이매망량을 제거하고 이성의 세계를 만들 것이다. 그것이 가능한 것은 나밖에 없어. 물론 내 방식에서 그런 치졸한 부분이 있다는 건 인정하겠다만… 모르겠군. 그 치졸함이야말로 아낙스가 놓친 부분이다."

천둥번개가 치며 호텔의 전등들이 명멸한다.

그 안에서 아담카드몬 아낙스는 단언했다.

"아낙스는 너무 큰 십자가를 짊어지고 있었어. 공명정대함 따위는 뱀파이어나 라이칸스로프들에게 필요 없었다. 나는 아낙스의 두 번째 기회다. 첫 번째에 선택하지 않았던 것들, 차마 고르지 못했던 것에 대한 대안이지. 그 결과가 치졸해 보인다 해도… 뱀파이어나 라이칸스로프가 없는 세계를 만들기 위해서 나는 얼마든지 치졸해질 것이다."

아담카드몬 아낙스가 손을 뻗었다.

그의 그림자가 길게 드리워져 서린을 향해 날아든다.

하지만 서린은 눈 하나 깜빡하지 않고 답했다.

"그렇다면 직접 확인해 보지그래?"

"……"

"뱀파이어를 없애고 싶어 하는 자, 탐랑의 소유자 한세건을 말하는 거지? 대놓고 말해봐. 네가 뱀파이어와 라이칸스로프, 마법사들을 모조리 없애고 인간만의 세상을 만들려 하니 뱀파이어 헌터인 네가 내편에 서라. 뭐, 그렇게 말해봐. 틀림없이 온갖 욕은 다 들을걸. 아니, 당장 총부터 쏴 갈길 거다."

서린은 한 치의 흔들림도 없이 그렇게 말했다.

"뱀파이어의 존재가 인간들에게 해악일 뿐이라는 것, 인정해. 라이칸스로프? 마찬가지지. 마법사들도 해악일 뿐이지. 암, 그렇고말고. 그런데 그럼 그들을 참살하고 아인소프 오올로 현생인류를 끝장내는 건 현생인류가 받아들일 것 같아? 그건 애 앞에서 사탕을 흔들고 덮친 아동 성애자가 사탕을 줬으니 감형해 달라는 소리나 다를 바 없어."

"……"

아담카드몬 아낙스는 의자에 앉아서 다리를 꼬았다. 서린의 말은 명백하게 도전이었지만 아담카드몬 아낙스는 되레 그 때문에 서린에게 흥미를 갖게 된 것 같았다. 덕분에 서린은 길게 말할 기회를 얻었다. 그리고 그가 얻은 기회를 즐기지 않을 이유가 무언가? 서린은 신랄한 혀로 아담카드몬 아낙스를 난도질했다.

"당신 안에 있는 아낙스의 정신은 앙리 유이라는 필터를 통해서 편협하게 걸러진 것이야. 그런데 그게 아낙스의 두 번째 기회라고? 천만의 말씀이야. 그 어떤 성자라도 마음속에서는 욕망의 갈등이 소용돌이치고 있는데 아낙스가 고르지 않은 것을 모아서 그것이 두 번째 기회라고 주장하는 건 지나친 모욕이야. 내 안에도 흡혈욕, 식인욕이 있는데 난 그걸 선택하지 않았어. 그런데 누가 날 조악하게 복제하고 그 복제품이 흡혈도 하고 식인도 하는 걸 보면서 또 다른 서린이라고 이름 붙인다면 그건 뭐지? 응? 대답해 봐."

"그럼 지금 이 자리에 있는 나는 그저 아낙스의 선택을 모욕하는 존재일 뿐이다?"

"앙리 유이가 섣불리 강신시킨 신에 자신의 편견을 듬뿍 쏟아부은 괴물이지. 신성을 유한한 자의 정신으로 구현하기 위해 어설프게 조합한 결과가 바로 지금의 당신이야!"

서린은 아담카드몬 아낙스를 부정하고 규탄했다.

아담카드몬 아낙스가 웃음을 터뜨렸다.

"그것참 재미있군. 서린, 릴리쓰의 아이여. 릴리쓰가 아담의 첫 번째 아내라는 걸 알고 있겠지?"

"인류의 아버지가 재혼남이라는 신화 말이지? 정작 그 신화를 믿는 사람들은 이혼을 금기시하느라 로마 가톨릭에서 성공회가 갈라져 나오고 그거 때문에 전쟁도 하고… 뭐, 그런 이야기라면 잘 알지."

서린은 딴청을 피웠다. 아담카드몬 아낙스가 무엇을 파고들지 알고 있었기 때문에 일부러 딴청을 피운 것이다. 그러나 아담카드몬 아낙스는 서린의 딴청을 무시했다.

"네 선택과 네 기질, 그 모든 것은 릴리쓰의 의지에 의해서 만들어진 것이다. 넌 테트라 아낙스를 제어하기 위해서 조작된 것이지."

아담카드몬 아낙스는 승리를 확신한 듯 은근한 목소리로 다시금 물어보았다.

"네가 뱀파이어와 라이칸스로프의 존속을 바라는 것은 과연 너 자신의 의지인가?"

아담카드몬 아낙스는 서린 역시 릴리쓰의 의지를 실현시킬 도구임을 지적했다.

서린이 릴리쓰의 필요에 의해서 태어난 존재라는 것은 이미 알려져 있는 사실이다. 그리고 릴리쓰의 의지는 바로 마법과 월야의 존속. 아담카드몬 아낙스가 월야를 파괴하려 하는 것에 저항하는 것이 과연 그의 순수한 뜻인가, 아니면 릴리쓰의 도구로서의 반응인가? 아담카드몬 아낙스는 그걸 물어보고 있었다.

"외령 릴리쓰는 모든 초상현상의 존속을 꾀한다. 마법과 뱀파이어, 라이칸스로프들을 영세토록 존속시키려 하지. 치열한 생태계 속에서 초상현상의 존재들, 어둠의 자식들이 멸절하려 하면 그때마다 그녀는 무고한 처녀의 몸을 빌려서 리림을 낳았다. 바로 아낙스와 너 같은 존재를 말이지."

아담카드몬 아낙스는 서린을 가리켰다.

"그렇다면 그대 역시 외령의 의지를 투영하는 도구다. 그대가 날 규탄하는 혀에 날이 서 있다면 그 칼날은 먼저 그대를 벨 것이다. 그렇지 않은가?"

서린이 릴리쓰라는 외령의 도구로서 서 있다면 그가 말하는 모든 것은 릴리쓰의 이익을 위한 것이 아닌가. 아담카드몬 아낙스는 그렇게 주장하고 있었다.

하지만 서린은 자신의 자아에 대한 공격을 코웃음 치며 넘겼다.

"공교롭게도 난 한국에서 자라서 말이지. 내 주위에는 이미 부모의 도구였던 아이들이 많이 있었지. 전설적인 마물, 고차원적인 정신생명체, 외령이 아니라 평범한 인간들조차 얼마나 무시무시한 괴물이었는지……."

현실에서 연금술을 선보이고 이제 전 인류를 몰살시키려 하는 신화상의 괴물을 앞에 두고도 서린은 물러섬이 없었다. 도리어 그를 몸서리치게 한 것은 한국의 학부형들과 그들의 극성스러운 모습이었다. 서린은 과거 친구들의 학부형을 떠올리며 진저리쳤다.

"우선 당신은 착각하고 있는 게 세 가지가 있어. 첫째, 당신의 몰살에 반대한다고 해서 그게 곧 라이칸스로프나 뱀파이어의 존속이 정당하다고 옹호하는 건 아니야. 뱀파이어나 라이칸스로프의 존속 문제를 1 아니면 0, 이런 디지털식으로 받아들이는 건 대단한 흑백논리야."

"그렇다면 넌 뱀파이어와 라이칸스로프를 유지하려는 의지가 없다?"

"나는 릴리쓰처럼 강박관념이 있어서 월야를 존속시키려 하는 건 아니야. 다만 내게는 월야의 모든 존재를 몰살시킬 권리가 없는 거지."

"궤변이다. 하지만 들어줄 만하군. 그래, 둘째는?"

"둘째는 월야의 존속이 아낙스를 괴롭히고 그를 타락시킨 것은 맞으나… 이 타락조차 아낙스의 선택이었다는 걸 간과하는 거야."

"무슨 뜻이지?"

"제대로 된 설명을 하려면 셋째도 들어야 하는데……."

서린이 그리 말하자 아담카드몬 아낙스는 고개를 끄덕였다.

"말해보라, 오늘 손님은 그대가 끝일 것 같으니. 밤은 길고 차도 충분하지. 긴 이야기를 해도 무리가 없을 것이다."

"너무 많이 마시면 화장실을 가고 싶어져서……."

서린은 그리 말하면서도 습관적으로 찻잔을 종양에게 내밀었다.

"세 번째는 이 세상은 완전할 필요가 없다는 거야."

그 순간 뇌광이 터지며 호텔의 전력이 다시금 나갔다.

서린은 뇌광을 등지며 미소를 지었다.

"아낙스의 힘은 분명히 이 세상을 떡 주무르듯 할 수 있는 종류의 힘이지. 우리는 수단의 모든 군벌이 무기를 버리고 평화로운 선거로 일을 결정하게 할 힘이 있어. 그뿐인가?"

서린의 말이 끝나자 레베카가 이어서 말했다.

"동성애를 반대하는 이슬람 원리주의자들이 어느 날 갑자기

게이가 되어 공개 장소에서 서로 간에 계간을 펼치는 걸 알자지라 방송을 통해 전 세계로 송출할 수도 있겠지."

"그거 재미있겠군."

아담카드몬 아낙스도 그 순간 유혹을 느꼈다.

"우리는 이 지상에서 모든 분쟁과 전쟁을 없애고 항구적 평화를 구축할 수 있다."

베이런이 그렇게 고백했다. 아낙스에게 있는 강력한 텔레파시 능력, 그걸 증폭시키기 위해 만들어낸 오라클 시스템을 가동할 경우 이들이 말하는 건 불가능한 일이 아니다. 외려 이것이 뱀파이어들이 치는 사고를 뒷수습하는 것보다 쉬운 편에 속한다.

"그럼에도 불구하고……."

"그럼에도 불구하고……."

"그러나……."

테트라 아낙스 사인방, 아낙스의 그림자들이 일제히 말하며 서린을 바라보았다.

"세상은 불완전한 게 가장 완전하다."

서린은 아낙스의 그림자, 사인방의 말을 마무리 지었다.

다시 전력이 돌아오며 온실에 불이 밝혀졌다.

분수대가 좌르르륵 하고 물을 뿜기 시작했다.

"무슨 의미인가?"

아담카드몬 아낙스가 그렇게 물어보았다.

그러자 서린이 어깨를 으쓱해 보였다.

"말 그대로의 의미야. 세상을 완벽하게 만들기 위해서 인위적으로 손대는 것 자체가 어리석은 짓이라는 거지. 특히 우리처럼 다른 이들의 자유의지마저 왜곡시킬 수 있는 자들이라면 더더욱."

"이 세상의 불의로부터 눈을 돌리면서 말인가?"

"어떤 정신의 자유의지를 침해하면서 선을 강제한다면 그것이야말로 정신의 존엄성을 가장 크게 해치는 절대 악일 거야. 세상을 온전하게 만들겠다든가 정의를 실현하겠다는 이유로 전 인류의 존엄을 해칠 수는 없지. 그저 이 세상에서 벌어지는 모든 악업에 대해서 죄책감을 느끼며 망가지는 게 아낙스에게 어울리는 종말이다!"

서린은 단언했다.

그러자 아담카드몬 아낙스가 피식 웃었다.

"지금의 세계에서 고통받고 죽어가는 당사자들이 들으면 천 인공노할 소리로군. 자신들의 희생이 이 세상을 완전하게 한다고 말하는 거나 다름없으니까. 아, 물론 나 역시 그들을 정말 완벽하게 구원하는 건 어리석은 짓이라는 걸 안다."

"……."

"그리고 너 역시… 말재간은 뛰어났다만 아낙스가 진심으로 뱀파이어의 수를 줄이고 싶어 했다는 걸 부정하진 못할 거다."

아담카드몬 아낙스가 자신을 아낙스의 두 번째 선택이라고까지 말하는 건 아낙스에 대한 모욕이 맞다. 그러나 아낙스가 분명히 뱀파이어의 수를 줄이려 했다는 건 아무리 궤변을 늘어놓는다 해도 무의미한 진실이다.

서린이, 그리고 이곳에 있는 모두가 안다.

"시간은 아직 길고 손님은 오지 않았지만 더 이상 대화가 길어지는 것도 무료하군. 네 날랜 혀를 존중하는 의미에서 특별히… 상대해 주지."

아담카드몬 아낙스는 더 이상의 대화는 무의미하다고 말했다.

"그래… 자, 그럼 차는 이제 그만 마셔야겠군. 진짜 화장실 가고 싶어질 것 같아."

서린은 찻잔을 내려놓았다. 그리고 그와 동시에 테이블을 박차고 일어난 서린은 아담카드몬 아낙스의 머리를 향해 옆차기를 날렸다.

픽!

아담카드몬 아낙스는 가볍게 고개를 젖혀서 서린의 공격을 피했지만 서린의 발차기는 마치 창검처럼 찔러 들어와 아담카드몬 아낙스의 귀를 베었다.

공격의 의지조차 원천적으로 차단하던 아담카드몬 아낙스가 비록 스치긴 했지만 피격당한 것이다.

"무모한 짓이군."

정작 아담카드몬 아낙스는 귀가 베여 피가 흘러나와도 아랑곳하지 않고 그 피를 손으로 닦아내어 확인했다. 마치 자신이 피를 흘린다는 사실에 놀라고 있는 것 같았다.

"죄의 무게에 짓눌려 파멸하는 걸 순리로 여기고 받아들이겠다는 거냐?"

"별로 대단한 일은 아니야. 많은 정명한 인간, 평범한 인간들이 죽음을 받아들이고 사는걸."

서린은 그리 말하며 번개 같은 솜씨로 AA—12 샷건을 아담 카드몬에게 겨누었다.

하지만 아담카드몬은 쯧 하고 혀를 찼다.

"티 테이블을 망치고 싶지는 않군."

아담카드몬 아낙스의 말이 끝나자 서린은 어느새 자신이 호텔의 밖… 플라자 호텔이 보이는 센트럴파크의 숲에 서 있다는 걸 깨달았다.

그리고…….

쿨럭…….

피와 살로 이뤄진 젤리 같은 것이 숲의 어둠을 타고 움직이며 서린을 에워싸고 있었다.

"아… 아아아아아!"

젤리들 사이에서 금발의 소녀가 울부짖고 있었다.

"마리아……."

서린은 그 소녀를 알아보고 굳어 있었다.

얼음바늘처럼 차디찬 빗줄기가 피부를 찢을 기세로 쏟아져 내린다.

4

링컨 터널 앞에는 무수한 구울이 배회하고 있었다.

그런 구울들은 갑자기 그들 사이에 나타난 괴물을 이질적인 존재로 보고 뛰어들었다. 마치 거대한 고래에게 덤벼드는 범고래 떼처럼 구울들이 달려들어 사안의 마수에 매달렸다.

하지만 사안의 마수가 눈 뜨자… 그 몸에 올라탔던 구울들의 몸이 얼어붙는다. 팔과 다리, 사안을 직접적으로 받은 부분은 충격받은 석고상처럼 뚝 떨어지고 몸통은 몸통대로 따로 퍼덕인다. 사안의 힘이 구울들을 조각조각 찢어발기는 것이다.

그 모습을 보며 한세건은 혀를 찼다.

'브리아레오스를 상대할 때도 꽤 골치 아팠는데…….'

사안의 마수가 하나도 아니라 여럿이다. 물론 지금 그들을 발견한 건 저거 하나지만… 방금 전 발출한 사안의 힘을 보면 저 마수의 힘은 브리아레오스의 그것과 별반 다를 게 없어 보인다.

왜인지 모르겠지만 한세건은 이 상황에서 서현이 어떻게 사태를 처리하는지 궁금해졌다.

"어이, 베오울프!"

서현은 한니발을 불러 세웠다.

"응? 왜?"

"잠깐 몸 좀 빌리자."

"미친… 몸을 빌려주는 동네가 어딨어?"

한니발이 그렇게 대답했지만 서현은 어느새 한니발의 뒤에서서 그의 허리띠를 잡고 몸을 번쩍 들었다.

"어라?"

"전방으로 수결 맺고!"

서현은 그리 외치고 한니발을 들고 앞으로 돌진하기 시작했다. 사안의 마수가 그 움직임을 파악하고 몸의 표면 위로 눈알들을 굴렸다. 피부 곳곳에서 눈이 떠지는 그 모습은 끔찍했지만 그보다 더 끔찍한 것은 사안의 힘이 집결되고 있다는 것이다.

사안의 집중포화가 서현을 향해 날아들었지만 서현은 한니발로 그걸 막아냈다.

"야! 이……."

한니발은 욕설을 퍼부으며 수결을 맺었다.

"금강계(金剛界)!"

쏟아지는 사안의 힘이 한니발의 결계에 부딪혀 흔적도 없이 사라진다.

사안의 마수가 더더욱 크게 눈을 끌어모았지만 서현은 한니발을 집어 던지고 모습을 감추었다.

"야이! 미친… 놈아!"

한니발은 서현에게 집어 던져진 채로 공중에서 방향을 틀었다.

마수가 앞발을 휘둘러 한니발을 노렸다. 마수의 크기가 워낙 거대해서 인간들 사이에선 알아줄 만한 거구인 한니발이 무슨 장난감처럼 보인다.

"쳇!"

한니발은 공중에서 몸을 틀어 길 가던 구울을 붙잡고 낚아채서 그 반동으로 지상에 착지했다. 구울이 대신 마수의 앞발에 걸려 분쇄되는 사이…….

서현이 마수의 머리 위에 나타났다.

"흡!"

서현의 일장이 마수의 정수리에 내리꽂혔다.

쾅드드드득!

그 순간 마수의 목이 나선으로 배배 꼬이며 피와 육즙, 골수가 사방팔방으로 쏟아져 나왔다. 서현의 특기 각인 능력인 나선충격이었다.

놀란 마수가 신체를 재생시키며 사안을 띄웠지만 서현이 손을 치켜들었다.

"공교롭게도 오늘은 만월이거든……."

서현의 오른쪽 눈이 흉흉한 안광을 발했다. 그와 동시에 다시금 일권이 마수에게 꽂혔다.

터엉!

마수의 몸이 뒤틀리며 나가떨어진다.

거대한 스카니아 트랙터로 밀려난 마수가 트랙터와 충돌하며 트랙터 뒤에 실려 있던 묵직한 토관들이 우수수 쏟아져 깨진다.

"크르르르르."

마수가 몸을 일으켜 방금 전 서현이 있던 곳을 노려보았지만 이미 그곳엔 아무도 없다.

"날 찾나?!"

투콱!

마수의 앞발, 그러니까 팔이 부러지며 마수가 앞으로 고꾸라졌다.

"우오오오오!"

마수는 사안을 사방팔방으로 쏘아냈지만 서현은 이미 공격을 맞히고 나서 멀찍이 몸을 빼 사안의 공격으로부터 벗어났다.

'저렇게나 멀리 떨어지면 다음 공격은 어떻게 하려고?'

한세건이 그런 의문을 품는 순간이었다.

투콱!

지면으로부터 쏘아져 나온 천, 길가에 있던 현수막이 빳빳한 쇠파이프처럼 마수를 밑에서부터 위로 쳐올렸다.

"계속 재생하는 놈을 굳이… 완전히 죽일 필요는 없겠지!"

서현은 육상 선수처럼 크라우칭스타트 자세를 잡더니 폭발적으로 뛰쳐나갔다.

그야말로 무시무시한 속도로 질주한 서현은 허공에서 허우적거리는 마수에게 달려들어 그 손을 잡고 빙글 돌더니… 그대로 집어 던졌다! 마치 성 패트릭 축일에 아일랜드에서 하는 해머던지기처럼 거대한 마수의 긴 팔을 역이용해서 엄청난 원심력으로 마수를 허드슨 강으로 내던진 것이다.

쇠파이프로 된 강둑 난간에 충돌한 마수가 텅 하고 튕겨 올라 허드슨 강 아래로 떨어졌다.

"…미친……."

한세건은 그 모습을 보며 경악했다.

마수는 물론 이 정도로 죽지 않는다.

DF 레이저로 완전히 태우고 붕괴시킬 때까지 골백번은 죽여야 쓰러지던 게 바로 마수다.

그러나 서현은 지금 이 순간 육탄전으로 저 마수를 완전히 압도했다.

"인간을 좀 덜 먹어도 이 정도인가. 대단한데. 어때, 여기서 한 입 정도 먹는 건?"

한니발은 자신의 팔을 내밀어 보였다.

"…사양하지. 얼른 이동하자."

서현은 그리 말하고 자전거를 집어 들었다.

第35夜

세계의 제물

1

세계 각지에서 전조도 없이 동시다발적으로 비셔스 바이러스가 발병했다. 가전 양판점에 설치된 TV, 카페와 주점에 붙어 있는 TV로부터 전 세계의 끝을 알리는 암울한 뉴스가 계속 쏟아져 나오고 있었다.

하지만 그 뉴스를 보고 있는 것은 빛과 소리에 이끌린 구울들뿐이다.

쏴아아아아아……

폭우가 쏟아지고 있는 뉴욕도 그것은 예외가 아니었다.

구울이 가득한 링컨 터널 안은 이미 지옥으로 변해 있었다. 구울 중 일부는 이미 커럽티드로 변해 있었고 그들의 확장된 몸이 터널을 가득 메워서 무기질의 터널을 마치 거대한 짐승의 배 속처럼 바꿔놓았다. 농밀하고 끈적한 엑토플라즘이 발목 깊이로 차 있는 곳 안에서 무수한 구울이 허우적거린다.

"우웩… 죽겠네."

서현은 혀를 내두르며 앞으로 걸어갔다. 구울들이 그런 그에게 덤벼들었지만 서현은 자전거를 한 손으로 집어 든 채 발만으로 구울을 뻥 걷어찼다.

터널 천장까지 날아간 구울이 천장에 충돌하면서 피와 내장을 흩뿌리며 떨어진다.

구울들은 도저히 서현의 장애물이 되지 않는다. 하지만 문제는 이 환경 자체다. 천장과 벽, 바닥에서 계속 끈적끈적한 엑토플라즘이 뿜어져 나오고 엑토플라즘을 통해서 유령들이 형상화된다. 서현과 한니발, 한세건이 걷고 있는 앞에서… 유령들은 자신들의 삶에서 가장 고통스러운 순간을 계속 재현하고 있는 것이었다.

[비켜! 개자식들아! 아, 안 돼!]

[뒤에서 좀비가! 아아악!]

차가 막히자 뒤에서 달려오던 차들이 연쇄 추돌 사고를 일으킨다.

그런 그들 앞으로 소방대원복을 입은 구울들이 도끼를 들고 뛰어든다. 터널의 뒤에서도 구울들이 달려들면서 터널 안은 순식간에 아수라장이 되었다. 겁에 질린 사람들이 서로서로 짓누르면서 달리지만 이 좁은 터널에서 도망칠 길은 없다.

결국 선두 차량이 폭발하며 화염이 휩쓰는 장면에서 유령들의 환영은 끝났다.

"…이렇게 죽었군. 그런데 또 보여주는 거냐?"

한세건은 다시 반복되는 유령들의 생쇼를 보며 눈살을 찌푸렸다.

"갑자기 많은 사람이 한 번에 죽은 데다가 엑토플라즘은 영체 활동을 활성화시키니까. 정말 무슨 일이 일어나도 이상하지 않을 정도야."

서현은 그렇게 답했다.

그들이 말한 대로 유령들은 다시금 처음부터 그들의 사망 장면을 되풀이한다. 눈앞에서 이렇게 대규모의 영적 현상이 계속 반복되고 있다니. 그야말로 현실의 끝이다. 그가 알던 세상이 끝나간다.

만약 이 사태를 수습하고 아담카드몬 아낙스를 제거한다 하더라도 과연 세상은 어찌 되는 걸까?

'아낙스라면 이런 상처도 기만으로 봉합할 수 있겠지. 하지만… 그것은 아낙스의 기만을 인정하는 것이 되나? 뱀파이어들이 오만방자하게 이 세상을 할퀴고 파괴하는 것을 뱀파이어왕의 힘으로 수복시켜야 한다고? 그러나 이걸 이대로 방치하면 향후 인간 사회에 퍼질 파장은 어떨까? 난 어떻게 해야 하는 거지?'

한세건은 복잡한 심경으로 터널을 빠져나왔다.

뉴욕도 링컨 터널과 별반 다를 바 없이 변해 있었다. 커럽티드들은 거대한 살덩이가 되어서 건물에 매달려 자라나고 그럼 건물 전체가 마치 거대한 육종(肉腫)처럼 보인다. 고름 대신 엑토플라즘을 뿜어내고 점액질의 실, 커다란 혈관이 마천루와 마천루 사이를 연결한다.

놀랍게도 이 마천루 중 상당수는 전기가 끊기지 않아서 엑토플라즘과 커럽티드의 육종에 파묻힌 채로 빛을 밝히고 있었다.

반투명한 육종과 고름 같은 엑토플라즘 너머로 비쳐지는 빛의 향연이라니……

정말 기괴한 크리스마스 장식 같아 보였다.

"조용해졌군."

한세건은 그렇게 중얼거리며 하늘을 올려다보았다.

사람들의 기척이 느껴지지 않는다. 대신 무수한 영혼이, 살해당한 이들의 혼백이 빨려 들어가고 있고 센트럴파크 방향에서 밝은 빛이 하늘로 솟아오르고 있다.

혹시나 싶어서 휴대폰 카메라로 찍어보니 역시 찍히지 않는 빛이다. 영적으로는 보이나 광학적으로는 보이지 않는 빛이다.

'아인소프 오올을 저기서 준비하고 있는 건가.'

갑자기 짜증이 치솟아 올랐다.

이 모든 게 저기 있는 저놈들 탓이다.

아담카드몬 아낙스도 짜증 나고 그런 놈을 만든 앙리 유이 역시 생각만 해도 열불 난다. 앙리 유이 녀석에게 VT인자 절반을 덜어내라고 했는데 역시 그 정도론 부족하다.

'절반 받고 나서 죽여야지.'

절반을 받겠다고 했지 받고 나서 안 죽인다는 소리는 안 했다. 아니, 설령 그걸 구두로 약속했다 해도 뱀파이어와의 약속을 성실히 지킬 이유는 없지.

한세건은 그리 생각하며 앞을 바라보았다. 링컨 터널의 출구 쪽에도 무수히 많은 구울과 커럽티드들이 포진하고 있었다.

"크르르르르르!"

"거리는 얼마 안 되겠지만… 가는 길이 험난하겠군. 어이쿠, 군경들도 구울이 되어서 총도 들고 있네."

한니발이 그리 중얼거릴 때였다.

―이런! 조심해라.

실베스테르가 통신을 통해 혀를 차는 게 아닌가?

그 순간 그들의 머리 위로 뭔가가 날아들었다.

쿠웅!

한세건과 서현, 한니발이 몸을 피한 곳에 검은 짐승이 내려앉았다. 전신에 검은 광택이 감도는 괴물이 눈뜨자 사방팔방으로 사안의 힘이 퍼져 나간다.

서현이 들고 왔던 자전거가 부서져서 나뒹구는데 그 파편이 허공에 멈춰 서 있다. 사안의 힘이다. 사안의 마수가 다시 나타난 것이다.

"다른 놈인가? 워낙 빠르니 따돌리기가 쉽지 않네."

서현은 한니발의 뒤로 피해서 사안을 한니발로 막아냈다.

한세건은 탐랑을 일으켜 사안을 막아내다 그 모습을 보고 부러워했다.

"덩치도 큰 놈이 고기방패 1등급이네."

"온라인 게임에서 탱커 잘할 거 같아."

"야, 인마… 이 자식들아!"

한니발이 짜증을 냈지만 뭐라고 말하기도 전에 거구의 시체들이 달라붙어 만들어진 커다란 육괴 덩어리가 한니발에게 달려들었다.

한니발이 그것을 피하고 거구에 어울리지 않게 날렵한 발차기로 육괴를 걷어찬다. 그리고 킥을 회수하는 것과 동시에 몸통 지르기를 머신 건처럼 연타하고 로우킥을 크게 걸어 올린다.

저 거대한 육괴가 지면에서 붕 떠서 고꾸라진다.

'가라테인가?'

한니발 역시 잠재적인 적으로 보고 있는 한세건은 한니발의 공방을 살펴보며 등에 메고 있던 USAS—12를 손에 들었다.

사안의 마수는 타깃이 여럿으로 나뉘어서 그런지 아직 정신을 못 차리고 있었다.

그러나 세건이 총탄의 비를 퍼붓자 시야를 이쪽으로 돌렸다.

지이이잉!

마수의 사안이 발동해 총탄을 공중에서 막아낸다. 사안의 힘으로 날아드는 총탄조차 막아내다니 대단하다만… 사격에 정신 팔린 마수의 옆에서 거대한 검은 발톱이 튀어나와 마수를 덮쳤다.

한세건의 탐랑이 마수의 목덜미를 물어뜯고 그를 짓눌러 바닥에 꽂아버린 것이다.

"브리아레오스보단 약하군. 다행이야."

한세건이 그리 말하고 손가락을 튕기자 탐랑이 마수를 바닥에 꽂은 채로 질주해 아스콘 바닥에 마수를 갈아버렸다.

"홈쇼핑 채칼 광고 같은 느낌으로!"

마치 교향악단의 지휘자가 지시하듯 손을 휘저으며 외친다.

그러자 탐랑이 선회하며 마수를 원형으로… 둥그렇게 돌려가며 아스콘 바닥에 갈다가 냅다 집어 던졌다.

덤프트럭만 한 덩치의 마수가 허공을 날아 경찰들이 세워둔 바리케이드에 충돌했다. 물론 이 정도로 죽을 마수가 아니다. 마수는 대지를 감싸고 사안의 힘을 끌어모으려 했지만…….

투콱!

지면에서 검은 가시덩굴이 확 피어올라 그 마수를 관통했다.

"젠장, 이제 몇 통 안 남았는데…….."

한세건은 자신의 그림자를 향해 도폭선을 뿌려 넣었다. 그러자 가시덩굴로부터 도폭선들이 뿜어져 나와 마수를 휘감았다.

한세건이 도폭선을 점화시키자 거구의 마수가 순식간에 토막났다.

그런 한세건의 모습을 보고 서현이 피식 웃었다.

"저래도 안 죽어. 게다가 우리가 저놈들 상대하고 있으면 계속 만들걸? 얼른 가자."

비셔스 바이러스가 상당히 진행되어서 그런지 서현 일행이 걷는 곳에는 인기척이 없다. 대신 커럽티드가 변화한 육종과 엑토플라즘이 마천루를 뒤덮고 있고 그 사이로 유령들이 거리를 배회하고 있었다.

그렇게 얼마나 걸었을까? 서현이 갑자기 발을 멈춰 세웠다.

"오, 맙소사. 여기 타임스 스퀘어네?"

"그렇군."

한세건은 별다른 감흥 없이 주위를 둘러보았다. 사람이 많던 곳이라 그런지 구울들이 잔뜩 깔려 있다. 영화에서 흔히 등장하는 뉴욕의 상징, 가장 많은 사람이 몰려드는 곳이니만큼 구울이 많다. 다른 매체에서 보았던 모습은 남아 있지만 그 인상은 전혀 다르다.

하지만 서현은 진심으로 흥분하고 있었다.

"영화나 잡지에서 봤던 그대로야. 비록 파괴되었지만… 이걸 내 눈으로 직접 보게 될 줄이야."

"영화……?"

한세건은 서현이 감회에 젖는 걸 보면서 어이없어했다.

"미국인도 아니면서 괜히 뉴욕에 향수를 품는 미친놈이 많다고는 들었지만 너도 그런 쪽이냐?"

서현은 한세건의 추궁을 부인하지 않았다.

"난 그런 사람들 이해가 가."

"어째서?"

"문명국가에서 태어난 사람들에게 이곳은 그저 다른 형태의 도시에 불과할지 모르겠지만 나에게 이것은 문명과 문화의 상징이거든."

"하아… 문명과 문화의 상징이라서 여기에 ICBM을 처박고 싶었나?"

"뭐, 부럽고 억울해하는 마음도 있었다는 걸 인정해야겠지. 난 인생이 시궁창인데 남들은 평화와 번영을 누리고 있다고 생각했거든. 당시는 나도 질풍노도의 시기였으니까……."

토폴 M(ICBM)과 함께하는 무시무시한 사춘기인가?

한세건은 그것을 질풍노도의 시기라고 말하는 서현의 말에 질려 버렸다.

"군인으로서, 살인자로서, 라이칸스로프로서의 난 분명히 이것에 분노했어. 내가 누리지 못하는 것을 누리는 이들이 행복하다고 여겼고 내가 맛보는 죽음과 고통을 이들에게도 맛보여 주고 싶었지. 하지만 내게서 군인이나 살인자가 아닌 부분은 쪼글쪼글한 잡지 쪼가리에 있는 사진을 보면서 무수한 상상의 나래를 펼쳤었어."

서현은 감회에 젖어서 이 일대를 바라보았다. 마치 이곳에 왔다는 사실을 자신의 뇌리에 아로새기듯이…….

"그러니 그 현장에 당도했을 때 기뻐하지 않는 건 이상한 일이야. 비록 내가 품고 있던 동경이나 상상이 현실과는 다르다고 하더라도… 그 사실을 자각하는 것만으로도 의미가 있잖아? 아, 이곳에 당도해서 좋았다. 내가 상상만 하던 걸 직접 눈으로 확인할 수 있었으니까. 상상의 나래를 펼치길 잘했어. 지금 이 순간 내 눈으로 동경의 대상을 확인하는 그 감동을 느낄 수 있게 해주었으니까."

서현은 그렇게 말하며 점액이 묻은 표지판을 들어서 바닥에 긁어 점액을 치우고 표지판을 읽어보았다.

"오 여기서 북쪽으로 가면 카네기 홀이 나온다고? 가야 할 방향도 일치하네. 가보자."

"……."

한세건은 그런 서현의 모습을 보며 왠지 속이 쓰렸다.

'이 녀석은… 충만한 삶을 살고 있다.'

곧 모든 세상이 끝날지도 모르는 순간에서도 서현은 눈앞에 있는 모든 걸 담백하게, 그러면서도 진지하게 받아들이고 있다.

한세건은 도저히 할 수 없던 일이다. 시기심이 가슴을 두방망이질해서 견딜 수 없을 지경이다. 탐랑은 시기와 질시, 증오와 원망의 화신이다.

그 탐랑이 지금이라도 서현을 덮칠 기세라서 한세건은 탐랑을 제어하는 데 온갖 힘을 쏟았다.

아담카드몬 아낙스가 아인소프 오올을 쓰든 그를 막아내다 한세건이 죽든… 어느 쪽이든 간에 이제 얼마 남지 않았다.

끝이 다가오고 있었다.

2

"젠장. 어떻게 되고 있는 거야?"

아그니는 선글라스를 옷깃에 끼우고 자리에서 일어났다. 방금 전까지 비행기 조종사였던 남자가 입을 벌린 채 침을 질질 흘리며 좁은 비행기 통로를 이용해 이쪽으로 걸어오고 있었다.

"뉴욕까진 거의 다 왔어. 문제는 이거로군."

아그니의 곁에 앉아 있던 헤카테가 서빙용 트레이를 들어 가볍게 던졌다. 동작은 가벼웠지만 그녀의 일격으로 비행기 조종사의 머리가 수직으로 쪼개지고 조종석이 피로 물들었다.

"아웃레이지를… 여기만이 아니라 전 세계에 퍼뜨리고 있는 건가? 이런 밀폐된 공간에 있던 사람도 감염된다고?"

아그니가 그렇게 물어보자 비행기 운전석으로 걸어가던 파군이 답했다.

"세상을 끝낼 기세로군요. 실제로도 세상을 멸망시킬 테지만 이렇게나 악의적으로 모든 걸 다 죽이려 들 줄은 몰랐어요."

"어이, 누님? 비행기 착륙시킬 줄은 아셔?"

"모릅니다."

파군은 그리 말하며 조종석에 앉았다.

"그럼 왜?"

"추락이나 격돌시킬 줄은 압니다. 앞으로 밀면 하강 당기면 상승… 그 정도는 저도 압니다."

"……."

"다행히 군대의 방공망이 마구 찔려 구멍투성이가 되고 있군요. 아, 성희롱 발언 아닙니다. 순수하게 사전적인 의미입니다."

"……."

"American coast guards are my bitches!(미국 해안경비대

는 내 밥이지!)"

"성희롱 발언 맞구만!"

아그니가 그렇게 외쳤을 때였다.

투왁!

갑자기 비행기가 흔들렸다.

위잉… 위잉…….

그리고 조종석에서 경고음이 나기 시작했다.

놀란 헤카테가 창문에 얼굴을 처박고 밖을 보니 날개 한쪽이 날아가 있었다.

"망할! 우리 지금 뉴욕 상공 침입한 거야?! 그런데 경고도 없이 바로 갈긴 거 맞아?"

군대 방공망에서 공격했다면 공격하기 전에 무전으로 뭔가 경고라도 했을 것이다. 그런데 그게 없다니…….

"미쳤나? 민항기를 다짜고짜 갈기다니?"

"아니… 이건…….."

아그니는 눈살을 찌푸리며 머리를 손가락으로 쓱 쓸어 올렸다.

"그 개자식 소행이다."

"그 개자식이라면 헥토르? 그가 여기에 와 있을 리 없어!"

"모르지! 어이! 어차피 이 비행기는 틀렸어! 문짝 열어도 돼?"

"…열어요."

파군도 그리 말하고 운전석에서 빠져나와 여행용 가방을 챙겼다.

"낙하산을 챙기는 게 보통 아닌가?"

"비행기를 날린 게 정말 헥토르라면 낙하산은 오히려 좋은 표적이 될 거예요. 어리석은 짓은 하고 싶지 않군요."

그렇게 말한 순간 또 한 번의 포격이 비행기의 전면부를 날려버렸다.

갑자기 기압이 변경되며 비행기가 미친 듯 돌아가기 시작했다.

"우악!"

"화, 확실하군!"

이번엔 포격이 보였다.

일반적인 대공포가 아니라 기묘한 광탄이 날아온 걸로 봐서 헥토르가 공격한 게 맞다.

"재주도 좋네. 비행기를 어떻게 단발로 맞히지?"

헤카테가 감탄했다.

보통 대공포라면 탄알을 연발로 쏴 올리거나 근접신관을 장착한 포탄을 공중에서 폭발시켜 파편을 뿌리는 방식을 써서 비행기를 잡게 마련이다.

그만큼 비행체를 맞히기가 어렵다.

물론 여객기는 군용기에 비해 크고 느리지만 헥토르가 쏘는 단발형 코일 건은 직접 명중시켜야 효과를 볼 수 있는 것이다.

"어쨌거나 맞혔으니까 비행기가 날아갔겠지! 그게 뭐 신기해? 제길! 정말 싫은데!"

아그니는 혀를 찼다. 그는 뉴욕을 위시로 하는 미국 중심의 패권주의, 서방세계의 오만함을 별로 마음에 들어 하지 않았다. 그런데 지금 싸우지 않으면 세상이 끝장날 판이다. 언제나 악의

편임을 자처하던 그가 세상을 위해 싸워야 하다니 대체 이 세상은 얼마나 미쳐 있는 건가?

"씨발! 맞히지 마라!"

아그니는 폭우가 쏟아지는 뉴욕 시를 향해 뛰어내렸다.

"오, 맨몸으로 자유낙하."

"본인 희망인가요? 새로운 익스트림 스포츠인가 보군요."

반면 헤카테와 파군은 파군의 현무강탄을 얇게 펴서 그것에 올라타고 마치 보드를 타듯 활강하며 내려가고 있었다.

"어라?"

아그니는 공중에서 그 모습을 보며 혀를 찼다.

"흐음."

조반니는 쓴웃음을 지으며 마천루의 철탑 위에 서서 뉴욕을 굽어보고 있었다. 그의 동료, 브리아레오스의 모습을 본뜬 괴물들이 뉴욕을 배회하는 것을 보니 만감이 교차한다. 어차피 석세서, 계승자들은 마법으로 만들어낸 아낙스의 소유물에 불과했다. 하지만 지금까지의 아낙스들은 그들을 그렇게 노골적으로 대하지 않았었다. 강압적이던 말기의 고든조차 이렇게까지 그들을 모욕하진 않았다.

"어차피… 끝인가?"

뉴욕 시 상공의 비구름은 점점 약해지고 있었다. 서쪽 뉴저지 방면으로 구름이 이동하는 게 느껴진다. 잠깐 사이에 엄청난 폭우가 쏟아졌지만 건물 곳곳에 엑토플라즘과 커럽티드의 육종이 달라붙어서 씻기질 않는다.

뱀파이어의 존재는 물론 마법과 사술의 존재도 감추어야 할 테트라 아낙스가 이렇게 노골적으로 일을 벌여놨으니… 인류 문명은 끝난다.

아이러니하게도 이곳 뉴욕이야말로 인류 문명의 상징과도 같은 곳이었다. 1930년대에 이미 로터리식 자동 주차기가 있던 곳이다. 마천루라는 개념이 처음 만들어진 곳이며 지금도 전 세계 금융을 좌지우지하던 곳. 경제와 문화의 발상지였던 곳에서 인류 문명을 끝장내려 하다니 참 기묘한 미학이 있다.

"영화에서 줄창 때려 부수던 곳이니 말이 씨가 된다고 할까?"

조반니가 그렇게 생각하고 있을 때 갑자기 그의 곁에 있던 헥토르가 하늘을 향해 포격을 날렸다.

"…무슨 짓이지?"

"이런, 열등하게 생긴 건 외모만이 아닌가 보군, 하인. 접근하는 비행기가 있길래 쏘았다."

"이놈 새끼는 말을 해도 정말 예쁘게 하는군."

헥토르의 말을 들은 조반니의 얼굴이 구겨졌다. 성질 같았으면 벌써 쳐버렸겠는데 아담카드몬 아낙스가 가한 심적 제약이 너무 강력해서 어길 수가 없다.

사실 이 테트라 아낙스의 소집은 애초에 강짜다. 트집이고 협박에 불과하다. 결국 아낙스는 모든 뱀파이어를 구조 조정 할 셈이다. 그런데 다른 진마들에게는 여기까지 오라고, 오지 않으면 반역으로 간주하겠다는 식으로 말하면서 계승자들에겐 그런 것조차 없다. 다른 진마들은 어쨌거나 별격의 존재로 대접하면서 계승자들은 도구로밖에 보지 않고서야…….

'분하지만 사실이군.'

포효하는 사안의 마수, 브리아레오스의 복제품들을 보며 조반니는 쓴웃음을 지었다.

이렇게나 기분이 나쁜데도 그는 아낙스의 뜻에 따라 싸워야 했다.

"곧… 새로운 세상이 되고 우리는 모두 구원받을 거다. 그때가 되면 나는 위대한 분의 충실한 자로서 당연히 보상받겠지."

헥토르는 그리 말하며 코일 건의 탄환을 요구했다.

조반니는 텔레포트 능력으로 헥토르의 손 위로 코일 건 탄환을 텔레포트시켜 주며 쓴웃음을 지었다.

"그렇게 쉽게 될 리가. 딱 봐도 모든 뱀파이어를 죽여 없앨 기세인데."

"아니. 이 힘은 귀족의 것이어야지 어설픈 잡종이나 하인들에게까지 주어져서는 안 되는 것이었어. 영생불사는 오직 선택받은 귀족들만의 것일 때 그 의미가 있는데 내가 잠들어 있는 사이에 너희는 너무 많이 증식시켰더군."

"……."

그건 내 책임이 아닌데. 조반니가 그렇게 생각했을 때였다.

투퍽!

엑토플라즘과 육종이 연결되어 거미줄처럼 연결되어 있는 마천루의 지붕 위로 뭔가가 떨어졌다. 헥토르가 쏜 민항기의 파편일까?

그러나 파편이 말을 할 리가 없다.

"보고 싶었다, 이 개새끼야!"

날카로운 목소리와 함께 헥토르의 목에 오렌짓빛 화염이 휘감겼다.

3

서린은 센트럴파크 남단을 좌로 횡단하면서 달리고 있었다.

그런 서린을 쫓으며 센트럴파크의 나무들 사이에서 무시무시한 맹수의 눈동자가 빛난다. 마치 달려도 달려도 떨쳐낼 수 없는 그림자 같다. 아무리 달려도 쫓아오는 달처럼 보인다.

"망할……."

서린은 멈추어 서서 자신의 위치를 살펴보았다. 여전히 그대로다. 플라자 호텔은 바로 코앞인데 그는 플라자 호텔로 들어가지 못하고 제자리에서 맴돌 뿐이다. 아담카드몬 아낙스가 그의 접근을 거부하고 있는 것이다.

"이건 너무하잖아."

서린은 아담카드몬 아낙스의 야바위에 질려 버렸다. 적어도 그에게는 아담카드몬 아낙스와 대적할 자격이 있지 않나? 그런데 이렇게 아예 상대조차 안 하다니. 게다가 마리아를 적으로 내보내는 건 무슨 심보인가?

[그녀를 네 손으로 죽이기 전엔… 널 들여보낼 생각이 없다.]

아담카드몬 아낙스는 아예 대놓고 서린에게 그렇게 말하고 있었다.

"그런 거 유행 지났거든요? 지금 하는 짓거리 하나하나 다 구린 거 알고 있겠지? 누가 앙리 유이 작품 아니랄까 봐 하나부터 열까지 촌티 나게……."

서린은 아담카드몬 아낙스의 발언에 격앙했다.

그러나 대답한 것은 아담카드몬 아낙스가 아니었다.

키익… 키익…….

기묘한 웃음소리와 함께 센트럴파크의 나무들 사이로 진마 마리아가 만들어낸 마수들이 기어 나온다. 모든 마수들의 몸에는 엑토플라즘으로 만들어진 실 같은 것들이 연결되어 있는데 그 실들을 통해서 마리아의 의지가 전달되고 힘이 전달된다. 즉 저것은 하나하나가 이미 진마 마리아의 몸이라고… 할 수 있으리라.

투투툭!

선두에 나선 독거미 형태의 마수가 입을 벌리자 안에서 독성 점액이 튀어나와 서린을 노린다.

"젠장!"

서린은 옆으로 뛰어서 피했지만…….

우우우웅!

갑자기 기묘한 열기가 서린을 습격한다. 몸 전체에 격통이 달린다.

깜짝 놀란 서린은 예지형 능력을 활용해 무슨 일이 일어났는지 즉시 분석했다.

'맙소사.'

서린은 무슨 일이 일어났는지 알고 경악했다. 엑토플라즘과 커럽티드의 육종들이 뉴욕 전역을 뒤덮고 곳곳에 거미줄을 치고 있었는데 서린을 엄습한 것은 바로 그 거미줄에서 발산한 일종의 전자기파다. 전자레인지나 레이더에서 발생하는 마이크로웨이브다. 사람이 맞으면 체내의 물 분자가 격동해 열이 발생하고 익는다. 심하게 집중되면 수증기가 발생하면서 산 채로 폭발할 것이다.

그러나 이 정도는 버틸 만하다. 마이크로웨이브는 거리가 멀면 살상력이 눈에 띄게 떨어지니까. 문제는 이 뉴욕 전역에 펼쳐진 엑토플라즘과 커럽티드, 그 전체가…….

"마리아!"

서린은 뉴욕 전역에 펼쳐진 존재의 이름을 외쳤다.

하지만 대답은 엉뚱한 곳에서 날아왔다.

[너는 절대로 네 손을 깨끗하게 유지한 채로 이곳에 들어올 수 없다, 서린.]

"아담…….'

[아낙스는 신의 아들, 메시아로 태어났지만 그 책임을 다하기 위해 자신의 손을 더럽히고 스스로 타락했다. 너는 그런데 무엇을 했지? 아무것도 하지 않고 그저 아낙스의 희생을 빼앗고 그 자리를 차지한 게 아닌가?]

그것은 앙리 유이가 서린을 증오시할 때 들고 나온 논리였다. 하지만 앙리 유이의 영향이 남아 있는 아담카드몬 아낙스는 그 것을 굳게 믿고 있었다.

틀린 게 없기는 했다. 아낙스에 비하면 서린은 희생한 게 없지.

"내가 희생했으니 너도 희생하라는 건 대한민국 군대 문화에 서나 있는 줄 알았는데……."

서린은 이 상황에서도 빈정거리며 AA—12에 드럼탄창을 꽂고 도폭선을 준비했다.

[그래, 바로 그 자세야. 자 네 손을 더럽히고 네 영혼을 희생해라. 그러지 않으면 너는 이곳에 들어설 수 없을 것이다.]

"이런 게 대체 날 괴롭히는 것과 네 품위를 떨어뜨리는 것 외에 무슨 의미가 있나?!"

서린을 향해 마리아의 마수들이 덤벼든다.

개활지로 나오면 마이크로웨이브가 노리고 있어서 서린은 하는 수 없이 자신에게 덤벼드는 마수를 죽였다. 샷건이 불을 뿜고 엑토플라즘으로 이뤄진 마수의 육체가 무너지면서… 마리아의 기억과 개성, 정신의 일부가 죽는다.

본래 마리아의 혈인 능력은 메타크리에이티브……. 그 능력으로 만들어진 크리처가 아무리 죽는다 해도 마리아 자신에게는 상처가 없어야 했다. 그러나 아담카드몬 아낙스는 마리아의 육체를 붕괴시키고 그녀를 그녀 자신의 피조물, 거대한 살덩이들 안에 투사시켰다.

즉 저것을 죽이면 마리아의 일부가 죽는다.

[고통은 그 자체로 의미가 있지.]

아담카드몬 아낙스는 자신의 고문을 정당화했다.

[그리고 그대가 생각하는 만큼 난 내 품위에 신경을 쓰지 않아. 아인소프 오올을 발동하면 난 사라질 테니까. 하루살이가 자신의 품위에 신경 쓸 거라 생각하는 것이 바로 그대의 오만이 아닌가?]

"……."

서린은 아담카드몬 아낙스에게 답을 구하는 것을 포기했다.

'어떻게 하지?'

만약 마리아가 아닌 다른 무고한 소녀였다면 선택의 여지가 없다. 서린은 죽어도 그녀를 해치지 않았을 것이다.

하지만 마리아이기 때문에 더더욱 갈등하게 된다. 온 세상의 무고한 죽음이 끊이지 않는데 신에 가까운 힘을 지니고 있는 존재가 자신의 지인부터 챙기는 건 과연 올바른가?

'아니, 이런 게 또 메시아병이지. 지금은 그런 추상적인 생각을 할 때가 아니야!'

서린은 쇄도하는 마수들을 피하며 공원을 달렸다.

4

실베스테르는 고층 건물의 상공을 따라 이동해 다른 이들보다 먼저 플라자 호텔에 도착했다. 아무래도 아담카드몬은 인간도 뱀파이어도 아닌 그를 그리 주의 깊게 경계하는 것 같지 않다. 마법에 의해 만들어진 존재, 마인 실베스테르는 그런 점에서 아담카드몬 아낙스의 견제 밖에 있었다. 그 결과 그는 어렵지 않게 호텔에 도착했다.

'이제 잘 풀리면 좋으련만.'

플라자 호텔 최상층에 도착한 실베스테르는 서비스 도어를 통해서 안으로 진입하려 했지만…….

"역시 안 되는군. 이건 인간이고 아니고의 문제가 아니라서인가."

호텔 전역에 심적 방벽이 설치되어 있어서 실베스테르는 도저히 안으로 들어갈 마음이 나지 않았다.

아담카드몬 아낙스는 발심(發心) 그 자체를 제어할 수 있다.

이성을 가진 존재들의 마음을 노골적으로 비틀어 완전히 조작할 수 있는 그 힘은 지나칠 정도로 강력하고 두렵다. 그나마 이게 어떤 논리적인 허점으로 뚫고 들어갈 수 있다면… 예컨대 '나는 안에 들어가고 싶지 않지만 누군가가 집어 던져서 할 수 없이 들어가 버렸다' 같은 눈 가리고 아웅이 통용된다면 모르겠는데 그런 것도 불가능할 것이다.

"초대받지 않은 손님은 여기까지인가?"

실베스테르는 데저트 이글을 들어 문과 유리창에 쏴보려 했지만 그것도 불가능했다.

"한세건의 탐랑이 부디 이걸 저항할 수 있으면 좋을 텐데."

만약 그렇지 않다면 이 세상은 결국 아담카드몬 아낙스가 원하는 대로 제어되고 말 것이다. 그게 결과적으로 인간에게 좋든 나쁘든 실베스테르는 뱀파이어나 다른 초상 존재가 인간들의 운명을 자기 멋대로 결정하게 내버려 두진 않을 것이다.

'내가 인간이 아니긴 하지만……'

실베스테르는 문득 자신을 바라보는 시선을 느끼고 돌아섰다.

"이건 또 뭐야?"

"신부님이시네."

붉은 금발에 화사한 기모노 차림의 백인 여성과 검은 고딕 드레스를 입은 여자 뱀파이어가 호텔의 그늘에서 모습을 드러내었다.

계승자, 사니타와 유할리였다.

"…음……"

실베스테르는 그녀들을 향해 총구를 겨누었다가 쓴웃음을 지었다.

발사할 수가 없다. 호텔 안쪽으로 총탄이 들어가는 것은 생각지도 않았는데 그냥 호텔 방향으로 공격이 불가능하다. 가뜩이나 상대는 진마 이상의 존재. 하나만 있어도 골치 아픈데 둘이 함께 있다. 여기에 호텔 방면으로 공격을 못 한다는 페널티를 입고 상대하라니 말도 안 될 일이다.

"진마 세피아를 잡았던 뱀파이어 헌터라고 했지. 하지만 당신은 뱀파이어도 인간도 아닌 존재 아닌가? 왜 굳이 인간을 위해서 싸우지?"

하지만 대답 대신에 실베스테르는 칼을 빼 들었다.

"뉴욕 모기는 대단히 시끄럽군."

"우리가 모기라면 당신은 지금 견문발검(見蚊拔劍)… 큭… 큭 큭큭……."

유할리는 스스로 말하고 웃긴지 웃고 있었다.

"아… 제발 좀! 그게 뭐가 웃겨?!"

사니타는 어이없는 농담을 하고 웃고 있는 유할리를 보며 짜증을 내고 지면을 박찼다.

5

"조깅을 즐기고 있는 것… 같지는 않군."

서현은 센트럴파크 외곽을 따라 달리고 있는 동생을 발견하고 쓴웃음을 지었다.

"왜 안 싸우지?"

한세건은 그리 중얼거리며 USAS—12를 빼 들어 서린을 뒤쫓는 마수들을 쏴버렸다.

그러자 서린이 깜짝 놀라서 양팔을 휘휘 휘둘렀다.

"쏘지 마세요!"

"너에게 안 맞아. 아니……."

한세건은 대뜸 서린에게도 한 발 쐈다.

"킥!"

"오늘은 만월이니 맞아도 안 죽겠지? 아니, 이걸로 돼지면 어쩔 수 없는 거고."

"……."

서현은 질렸다는 듯 한세건을 바라보았다.

물론 서린은 12게이지 슬러그 탄을 맞아도 금세 상처를 재생해 냈다. 하지만 상대가 죽지 않을 거라고 총을 쏴대다니 무슨 생각인지 모르겠다.

"자… 그럼……."

한세건은 서린을 무시하고 도폭선을 뿌려 서린을 뒤쫓는 마수들을 노렸다.

그러나 그 순간 서린이 손을 썼다. 서린 역시 도폭선을 뿌려 한세건의 도폭선을 허공에서 휘감은 것이다.

"무슨 짓이지?"

한세건은 자신을 방해하는 서린을 보며 의아해했다.

그때 그들 사이에 끼어든 서현이 둘의 도폭선을 싹 풀어냈다.

"아무래도 진심인 것 같은데? 쏘지 말라고?"

"네! 저 마수는 마리아예요!"

"크리처 조작 능력자는 크리처가 죽더라도 아무 피해가 없을 텐데?"

"아담카드몬이 날 괴롭히기 위해 그녀의 기억과 자아를 쪼개서 저것 안에 넣어뒀어. 이 뉴욕 전체에 펼쳐진 게 전부 마리아의 일부고… 엑토플라즘이 늘어날수록 그녀의 힘은 기하급수적으로 강해질 거야."

메타크리처를 만들어내는 능력을 가진 마리아에게 대량의 엑토플라즘과 육괴를 준다면 당연히 그렇게 될 것이나… 그로 인한 전투력 상승은 이미 라이칸스로프 여단을 손에 넣은 아담에게는 큰 의미가 없는 것이었다. 이건 그야말로 서린을 괴롭히기 위해 벌이는 만행이겠지.

하지만 한세건은 어깨를 으쓱해 보였다.

"그래서?"

"무고한 아이라고!"

"이 세상에서 무고한 아이가 얼마나 많이 죽었는데 왜 그녀만 특별해야 하지? 게다가 내가 보기엔 별로 무고하지 않아."

"오, 간만에 마음에 맞는 녀석이 있군. 이 세상에 무고한 놈은 아무도 없지."

한니발은 한세건의 말을 듣고 그렇게 호응했다.

서린이 한니발을 흘겨보자 한니발은 딴청을 부렸다.

"우선 난 무고한 뱀파이어는 얼마든지 죽일 수 있고 지금 그녀는 그렇게 무고하지도 않아. 저게 정말 마리아라면 사람을 얼마나 많이 죽였는지 잘 알고 있겠지?"

"하지만 아담카드몬 아낙스가 저걸 우리 손으로 죽이라고 던져 준 희생양인 건 분명하지. 저걸 우리 손으로 죽이면 아담카드몬 아낙스가 의기양양해하는 꼬라지를 봐야 한다고."

서현이 그렇게 말하자 한세건이 움찔했다.

"…일리가 있군."

"…와."

서린이 감탄해서 서현을 바라보았다. 다루기 힘든 한세건을 말 몇 마디로 간단히 설득하는 것이 놀라운 모양이다.

"그래도 물론… 일단 발에 걸리는 건 치우자."

서현은 그리 말하고 자신에게 날아드는 가오리를 주먹으로 후려갈겼다.

콰릉!

천둥벼락 같은 소리와 함께 가오리가 뒤로 날아가 지면 위를 데굴데굴 구르다 거리에 방치되어 있는 카트에 부딪혀 박살 난다.

"…형."

한세건을 말려주나 싶더니만 자신이 먼저 손을 쓰다니 이건 대체 무슨 일인가? 서린이 놀라서 추궁하자 서현이 어깨를 으쓱 해보였다.

"괜찮아. 지금 뉴욕 전역에 뿌려놨으면 이 정도 손실은 뭐, 건망증 축에도 안 든다. 어차피 뱀파이어라면 질리게 오래 살 건데 하드 정리는 틈틈이 해줘야지."

"……."

서린은 그런 서현의 말을 듣고 입을 쩍 벌렸다. 한 존재의 영혼이나 기억을 손톱깎이로 손톱 깎듯 쉽게 말하는 그 태도가 놀랍지만… 엄밀히 따져 보니 맞는 말이다.

"왜 그래?"

"아니, 별로… 방금 전까지 근심한 내가 바보 같아서."

"바보는 맞지. 바보 자식."

"……."

"자, 다른 뱀파이어들이 시간 끌어주는 동안 얼른 가자!"

"뱀파이어들……."

한세건은 서현의 말을 듣고 자신들이 여기까지 올 수 있었던 것이 아르곤과 창영, 팬텀 등 다른 뱀파이어들이 적들을 분산시켜 주어서라는 것을 깨달았다.

'그러고 보니 라이칸스로프 여단을 설마 그 정도로 따돌릴 수 있었던 건 아니겠지? 뱀파이어 놈들이랑 라이칸스로프 여단이 정면충돌하면 재미있을 텐데?'

한세건은 그리 생각하면서 플라자 호텔을 향해 발걸음을 옮겼다.

6

폭우를 뿌려대던 비구름이 서쪽으로 물러나면서 서서히 하늘이 드러나기 시작했다. 하지만 간만에 보는 하늘의 민낯은 무수한 사령으로 더럽혀져 있었다. 비셔스 바이러스에 의한 대학살. 그러나 그 사령들을 보고 폭소를 터뜨리는 이가 있었다.

"하하하하하! 이 영적인 힘! 날 너무 우습게 보는군, 아담!"

진마 앙리 유이가 고함을 지른다. 비구름이 걷혀가는 하늘을 향해 그는 말 그대로 앙천광소(仰天狂笑)를 터뜨리고 있었다.

"내가 바로 비셔스 바이러스의 창시자다! 이건 내가 만든 아웃레이지를 기반으로 하고 있어! 게다가 지금의 나에게는 오라클의 힘도 있다! 테트라 아낙스만이 가지고 있던 능력을 나 역

시 입수했다고! 지금 이 영적 에너지는 전부 나의 양식으로 삼
겠다!"

앙리 유이는 하늘을 향해 손을 뻗고 광소하고 있었다. 대기를
맴돌고 있는 무고한 희생의 영들, 사람들의 영혼을 지금이라도
그 손톱으로 움켜쥐려는 듯이……

실제로 그런 앙리 유이를 중심으로 무시무시한 힘이 집결하
고 있었다. 앙리 유이는 분명히 지금 뉴욕에서 벌어진 참사도
자신의 힘으로 흡수하고 있었다.

이래도 되는 것일까? 이 사태를 부른 장본인인 그에게, 더구
나 항상 노골적인 야심을 불태우는 그에게 이런 힘을 줘도 되는
것일까? 창영과 정야는 앙리 유이가 영적인 힘을 착취하는 것을
보면서 그런 의문을 품었지만… 그때 싸늘한 목소리가 날아들
었다.

"그거 조용히는 안 되나요?"

빌헬름이 앙리 유이의 폭소에 그렇게 물어보았다.

그러자 아르곤이 깜짝 놀랐다.

"우와… 빌, 너 너무 잔인한데? 그런 건 보통 지적하면 안 되
는 거야."

"아뇨, 진심으로 거슬려서요."

빌헬름은 그리 말하고 AR계 소총을 집어 들었다.

구울과 커럽티드가 해일처럼 밀려온다.

하지만 빌헬름은 한 손을 확 휘둘렀다.

빌헬름의 팔이 사라지면서 붉은 안개가 퍼져 나가 구울과 커

럽티드들을 일단한다. 그리고 쓰러진 커럽티드의 머리를 향해 정확한 3점사가 쏟아졌다. 탄창이 비도록 총격을 가한 빌헬름이 양손을 머리 위로 치켜들자 안개가 다시 몰려들어 그의 신체를 재구성한다.

그렇게 양손을 되돌린 빌헬름은 탄창을 뽑아서 던지고 지면에 쌓여 있는 새로운 탄창을 차올려 끼우며 투덜거렸다.

"왜 광기의 헥토르와 돈독한 사이였는지 알겠네요."

헥토르도 쉬지 않고 자기 도취하면서 떠들어대던데 앙리 유이도 그런다고 비난하는 것이었다.

"으음……."

방금 전까지 신나게 떠들던 앙리 유이가 입을 굳게 다물었다. 헥토르와는 친한 사이긴 하지만 그와 비교되고 싶지는 않은 모양이다.

"아… 모르는 체한다."

빌헬름은 거기에 확인 사살을 날렸다. 아마 앙리 유이가 오늘 죽는다면 살인범은 아담카드몬 아낙스가 아니라 빌헬름일 것이다. 그 역도 성립한다. 오늘 빌헬름이 죽는다면 앙리 유이 손에 죽을 것이다.

"하… 하하하. 앙팡 테리블인데?"

창영은 그리 말하고 돌풍을 일으켜 확인된 적들이 엄폐물에서 나오도록 끄집어내었다.

"앙팡은 무슨… 저자가 우리보다 더 먼저 태어났을걸요?"

정야가 그리 말하며 아르곤이 만들어둔 얼음대포에 포탄과 장약을 집어넣었다.

"슬슬 사람들이 다 빠져나가고 있네요. 다 죽은 걸지도 모르겠지만."

정야는 맨해튼 남쪽, 배터리 터널 방면을 바라보며 그렇게 말했다.

사람들과 차량들이 잔뜩 몰려서 시끄럽던 곳이 쥐죽은 듯 조용해졌다. 비구름도 서쪽 내륙으로 몰려가면서 서서히 하늘이 드러나 보이고 있었다. 그리고 달이 떠오른다.

달빛 아래 마천루 사이로 반짝이는 점액질 그물들이 보인다. 수백 미터가 넘는 건물들의 사이사이로 거미줄 같은 것이 펼쳐져 있었다. 이 거미줄은 엑토플라즘과 커럽티드의 육신이었다. 즉 뉴욕 시민의 영육으로 만들어진 기괴한 거미줄이다.

거미줄은 있는데 거미는 보이지 않는다. 거미 대신 물고기 형태의 마물들이 무리를 지어 날아다니고 있었다. 마치 이 도시전체가 물속에 잠긴 것 같다.

"음… 저건 안 좋은데."

아르곤은 물고기 형태의 마물들을 보고 혀를 찼다.

"뭐가 곤란한가요?"

정야가 물어보았다.

"마리아의 혈인 능력인 메타크리처에서 자주 보던 것들이야."

아르곤은 그리 말하며 쓴웃음을 지었다.

"왜 곤란하지요?"

정야가 고개를 갸웃하며 반문했다.

"적으로 돌아섰다면 죽이면 되잖아요? 아니면 설마 그녀가 돌아선 게 아담카드몬 아낙스의 조종 때문이니까 해쳐선 안 된다는 소린가요?"

"윽… 왠지 날이 서 있는데, 정야?"

아르곤이 당황스러워했다.

"그도 아니면 그가 서린에게 유의미한 인물이라서? 그렇다면 서린이나 여타 권력자들의 관계 위주로 생명의 중요도가 결정되는 거군요? 에스프리는 테트라 아낙스의 권력에 별 의미를 두지 않는다면서 그렇게까지 의미를 둬서 되겠어요?"

정야는 신랄한 태도로 그렇게 말했다. 아무래도 그간 고생을 많이 해서 그런지 염세적인 태도를 보인다.

"그럼 조종당하는 애를 죽이자는 건가?"

"저쪽이 우리를 죽이려 한다면 말이지요. 그리고 아르곤, 하나 잊고 있는 것 같은데… 우리는 마리아를 앞질러 왔어요. 그렇죠? 그럼에도 불구하고 그녀가 여기에 와 있다는 건……."

"가짜라고 말하고 싶은 거야?"

"저 사안의 마수도 복제해서 뿌려놓는걸요. 그렇게 믿지그래요?"

정야가 그렇게 말할 때였다.

"말이 씨가 된다더니……."

사안의 마수를 언급한 탓일까? 건물들 사이로 사안의 마수가 모습을 드러내었다. 한 마리도 아니다. 북쪽에서 고층 건물에 매달려 오는 놈이 두 마리… 그리고 서쪽에서 역시 마천루를 점

프하며 날아오다시피 하는 놈이 한 마리다. 세 마리가 빠르게 접근해 온다.

그 뒤를 느긋하게 유영하며 접근하는 엑토플라즘 물고기 떼가 독침을 쏘며 쫓아온다.

"아… 이런. 너무 한곳에 오래 있었나? 관심을 끌어서 성동격서하게 해주는 건 좋았는데 우리가 살아 나갈 수 있어야 말이지?"

창영은 토네이도를 만들어 독침들을 막아내었다. 메타크리처는 창영의 돌풍을 뚫지 못한다.

하지만 사안의 마수들은 돌풍을 찢으며 돌진해 왔다. 창영이 만들어내는 토네이도는 좀 심하면 어지간한 선박도 바다에서 뽑아서 집어 던질 힘이 있었지만 저 마수들이 사안을 발현하면 물질이 느려진다. 속도를 빼앗고 결과적으로 분자구조마저 부수는 게 사안의 힘이며 그렇기 때문에 안개화하는 팬텀의 크림슨 글로우도 사안에 가로막히는 것이다.

"젠장! 못 막겠……."

창영은 예상과 달리 자신의 돌풍을 가볍게 뚫고 들어오는 사안의 마수에 기겁했다.

하지만 그때…….

투쾅!

천지를 진동하는 굉음과 함께 건물과 건물 사이를 날던 사안의 마수가 파리채 맞고 떨어지는 파리처럼 추락했다. 아르곤이 만든 얼음대포가 155㎜포를 발사했는데 이게 직격으로 명중한 것이다.

아무리 사안의 힘이 있다 해도 155㎜ 고폭탄의 직격은 사안으로 완전히 막아낼 수 없었다. 오히려 어설프게 감속시킨 덕분에 관통하고 지나갈 포탄이 전신을 찢어발기며 관통 후 후방폭발해서 마수를 발기발기 찢어버렸다.

"아흐트아흐트! 잘했어!"

아르곤이 엄지손가락을 양손 모두 세우며 정야를 바라보았다. 아르곤이 얼음대포를 만들고 폐쇄기를 작동시키는 동안 정야가 사수로 포의 각도를 조절하고 있었던 것이다.

"운 좋게 맞은 것뿐이에요. 이제 더는 무리니까 기대하지 마시죠?"

정야는 어깨를 으쓱해 보이고 포 장전을 포기했다.

하지만 아르곤은 싱긋 웃으며 풍선껌을 불었다.

"이제부터는 내 영역이지!"

고개를 까딱이면서 아르곤은 맨손으로 사안의 마수에게 걸어갔다.

하지만 그때였다.

"아니! 끝이다."

아르곤의 말을 부정하듯 앙리 유이가 말했다. 그리고 그 순간 하늘로부터 불길한 영체들이 내려왔다. 그림리퍼… 낫을 가진 해골 모습의 사신들이 춤추듯 강림해 엑토플라즘으로 이뤄진 메타크리처들을 낫으로 베었다.

펑!

메타크리처들이 폭사한다. 그리고 그 엑토플라즘의 제어권을 빼앗은 그림리퍼들이 더욱더 거대해진다.

아아아아악!

메타크리처 사이에서 비명이 들려온다.

하지만 앙리 유이는 아랑곳하지 않고 그림리퍼들로 엑토플라즘들을 약탈하기 시작했다.

"이해했어! 이해했다! 역시 나는 천재야! 모든 마법! 모든 비의가 손에 잡힐 듯하군! 하하하하!"

앙리 유이는 폭소를 터뜨리며 눈에 보이는 메타크리처들을 모조리 난도질하고 도시 전역에 흩뿌려진 엑토플라즘을 흡수하기 시작했다.

"이… 이거… 괜찮을까요?"

빌헬름은 광소를 터뜨리는 앙리 유이를 보며 공포심을 느꼈다. 비록 빌헬름에게 여러모로 놀림당하긴 했으나… 그는 천만 명 이상을 아무렇지도 않게 자신의 야욕을 위해 희생시킬 수 있는 야심가다. 아낙스의 힘, 정보 능력, 오라클 시스템이 주어진 것은 물론 이 세계 전역에 만연한 비셔스 바이러스가 그의 힘이 될 수 있다니… 괜찮은 건가? 당장은 아담카드몬 아낙스에 대항하기 위해 그의 힘이 필요하지만 그 뒤에는 또 어찌 이자를 컨트롤할 것인가?

그 의문에 누구도 대답해 주지 않고 창백한 달이 앙리 유이의 얼굴에 그림자를 드리울 뿐이었다.

7

플라자 호텔은 을씨년스러운 달빛을 받으며 배너를 흩날리고 있었다. 주위에 사람도 없고 인기척도 없는데 혼자서 불을 밝히고 있으며… 혼자서 엑토플라즘과 육종의 침해를 입지 않고 매끈하다.

"음……."

서현은 로비로 이어지는 택싱 플랫폼을 향해 한 걸음 내디뎠지만… 갑자기 문 워크가 되었다.

"…뭐야 이거."

도저히 호텔에 접근할 수 없었다. 그에게도 아낙스와 마찬가지로 정보 능력, 오버마인드 능력이 있지만 그럼에도 불구하고 발심을 할 수 없었다. 억지로 힘을 끌어 올리면 불가능진 않겠지만 입구에 걸어 들어가는 데만도 막대한 힘을 소모하는 것은 그리 현명하지 못한 짓 같다.

'북극에서 알몸으로 체조하는 꼴이지. 잠깐은 괜찮지만 결국 얼어 죽게 되어 있어.'

서현은 그리 생각하고 발을 멈췄다. 이 안에 들어간다고 끝이 아니다. 외려 들어가고 나서가 진짜 시작일 것이다. 아담카드몬 아낙스는 절대로 공정한 게임 메이커가 아니며 그가 원하는 바는 명백하다. 여기서는 다른 방법을 고르는 게 현명하겠지.

그런데 그때 한니발이 서현을 가로질러 성큼성큼 걸어 들어가는 게 아닌가?

"음? 뭐 하고 있어?"

"아니… 들어갈 수 있나?"

"아… 그런가."

한니발은 곰 같은 덩치를 가지고 있으면서도 머리가 잘 돌아가는지 어떤 상황인지 금세 이해했다.

"웃기는 놈이군."

한세건도 어렵지 않게 서현과 서린이 넘지 못한 장벽을 넘어섰다.

"이곳에서 기다리겠다면서 들어오지 못하게 벽을 세워두다니."

한세건은 그리 말하고 안으로 걸어 들어갔다.

그러자 서현이 깜짝 놀랐다.

"잠깐! 혼자 들어가지 마!"

"왜?"

"무슨 함정이 있을지 모르는데……."

"그렇다고 기다리면 뭐 뾰족한 수가 생기나? 못 들어오면 여기서 멍멍거리면서 목줄 차고 대기하고 있어."

"……."

한세건은 서현에게 그렇게 말하고 성큼성큼 안으로 걸어 들어갔다.

"뭐, 나도 함께 들어가니 안심해. 내가 또 애 보기에는 일가견이 있지."

한니발이 그렇게 말하자 서현이 어깨를 으쓱해 보였다.

"전혀 안심이 안 되는데. 차라리 화약고 옆에서 횃불 저글링을 하는 게 더 안전해 보인다."

"조심하세요, 형."

서린은 한니발과 함께 들어가는 한세건을 걱정해 주었다.

"당연히 조심해야지 뭐 내가 맘 놓고 놀러 들어가는 줄 아냐?"

그렇게 말한 한세건은 한니발과 함께 호텔 로비 안으로 뛰어
들어갔다.

"그럼… 우리는 달리 방법을 찾지요."

서린은 서현에게 그리 말하고 주위를 둘러보았다.

"어차피 앙리 유이가 곧 방법을 만들어줄 겁니다. 다만 앙리
유이가 일을 성사시키기 전에도 우리가 할 수 있는 일은 있을
거예요."

"그 녀석 마음대로 설치게 내버려 둬도 되나?"

서현은 앙리 유이가 이 상황을 해결할 수 있다는 말에 깜짝
놀랐다.

호텔은 서비스가 제공되지 않으면 거대한 콘크리트 덩어리에
불과하다. 그런 의미에서 뉴욕 전체의 사람들이 피난하거나 살
해당한 지금 플라자 호텔은 덩치 큰 콘크리트 덩어리가 아닌가?
이런 곳에서 대기하고 있다니 신기한 취미다. 한세건은 그렇게
생각했지만 안에 들어선 순간 로비에서 음악이 울려 퍼지고 있
었다. 암세포로 이뤄진 육종들이 악기에 달라붙어서 소리를 내
고 있는 것이었다.

"……."

"음."

한니발과 한세건은 그 모습을 보고 둘 다 동시에 멈춰 섰다.

기괴하다. 온갖 끔찍한 일을 다 겪어본 그들이지만 이건 그 정도를 지나쳤다.

그때 꾸불텅하는 커다란 종양이 턱시도를 두른 채로 한세건과 한니발 앞으로 걸어 나왔다.

"어서 오시지요. 기다리고 있었습니다. 주인님께 안내하겠습니다."

"……."

한세건은 대답 대신 권총을 꺼내서 종양덩어리를 쏴버렸다. 종양이 피를 흘리며 쓰러지자 한세건은 확인 사살로 글록 18의 30발들이 연장 탄창을 다 비워 버렸다.

"뭐 하는 거야?"

한니발이 그렇게 물어보자 한세건이 어깨를 으쓱해 보였다.

"기분이 나빠서 그만. 생긴 것도 엿같이 생긴 게 꾸불텅거리니까 영… 마침 9㎜탄이 너무 남기도 했고."

베오울프에서 탄약을 보급받았을 때 한세건은 핸드 건과 비스트의 탄환, 샷건 탄환과 도폭선을 골라서 부적에 넣어두었다. 그런데 적이 워낙 강력하다 보니 중화기부터 탄이 떨어져서 권총탄은 정작 많이 남게 되었다.

권총탄이 남아돌아서 쐈다는 말은 허언이 아니다. 그러나 탄이 남아돈다고 대뜸 쏴버리다니 이 무슨 성격파탄자란 말인가?

'아니, 살아 움직이는 종양덩어리를 보면 일반인은 누구라도

총질을 하겠지. 하지만 이 새낀 일반인이 아니잖아?'

한니발은 그리 생각하면서 로비를 둘러보았다.

"길 안내를 죽여 버리다니, 뒷감당을 어떻게 할 생각이지?"

"호텔이 뭐 미궁도 아닐 텐데 길 안내 못 받으면 잊어버릴 만큼 복잡할 리가 없지. 게다가 자칭 귀족입네 뭐네 하는 놈들은 소비적인 성향을 가지고 있다고."

한세건은 그리 말하고 권총 탄창을 교체한 뒤 쌍권총으로 음악을 연주하고 있는 종양덩어리들도 갈겨 버렸다.

"거 성질 좆같네."

"아니, 지금 이건 필요해서 한 일이다."

한세건은 한니발의 말에 짜증을 내며 호텔 로비에 서서 눈을 감았다.

과연 어디선가 소리가 들려온다.

"저기로군."

한세건은 소리가 들려오는 쪽으로 향했다.

로비와 연결된 온실이 모습을 드러내었다. 온실이라고 해서 더울까 싶었지만 쾌적한 환경이 유지되고 있었다. 그 내원에는 티 테이블이 마련되어 있고 그곳에는 테트라 아낙스 전원이 모여 있었다. 편하게 앉아서 다리를 꼬고 있는 아담카드몬 아낙스와 달리 나머지 셋은 벌받으러 온 학생들처럼 보였다.

"이거 이거… 과격한 손님이군. 턱시도 입은 종양을 싫어할 거라고는 알고 있었지만 그렇게 다짜고짜……."

철컥.

한세건은 아담카드몬 아낙스의 말이 다 끝나기도 전에 권총을 쏘았다. 하지만 그 순간…….

퍼퍼픽!

한세건의 머리에서 피가 튀어 바닥에 떨어졌다.

"저런… 자해는 좋지 않은데."

"으……."

한세건은 자신의 머리에 총탄이 박혔음을 깨달았다. 분명히 아담카드몬 아낙스를 향해 쏜 것이 어찌 된 일인지 후두부에 명중했다. 최면을 걸어서 자해하게 만든 것도 아니다. 말 그대로 총탄의 위치를 바꾼 거다.

'그냥 인간이었으면 큰일 날 뻔했군.'

점차적으로 변해가는 자신의 몸에 거부감을 느끼고 있던 한세건이지만 지금 이 순간은 그야말로 변화를 다행스럽게 여겨야 할 때였다. 아무리 뱀파이어의 혈액으로 한시적 재생력을 얻어가며 싸우는 뱀파이어 헌터라 해도 뇌에 총탄을, 그것도 대뱀파이어용 셀룰러 탄을 박아 넣는 건 위험하다. 재생력이 발동해서 상처를 메운다 해도 셀룰러로 침입된 고분자물질이 뇌의 혈액 속을 돌아다니며 뇌일혈을 일으킨다. 뱀파이어 혈액의 약효가 남아 있을 때야 괜찮지만 만약 약효가 떨어진 후 뇌일혈이 일어난다면?

죽는다.

'인간을 벗어난 덕분에 연명하다니… 수치스럽군.'

한세건은 그리 생각하고 자신의 총구 앞에서 웃고 있는 아담카드몬 아낙스를 바라보았다.

"또 쏘겠다면 말리지는 않겠지만 정말 학습 능력이 떨어지는군."

"……."

목이 탄다. 이 녀석이 공격해 오지 않고 자신이 공격하지 않으면 결국 이야기를 해야 한다. 그리고 이 녀석과 이야기하면 그것은 한세건 자신에게 심각한 위협이 되리라는 걸 그는 본능적으로 알고 있었다.

차라리 육신의 위협이라면 모르겠다.

한세건은 침을 꿀꺽 삼켰다.

"그는 외령입니다. 24계통 혈인 능력을 생각하고 싸워선 안 되고 솔직히 뱀파이어조차 아닐 겁니다."

베이런이 한세건에게 충고해 주었다.

"서린은 내가 그대를 회유하려고 하면 대뜸 총부터 갈길 거라고 하더니만 보자마자 갈길 줄은 몰랐군."

"아, 그래. 블라블라블라… 너 같은 놈들은 못 떠들면 뒈지는 병이라도 걸렸나. 꼭 나랑 뭔가 말을 섞어야 속이 시원하냐?"

한세건은 그리 말하고 테이블 위에 털썩 걸터앉았다.

한세건이 테이블 위에 앉는 충격으로 트레이가 넘어지자 레베카가 그 트레이들을 잽싸게 잡았다.

"조심하시지요."

"……."

한세건은 대답 대신 레베카가 받치고 있는 트레이에서 스콘과 컵케이크를 들어서 입에 쑤셔 넣었다. 컵케이크를 굽기 위해 준비된 기름종이까지 벗기지도 않고 으적으적 씹어서 꿀꺽 삼킨 한세건은 입에 묻은 크림을 쓱 손으로 닦았다.

"시간 없으니까 빨리 말해봐."

"나는 모든 뱀파이어를 이 세상에서 제거할 것이다."

"그래서……?"

한세건은 의외로 별로 놀라지 않았다.

"어차피 지금 인간도 신명 나게 죽이고 있잖아? 시산혈해로 뉴욕이 조용해질 정도인데 이제 와서 뱀파이어를 없애겠다는 고백에 뭐라고 반응할까?"

"지금 세계는 뱀파이어와 라이칸스로프, 그리고 초상 능력의 개념에 의해 오염되어 있다. 그 오염을 덜어내기 위해서라면 어쩔 수 없지."

아담카드몬의 말을 들은 한세건이 피식 웃었다. 이 녀석은 자신을 설득할 생각이 없다. 있다면 이따위로 말하지는 않았을 것이다.

한세건의 몸에서 검은 영기가 스멀스멀 기어 나오기 시작했다.

탐랑이 아담카드몬 아낙스의 말에 분노해서 그 목덜미를 물어뜯기 위해 몸부림치고 있었다.

"아, 좋아. 모든 뱀파이어, 마법사, 그런 월야의 존재들을 싹 없애 버리고 인간만의 세계를 만들겠다. 그거 좋지."

왜 바라지 않았겠는가? 초상 능력, 불로불사의 힘, 영지와 마법의 힘이 지배하는 이 세계는 근본적으로 잘못되어 있다. 그런 힘들이 없어지고 온전히 인간의 손에 인간의 운명이 걸려 있는 게 옳다.

"하지만 너 역시 그 오염의 결정체가 아닌가? 그 오염의 결정체가 인류를 위한다고 이제 와서 말해도 말이야."

"나는 그 오염을 끝낼 것이다. 내가 어디서 어떻게 태어났느냐보다는 그 의지가 중요한 게 아닐까?"

아담카드몬 아낙스가 그렇게 말하고 웃었다.

"허 참… 이거 뭐라 하기도 애매한데."

듣고만 있던 불청객인 한니발이 끼어들었다.

"그래, 당신도 있었지?"

무뚝뚝한 표정으로 한니발을 보던 마틴이 의자를 뻥 찼다. 그러자 의자가 온실 바닥 위를 빙그르르 돌더니 한니발의 앞에 서는 게 아닌가?

친절한 건지 불경한 건지 분간하기 힘든 태도다.

한니발은 군말 없이 그 의자에 앉으며 말했다.

"인간만 남기고 뱀파이어나 마법사, 라이칸스로프 등의 초상존재를 없앤다는 게 대체 무슨 의미가 있지? 인간 자체가 이미 초상현상의 부산물인데?"

그렇게 말한 한니발은 동전을 꺼내 들어서 분수대를 향해 던졌다.

분수대 수면 위로 파문이 그려졌다.

"이게 바로 우주의 시작이야. 대부분의 사람은 빅뱅을 3차원 폭발로 이해하고 있지만 그 진실은 보다 더 높은 차원에서 접촉함으로써 발생한 폭심지로부터 '시공간'이라는 파문이 인 거지. 우리는 그 파문 속에 살고 있는 데이터고."

한니발은 그리 말하고 어깨를 으쓱해 보였다.

"쉽게 말하자면 설령 아인소프 오올로 모든 뱀파이어나 다른 모든 초상 존재를 배제한다고 해도 이 세상에서 초상현상을 완전히 배제하는 건 불가능하다는 뜻이다. 우리가 이 파문의 시공간에서 살고 있는 이상 현실 우주의 법칙이 지배하지만……."

한니발이 다시 동전을 던지자 분수대에 또 다른 파문이 그려졌다.

"한 번 일어난 일은 두 번도 일어날 수 있거든."

"제법이군."

아담카드몬 아낙스는 불청객인 한니발이 놀라운 마법적 재능을 지니고 있다는 것에 놀라워했다.

"하지만 방금 그게 우주 모형이라고 치면 첫 번째 동전 투척과 두 번째 동전 투척 사이에 수백억 년의 시차가 있지. 그렇다면 유의미한 일이 아닌가? 이 지구에서, 이 우주에서 초상 존재를 제거하고 온전한 이 우주의 법칙을 수호하는 게? 그 안에서 태어나는 정명한 존재들이 초상 존재에게 농락당하지 않고 자신의 운명을 살아가는 건 의미가 있지 않나?"

"개소리. 인간들끼리 놔두면 뭐 평화의 세계가 올 것 같아? 인간을 가장 많이 죽인 생물은 인간이야. 아 물론 지금 너희들이 저지른 일은 빼고."

전 세계에서 지금 이 순간도 많은 사람이 비셔스 바이러스에 의해 죽어가고 있다.

이것은 이미 전쟁 그 이상의 희생이다.

"초상현상의 배제? 순수한 인간의 세계? 그런 헛된 망상 때문에 대량 학살을 일으키다니… 망상이 너무 지나친데?"

한세건 역시 아담카드몬 아낙스를 보고 빈정거렸다.

다만 이것이 일반적인 망상과 다른 건… 아담카드몬 아낙스에겐 그걸 실현시킬 힘이 있다는 것이다.

"대량 학살? 뭔가 잘못 이해하고 있군. 분명히 아인소프 오올은 인류 문명의 정보를 담아 전 우주로 방출하는 강력한 정보파동으로, 그냥 방출하면 현실의 정보를 덧씌워 파괴하게 된다. 하지만 나는 그것을 조율해 현실을 새롭게 재창조할 수 있다. 그것은 죽음이 아니라 그저 약간의 수정이지."

"수정?"

"인과를 조작해 태초부터 뱀파이어나 라이칸스로프가 없던 세계를 만들 수 있다는 뜻이다. 지금 살해당한 이들도 죽지 않고 삶을 유지하는 그런 세계로 재창조할 수 있지."

아담카드몬 아낙스는 그리 말하고 미소를 지으며 한세건을 바라보았다.

"나는 이 세상을 다시 인간과 이성의 세계로 돌려놓을 것이다. 그뿐만 아니라 죽었던 자들 상당수를 되살려 놓을 수도 있지. 네 가족도 물론이고……."

"…뭐?"

순간 한세건은 현기증을 느꼈다.

이 녀석은 지금 무슨 소리를 하는 건가?

"뱀파이어와 라이칸스로프의 존재를 거부하고 싶어서 안달이 났었지? 그 모든 걸 이룰 열쇠가 바로 나다. 세계의 제물로서 라이칸스로프와 뱀파이어를, 마법사를 바치기만 하면 온전한 이성의 세계를 만들 수 있다. 내가 제안하는 것이지만 나쁘지 않다고 생각하는데?"

"……."

한세건은 한니발을 돌아보았다. 지금 이 녀석이 말하는 게 사실인가?

그러자 한니발은 고개를 끄덕였다.

"사실이지. 아인소프 오올의 계수를 조작하면 불가능한 일은 아니야."

그 말을 듣자 눈앞이 아득해졌다. 죽었던 자들을 모두 되돌릴 수 있단 말인가? 이 세계를 재구성해서 애초에 뱀파이어나 라이칸스로프가 없던 세계로 바꿀 수 있다고? 인과를 재연결해서 그런 것이 가능하단 말인가?

그야말로 신의 힘이다. 그런 게 가능할 리가?

물론 눈앞에 있는 '이것'은 사전적인 의미의 신에 가장 가까운 자다. 그 신이 요구하는 제물은 뱀파이어와 라이칸스로프의 목숨, 아니, 존재 그 자체.

너무나도 달콤한 제안이다. 도저히 받아들일 수 없을 정도로…….

第36夜

계명(鷄鳴) 전에 세 번 부인하리라

1

온실의 채광창을 통해 달빛이 스며든다.

아담카드몬 아낙스는 금색의 눈으로 한세건을 바라보았다. 마치 선악과를 먹길 종용하는 뱀처럼 그는 한세건에게 치명적인 독을 제시했다. 달콤하고, 그래서 누가 보더라도 독이 들어 있음을 깨닫게 하는 미끼.

"나는 분명히 뱀파이어와 라이칸스로프를 없앤다. 하지만 그렇게 되면 이 참사로 죽은 사람들의 핏값을 걱정하겠지. 게다가 아인소프 오올같이 강력한 정보파동은 현생인류에게도 치명적일 테니까. 하지만 현생인류에 해를 끼치는 것은 내 본의가 아니다."

"그럼……."

"나는 릴리쓰가 오염시킨 이 세계를 정화하려는 것이다. 뱀파이어와 라이칸스로프들, 릴리쓰의 수작을 제거하고 정화된 인과를 놓으려고 하는 거지. 아낙스가 가진 정보의 힘, 뱀파이어와 라이칸스로프들의 대량 학살, 그리고 죄 없는 인간들의 죽음에 의해 모인 영적 에너지는 바로 그 인과 재계산을 위해서 필요한 것이다."

"……."

"진실로 뱀파이어와 라이칸스로프의 존재를 부정하고 싶다면 당연히 그대는 나의 손을 잡아야 한다."

"……."

"그래서 선택은 했나?"

아담카드몬 아낙스는 한세건에게 답을 종용했다.

"대체 나에게 뭘 바라는 거지? 왜 나의 의견을 물어보나?"

한세건은 문득 궁금해졌다. 자신의 의견을 물어볼 필요가 있나? 뱀파이어나 라이칸스로프 상대로 궁금증을 느끼고 이야기를 하면 끝장이라고 생각하지만 너무 궁금해서 물어보지 않고서는 견딜 수가 없었다.

"딱히 이유는 없다. 그저 어쩌다 보니 인간 대표로 네가 낙점되었을 뿐이다."

그러자 한세건은 한니발을 가리켰다.

"저 녀석이 더 인간 대표에 어울리지 않나?"

한니발은 아라한.

인간으로서 극한으로 자신을 갈고닦은 이데아의 화신이다.

그에 반해 한세건의 탐랑은 초상 존재들의 타락한 존재니 한니발이 더 인간에 가깝지 않은가?

"인간령의 힘을 쓰고 있지만 저것은 별종이지. 새로운 종이라고 불러도 좋을 것이다. 이미 현생인류와는 또 다르다. 차라리 실베스테르 신부가 훨씬 더 인간 자격이 있어……."

"그럴 리가……."

한세건은 입으로는 거부했지만 일리 있는 말이라 여겼다.

"그래서? 나에게 뭐 부탁이라도 받고 싶었나? 뱀파이어와 라이칸스로프를 없애달라고 기도라도 해주길 바랐어?"

한세건에게서 흉흉한 살기가 뿌려지기 시작했다.

"나는 네놈이 원하는 답을 주진 않을 거야."

"하지만 네가 날 거부한다는 건 이번 사건으로 죽은 자들에게 진짜 완전한 죽음을 주는 것이다. 수천만의 사람이 살아날 수 있는 기회를 네 발로 차버리는 격이다."

물론 한세건의 책임이 아니다.

그들을 죽인 실행범이 그에게 책임을 떠넘기는 건 어이가 없을 지경이다.

하지만 만약 이 내막을 알고 있는 유족들이 듣는다면 한세건을 평생 원망하겠지.

불합리한 죽음, 학살의 피해를 완전히 되돌릴 수 있는 기회를 단지 아담카드몬 아낙스에게 저항하기 위해 버렸다고. 한 개인의 에고이즘을 위해서 수천만 인민의 목숨을 버리다니?

"네 가족의 상실을 사전적 의미로 완전히 되돌릴 수 있는 기회기도 하다."

아담카드몬의 제안을 받아들이기만 하면 뱀파이어에 대한 한세건의 복수는 끝난다. 아니, 복수 그 자체가 의미가 없게 될 것이다. 애초에 상실도 없던 게 될 테니까.

그러나……

"거절한다."

한세건의 양손에서 글록 18이 미친 듯 탄피를 뱉어내기 시작했다.

아담카드몬 아낙스는 코웃음 쳤다.

"안심하라. 지금 그대가 거부하는 것도 충분히 내 예측의 안쪽이니……"

퍽… 퍽…….

이번에도 거의 대부분의 총탄이 한세건에게 돌아가 한세건을 피투성이로 만들었다. 자신이 쏘는 총탄에 맞아 피를 흘리는 짐승이 휘청거린다. 신에게 도전하는 무모한 필멸자. 마치 거대한 바위를 굴리며 언덕길을 오르는 시지프스의 고행 같다.

하지만 그때 이변이 일어났다.

퍽!

소낙비 같던 총탄 중 단 한 발이 아담카드몬 아낙스의 미간을 꿰뚫었다.

"흠……"

머리에 총탄이 관통해 피가 튀지만 아담카드몬 아낙스는 약간 난처한 표정만 지을 뿐 차분하다.

"커흑… 크……."

반면 공격자인 한세건은 피투성이가 되어 휘청거리며 물러난다. 머리로 집중된 총탄이 두개골을 깨고 피가 분수처럼 쏟아져 나온다. 몸통에도 총탄이 돌아왔지만 그것은 한세건이 입고 있는 방탄복에 걸려 큰 효과를 보지 못했다. 그렇다고는 해도 보통 인간에게는 치명상, 아니, 진작 시체가 되었을 만한 상처다.

아담카드몬 아낙스와 비교하면 손해가 너무 막심하다.

한세건은 피투성이가 된 얼굴로 신음을 토해냈다.

"크헉… 흐… 크크크크크……."

신음은 어느새 웃음으로 바뀌었다.

광기 어린 그 웃음은 모골이 송연하게 만드는 무언가가 있었다.

"이것도 예측 안인가?"

"그다지 좋지 않은 쪽이지만……."

아담카드몬 아낙스는 고개를 끄덕여 한세건의 힘이 자신에게 약간의 위협이 됨을 인정했다. 물론 지금의 아담카드몬 아낙스는 아인소프 오올을 위해 힘을 비축하고 있었다. 지금 그가 사용하는 힘은 극히 일부에 불과할 뿐, 그게 아니라면 한세건의 탐랑이 아무리 역천(逆天)의 수호성이라 할지라도 그에게 닿을 리 없다.

그러나 아담카드몬 아낙스는 자신을 위해 변명하지 않았다. 결과적으로 볼 때 지금 한세건을 상대하기 위해 아인소프 오올을 풀 수는 없다. 아인소프 오올을 빨리 발동시키지 못하면 강아담이란 인간의 그릇은 결국 아담카드몬 아낙스를 담지 못하고 부서지기 때문이었다.

"아인소프 오올을 통제하느라 여력이 그리 많지 않나 보군."

한니발은 아담카드몬 아낙스의 상태를 대번에 알아챘다.

"…그렇다면 이건 절호의 기회로군."

한세건은 한니발의 말에 반신반의하면서 얼굴에 묻은 피를 닦아냈다. 흉흉한 살기가 풀풀 뿜어져 나왔다.

아담카드몬 아낙스는 자신을 물어뜯기 위해 포효하는 야수를 보며 박수를 쳤다.

"괜찮군, 탐랑! 그럼 인간 대표의 뜻은 거절이라고 봐도 되겠느냐?"

"인간 대표는 거절? 지금 누가 널 긍정이라도 했나? 뱀파이어 놈들이나 라이칸스로프 놈들이 자신의 존재를 소멸시켜 달라고 네게 빌진 않았을 것 같은데? 나마저 널 거부하면 어떤 놈들이 널 받아들이지?"

한세건은 글록 18의 빈 탄창을 내던졌다.

검은 어둠이 탄창들을 끌고 올라와 빈총을 재장전시킨다.

"그렇다기보다는 그저 민주주의적 절차이니라. 24계통 뱀파이어에 각자 한 표씩 스물네 표, 라이칸스로프에 한 표, 인간인 네게 한 표… 그리고 내가 혼자서 일흔세 표. 무효표까지 전부 반대에 넣더라도 73 대 27로 소멸 확정이군!"

"개자식……."

한세건이 장전된 글록 18을 허공에 던지고 USAS—12 샷건을 꺼내 들었다.

투투퉁!

아담카드몬 아낙스를 향해 총구가 불을 뿜는다. 샷건뿐만이 아니다. 한세건이 던져놓은 글록 18이 허공에서 불을 뿜으며 탄막을 형성한다.

그러자 놀라운 일이 벌어졌다. 아담이 몸을 뒤로 눕히나 싶더니 단번에 휙 날아올라 온실 천장에 발을 대는 것으로 마치 천장이 평지가 된 것처럼 섰다.

한세건의 모든 공격을 간단히 피해낸 것이다.

하지만 놀라운 것은 그가 피했다는 사실 그 자체다. 지금까지 남의 공격을 능동적으로 피한 적 없는 금색 눈의 마신이 처음으로 능동적 회피를 해야 했다.

"음… 지금 이건……."

테트라 아낙스 사인방은 그 모습을 보며 경탄했다.

'아담이 피했어?'

'아인소프 오올을 제어하기 위해서 전력을 다하지 못하는 상황이라고는 하지만 그래도 우리조차 그에게 제압당해서 꼼짝을 못 했는데?'

한세건 역시… 아담카드몬 아낙스가 자신의 공격을 피했다는 사실에 피식 웃음을 터뜨렸다.

"세계를 변혁시킬 신이 너무 치졸하군?"

"신화에서 치졸하지 않은 신이 없던 걸 보면서도 헛된 희망을 품고 있군?"

아담카드몬 아낙스는 그리 대답하고 양손을 들어 올렸다. 그의 손끝에서 시공간이 일그러지기 시작했다. 그리고 그것은 이내 호텔 전역으로 퍼져 나가기 시작했다.

2

"크악!"

아그니는 비명을 지르며 튕겨 나가 구울 무리들에 충돌했다. 구울들의 몸을 부수며 그대로 튕겨 나간 아그니는 이미 깨진 쇼윈도의 파편에 찍혀서 겨우 멈춰 섰다.

"컥……."

등 쪽에서 신장을 꿰뚫고 배 앞까지 튀어나온 유리 파편을 보며 아그니는 헛숨을 내뱉었다.

"하하하하. 기세 좋게 덤벼들더니만… 하인 놈! 이제 좀 격차라는 걸 알겠느냐? 이 세상은 설령 흡혈종이라 해도 근본 인류의 우월성에 따라 정립되는 것이라는 걸!"

그렇게 말하는 헥토르는 전신의 절반이 숯 검댕이 되어서 아직도 재생이 덜 되고 있었다.

아그니가 짜증을 내며 몸을 일으키자 그의 몸에 박혔던 유리 파편이 재생력에 밀려나 쑥쑥 뽑혀 나오더니 와장창 하고 깨졌다.

누가 봐도 헥토르가 더 많이 맞았고 실제로 아그니를 쳐 날린 것은 조반니였다.

"저 너클… 어쩌 평범한 물건이지만 평범한 게 아닌 것 같군."

조반니의 주먹질을 불태우려 했던 아그니였지만 공격이 실패해 맞고 날아간 것이었다.

"뭘 멍청히 서 있는 겐가! 얼른 그 양아치 같은 노란 머리를 조아리지 못하고!"

헥토르의 코일 건이 불을 뿜었다.

"아오, 저 새끼! 하여간 남 빡치게 하는 건 뭔가 일가견이 있네!"

아그니는 지면을 박차고 뛰어올라 건물 외장재인 커다란 화강암 부조를 붙잡고 공중에서 방향을 틀었다.

헥토르는 신나서 고개를 들어 올려 허공에 뜬 아그니를 공격하려 했지만…….

'여긴 고층 건물이 많아서 상공에서도 평지처럼 움직일 수 있단 말이지!'

아그니는 건물 벽을 박차고 건물과 건물 사이로 돌며 일부러 발화 능력으로 유리창을 터뜨렸다. 눈으로 좇다 보면 아그니가 유리창을 깨고 건물 안으로 피신한 것처럼 보일 것이다.

하지만 아그니는 건물 벽을 우회한다.

물론 상대인 조반니는 FARC(콜롬비아 인민혁명군)나 기타 군벌들과 교전을 벌여 마약상 지위를 획득한 인물. 우회 공격도 상정했겠지만 여기는 다른 진마들이 손쓸 때다.

쿠르르르릉!

아직 고여 있는 물들이 물기둥을 일으키며 접근한다. 헤카테가 발출한 충격파가 쓸데없이 크고 화려하게 헥토르와 조반니를 노리며 날아든다. 극초음속 연탄… 충격파가 겹쳐지도록 수십

발의 소리를 연계시켜서 발출하는 것으로 실제 운동에너지보다 겉보기엔 더 화려하다. 시선 끌기용이지만 맞으면 인간의 몸 따위는 분쇄기에 서너 번 들어갔다 나온 것처럼 분쇄될 것이다.

"윽!"

"흡!"

그러나 조반니는 손에 너클을 끼고 헥토르의 앞에 나서서 충격파를 향해 일권을 날렸다.

충격파가 조반니의 너클에 충돌하면서 좌우로 갈라진다. 어마어마한 위력의 충격이 주위 건물들의 유리창을 다 깨고 아스콘 바닥조차 무슨 바짝 마른 쿠키 부수듯 산산조각 내버렸다. 하지만 이것은 어디까지나 시선 끌기용일 뿐!

진짜 공격인 현무강탄이 충격파 사이에서 튀어나왔다.

문제는 조반니가 그걸 예측하고 텔레포트로 피해 버렸다는 것이다.

"어라?"

조반니 뒤에서 구경하고 있던 헥토르가 대신 현무강탄에 적중당했다.

고작 철 구슬 두 개가 무슨 일을 일으킬까 싶었지만 잠시 후……

펑!

마치 전자레인지 안에 넣은 계란이 터지듯 헥토르의 몸이 통째로 폭발했다.

"아, 이런……"

조반니는 난색을 표했고.

"이얏호!"

보고 있던 아그니는 아주 복권 맞은 기분이었다.

물론 진마는 대부분 전신 완전 폭사에서도 살아날 수 있다. 하지만 타격이 없을 수는 없어서 이제 헥토르를 집중 공격 하면 재생한다 한들 헥토르의 목숨은 풍전등화가 될 것이고… 조반니도 텔레포트로 도망만 다닐 수 없게 된다. 헥토르를 지켜야 하는 것이다.

그런데 바로 그때였다.

바지지지직!

예상치 못한 곳에서 전격이 뿜어져 나왔다.

"윽?!"

충격파를 쏘았던 헤카테가 눈을 크게 떴지만… 그때 파군이 철선을 들어 그녀의 앞에 섰다.

펑!

그리고 코일 건이 작렬했다.

"이런 씨발……."

아그니도 눈앞에서 벌어진 참상을 믿을 수가 없었다.

분명히 헥토르는 지금 파군의 일격으로 산산조각 났는데…….

반대편 거리에서 뚜벅뚜벅 걸어오고 있는 게 아닌가?

"음, 역시… 주인님의 은총이 온 세상에 가득하구나."

"아니, 잠깐만. 야, 너 말이야."

아그니는 또 다른 곳에서 모습을 드러낸 놈을 보고 기겁했다.

헥토르가 하나 더 있다?! 아니, 그뿐이 아니다. 그가 서 있는 건물 위 유리 천장에도 헥토르가 모습을 드러내었다.

"이런 미친……."

"흠……."

정작 당사자인 헥토르는 자신의 자아에 대해서 한 치의 의심도 없다.

'자존감이 높고 자기애가 강하구나… 의 수준이 아니잖아? 미친놈!'

아그니는 대신 기절해 주고 싶은 심정이었다.

"야, 너 괜찮냐? 저걸 보고도 아무것도 안 느껴져?"

"무례한 놈이로군."

"너 자신을 복제해서 이렇게 뿌려놨는데도 별 감흥이 없는 거냐? 야! 아무리 그래도 이건 진짜 이상한 거야!"

"이 모든 것은 내가 안전히 너희에게 벌을 주기 위한 장치에 불과하다. 편하기만 할 뿐인데 왜?"

"아니, 그건 지나치게 낙관적인 생각 같은데?"

아그니는 너무 어이없어서 그렇게 말하고 있었다. 너무 놀라서 적개심조차 눈 녹듯 사라질 지경이었다. 황망함이 지나쳐 뇌가 타버릴 지경이었다.

하지만 헥토르는 더 대화할 것도 없다는 듯 아그니에게 코일건을 날렸다.

"킥!"

아그니는 간신히 직격은 면했으나 폭풍과 충격에 휩쓸려 지면으로 떨어졌다.

3

서현과 서린은 한동안 호텔 주위를 맴돌았지만 침입할 방도를 발견할 수가 없었다. 게다가 그들이 그러는 동안 마리아의 메타크리처들이 접근해 오고 있었다. 저 메타크리처들은 싸우자면 전혀 위협이 되지 않는다. 하지만 메타크리처 안에 마리아의 영혼이 갇혀 있는 걸 알고 있는 이상 쳐 죽일 수도 없는 노릇이다.

'죽이지 않고 상대하기엔 까다로운데.'

서현은 접근하는 놈들을 잡아 던져 치워 버렸지만 그렇게 던져도 이 녀석들은 곧 상처를 재생해서 일어난다. 화끈하게 죽이지 않으면 계속 덤벼드는데 죽일 때마다 마리아라는 여자의 인격이 입을 손상이 점점 커진다.

'게다가 이대로라면 곧 라이칸스로프 여단도 들어오겠지.'

서현은 그리 생각하며 호텔 쪽을 바라보았다.

"어쩌지? 뭔가 복안이 있나? 이대로 둘만 넣어서 아담카드몬 아낙스를 잡을 수 있을 것 같지는 않은데?"

서현이 물어보자 서린이 난처한 표정을 지어 보였다.

"이 호텔의 인근 지반을 파괴해서 호텔을 결과적으로 가라앉히는 건 생각해 봤는데……."

맨해튼은 본래 섬이었고 섬 북부가 매립지로 되어 있으며 지하로는 각종 파워 라인이 오가고 있다.

하지만 플라자 호텔과 센트럴파크가 있는 곳이라면 이야기가 다르다.

"이 호텔 거의 1세기 채워가는 물건 아닌가? 그간 별일이 없었다면 밑의 지반이 그렇게 약할 것 같지는 않은데?"

서현이 그렇게 말했을 때였다.

호텔로부터 갑자기 공간이 일그러지기 시작했다.

"으……."

"뭐야 저건?"

"공간 방출!"

"방출?"

서현이 당황할 때였다.

갑자기 서린의 몸이 감전된 사람처럼 부들부들 떨리는 게 아닌가? 테트라 아나스 사인방이 아담카드몬 아낙스의 통제가 느슨해지는 그 순간 텔레파시로 서린과 접촉한 것이었다.

"그렇군!"

서린은 단번에 안에서 벌어진 일을 이해했다. 아담카드몬 아낙스가 그를 상대할 때는 뱀파이어와 라이칸스로프를 말살하고 무작정 아인소프 오올을 쓸 것처럼 말했었다.

하지만 그가 진정으로 원하는 건 릴리쓰의 흔적, 마법과 초상능력, 초상 존재 전체를 지우는 것이었다니?

"의외로군. 아니, 의외도 아니지… 앙리 유이가 그를 만들었다는 걸 생각하면……."

앙리 유이는 다른 뱀파이어를 대부분 싫어했다.

뱀파이어라는 게 종이 늘면 늘수록 생존 환경이 나빠지는 데다가 원래부터 그는 초상 능력을 독점하고 싶어 했다. 뱀파이어라는 종족이 전부 다 초상 능력을 가지니 차라리 그가 유일한 뱀파이어, 유일한 마법사로 그 특별함을 유감없이 발휘할 수 있길 원했던 것이다. 그런 독점욕이 기괴한 방식으로 승화되어서 아담카드몬 아낙스에게 투사되었다. 게다가 이는 뱀파이어를 관리하며 피로에 찌들어 있던 아낙스의 감춰진 욕망과도 일치했다.

"덕분에 승산은 좀 있군. 이런 예지였구나!"

서린은 자신도 이해하지 못했던 예지의 단편들이 맞물려 들어간다는 점에 경악하고 있었다.

보고 있던 서현이 참다못해 한마디 했다.

"무슨 헛소리야? 나도 좀 알자. 혼자서 중얼거리지 말고."

"왜 아담카드몬 아낙스가 바로 아인소프 오울을 방출하지 못하는지 알았어. 그는 뱀파이어와 라이칸스로프를 모두 멸한 뒤 그것들이 없는 세계로 인과를 재조정해서 방출하려는 거야."

"인과를 재조정?"

"무작정 아인소프 오울을 방출하면 강력한 정보 덮어쓰기 현상으로 인해서 현생인류가 강제로 변화되거나 멸종할 거야. 하지만 아담카드몬 아낙스는 아예 그것조차 감안하고 인과 자체가 조정된 세계를 만들려는 거야. 애초부터 라이칸스로프나 뱀파이어가 없던 세계였다면 인류는 어떻게 되었을까? 그 장대한 인과를 연산해서 그에 맞는 세계가 되도록 정보를 덮어쓰려는 거지!"

"…그런 게 가능한가?"

서현은 반신반의했다.

"어마어마한 연산 능력이 필요하지만 불가능하지는 않아. 그가 사물을 금으로 바꾸는 것도 보았지? 그는 인과와 정보를 조작해서 한 현상을 전혀 다른 현상으로 치환할 수 있고… 공교롭게도 그가 차지한 아낙스는 가장 뛰어난 정보 연산 능력을 가진 존재지. 다행히 오라클 시스템은 망가뜨렸지만… 그게 아니라면 위험할 뻔했어."

앙리 유이를 죽이지 않고 그를 세력에 흡수함으로써 오라클 시스템을 찬탈할 수 있었고 그 덕분에 세계는 지금 당장 끝장나는 걸 면했다.

"그렇다면 지금이 우리에게 남은 유일한 기회라 이건가?"

서현은 그리 생각하곤 호텔로 향했다. 하지만 여전히 보이지 않는 방벽이 호텔로의 접근을 막고 있었다.

"안 되잖아! 응?"

서현은 진입을 시도하다 멈춰 선 뒤 서린에게 뛰어들었다.

서린이 미처 대응하기도 전에 그는 서린을 아웃사이드 태클로 받고 번쩍 집어 들어 7미터 정도 그대로 들고 달렸다.

쾅!

서현과 서린이 있던 곳 인근에 박격포가 떨어졌다.

4.2인치 박격포에 위성 유도식 조준장치를 단 장륜 장갑차가

구울과 엑토플라즘의 늪을 헤치며 모습을 드러내었다. 그뿐만이 아니다. 라이칸스로프 여단의 병사들이 완전무장을 하고 장갑차의 옆을 따르고 있었다. 게다가 사안의 마수들까지 따르고 있으니 그야말로 지옥의 악마들조차 오금이 저릴 위용이었다.

"아, 이런……."

보고 있던 서현이 쓴웃음을 지었다. 장륜 장갑차 위에 서 있는 백발의 거인, 볼코프가 보였기 때문이었다. 만월의 라이칸스로프 여단, 그것도 볼코프가 있는 무리라면 절대 쉽지 않다.

"기묘한 가족 회담이군."

볼코프는 그렇게 말하며 쓴웃음을 짓고 시거 커터에 시거를 끼웠다.

"잠깐 이야기 좀 할까요?"

서린이 그런 제안을 했지만 볼코프는 쓴웃음을 지으며 시거 커터로 시거를 잘랐다.

"아니. 너희와 이야기하면 내 자신이 너무 개자식이라 견디기 힘드니까, 그냥 싸우겠다."

"아, 네……."

서린이 쓴웃음을 지었다.

라이칸스로프 여단의 병사들이 이빨을 드러내며 수인화하기 시작했다.

"이런… 절체절명인데."

서현은 그 모습을 보며 서린의 앞에 섰다.

"내 뒤에 피해서 손가락 쪽쪽 빨면서 구경하고 있어라, 동생."

"형 말은 진담인지 농담인지 모르겠어."

"농담이지! 싸워, 인마!"

서현이 그렇게 말한 바로 그때였다.

펑!

갑자기 뭔가가 날아온다. 포탄을 배에 꽂고 있는 인영이 날아오더니 볼코프가 서 있는 장륜 장갑차를 향해 접근, 거기서 폭발해 공중에서 파편을 뿌렸다.

물론 포탄을 배에 꽂고 있던 인영은 산산조각 났다. 육편과 파편들이 공중에서 뿌려지며 라이칸스로프 여단을 덮쳤다. 절묘한 위치라서 이들이 만약 평범한 인간 병력이었다면 궤멸적인 타격을 받았을 것이다.

하지만 만월의 라이칸스로프들은 155㎜ 고폭탄 정도로는 전혀 타격을 받지 않았다. 순식간에 상처를 재생시킨 라이칸스로프들은 공격이 날아온 방향을 돌아보며 응전 태세를 취했다.

"방금 그거… 앙리 유이였던 것 같은데."

서린은 포에 꽂혀 있던 인물을 떠올리며 쓴웃음을 지었다. 앙리 유이가 포에 꽂혀 날아왔다면 이런 일을 벌인 이가 누구인지는 쉽게 알 수 있었다.

4

앙리 유이는 아담카드몬 아낙스의 의식을 읽어 들이면서 마침

내 뉴욕을 뒤덮고 있는 영적 에너지의 흐름을 완전히 파악했다.

그 분석 결과는 바로 아인소프 오올이 인류를 파멸시키는 게 아니라 인과를 뒤집기 위한 것임을 증명하고 있었다. 아담카드몬 아낙스는 릴리쓰의 힘을 지워 버린, 온전한 이성의 세계를 만들려 하고 있었다.

"그랬던 것인가!"

앙리 유이는 그것을 깨닫고 희열로 몸을 떨었다. 그가 저지른 짓이지만 이렇게 잘 풀리다니 믿어지지 않는다. 인과율조차 뒤집는 완벽한 마학 장치. 재창세라고 해도 과언이 아닐 힘이 그가 손대기만을 기다리고 있다. 그야말로 신이 되기 위한 열쇠가 아닌가?

게다가 하필이면 지금, 어마어마한 인과율 연산을 위해 그 전력을 다하지 못하는 상태라니?!

앙리 유이는 기뻐 웃지 않을 수 없었다. 오직 오라클 시스템을 장악한 그만이 감히 넘볼 수 있다. 아담카드몬 아낙스를 무력화시키고 제어할 수 있다면 그는 인류 역사상 유례가 없는 이 대마법을 자신의 사리사욕을 위해 쓸 수 있다.

신이 되는 힘을 사적으로 유용할 수 있다니…… 앙리 유이가 기뻐하는 것도 무리는 아니다.

'그러려면 지금 이자들을 치워야… 아니, 흡수해야겠지.'

정야와 창영, 그리고 아르곤…… 이들은 눈엣가시다.

팬텀은 다른 뱀파이어들과 동선에 놓을 수는 없지만 그의 결정을 방해한다는 의미에서는 여타 존재들과 다를 게 없었다.

아담카드몬 아낙스의 힘, 그의 기적의 존재를 약탈하기 위해서는 이 녀석들에 대한 배척이 필요하다. 그리 생각한 앙리 유이는 우선 가장 약해 보이는 정야에게 손을 뻗었다.

그러나 바로 그때였다.

"정말 손을 댈 줄이야… 실망시키는군."

갑자기 그런 소리와 함께… 앙리 유이를 향해 물줄기가 뿜어져 나왔다. 뉴욕 시에 많이 배치되어 있는 소화전 하나가 터지며 그 물줄기가 앙리 유이를 향해 뿜어져 나온 것이다. 그리고 그 소화전 옆에는 나이프를 들어 소화전을 후려쳐 베어버린 아르곤이 있었다.

아르곤은 그것을 물에서 형성시킨 커다란 보드로 막아내면서 마치 웨이크 보드를 타듯 날아든다. 너무나 갑작스러운 일이라 앙리 유이가 미처 반응할 수 없었다.

투확!

아르곤이 만들어낸 얼음 웨이크 보드에 앙리 유이가 충돌해 저 멀리 날아갔다. 진마인 이상 고작 저런 웨이크 보드의 충격은 아프지도 가렵지도 않다지만 문제는 그 후 벌어진 일이었다.

"크아아아악!"

앙리 유이의 몸에서 새빨간 얼음이 창날로 변해 튀어나왔다. 몸 안의 혈액과 체액이 얼어붙으며 기형적으로 변이해 몸을 찢고 나온 것이다.

"윽… 이 무슨……."

앙리 유이는 자신을 급습한 아르곤을 보며 믿을 수 없다는 표정을 지었다. 지금까지 앙리 유이는 아르곤을 전혀 위협의 대상으로 보지 않았다. 낙천적이고 어딘지 모르게 나사가 빠진, 게으른 히피라고 여기고 있었다. 실제로 에스프리 클랜의 상당수는 뱀파이어에게 유효한 마약을 만들기 위해 온갖 노력을 했고 성공하기도 했었다. 그런데 그런 놈이 설마 그에게 선제공격을 가할 줄이야?

"설득을 좀 해보고 싶지만 이 정도로 마음을 고쳐먹진 않겠지?"

아르곤은 안타깝다는 듯 말하며 접근해 왔다.

"건방진 야만인 놈이!"

앙리 유이가 적개심을 품었다. 아마도 아르곤이 한 말을 보면 그는 이미 서린에게 앙리 유이의 배신 가능성에 대해서 귀띔을 받았음에 분명하다.

'설마 이런 히피 뱀파이어 놈이 신의 힘을 넘보는 날 제압할 수 있을 거라고 믿었나? 서린! 그렇다면 큰 착각이다!'

앙리 유이는 자신의 몸 안에서 넘쳐나는 힘을, 이 도시 상공을 배회하는 영적 에너지를 믿고 손을 뻗었다.

그의 몸에서 무수한 독충이 쏟아져 나와 아르곤을 노렸다. 순식간에 살점을 파먹고 상대를 그의 일부로 흡수해 버리는 벌레들의 군단…… 그러나 상대가 나빴다.

아르곤이 으쓱하고 몸을 돌리자 아직도 쏟아져 나오고 있던 소화전의 물이 아르곤의 몸을 빙글 휘감았다.

아르곤이 발로 그 물줄기를 걷어차자 서리 눈보라가 벌레들을 덮친다. 갑자기 급격히 기온이 떨어지자 벌레들이 느려지고 그 순간 아르곤의 몸이 앙리 유이에게 접근한다.

"크윽!"

앙리 유이는 손을 뻗었다. 그 역시 마법사이고 암살자로 자라났다. 그 일신의 무예는 절대로 가볍지 않다. 하지만 상대가 나빴다. 아르곤은 앙리 유이의 반격에 엇갈리는 스텝을 짜 맞추어 간단히 사선으로 빠져나가며 쇼벨 훅을 갈겼다.

투쾅!

볼코프의 주먹이 일권에 상대를 완전히 분쇄하는 것으로 위세가 드높지만 볼코프가 위명을 떨치기 전에는 아르곤이 바로 공포의 대상이었다. 아르곤은 볼코프처럼 육중한 체형은 아니지만 워낙 긴 팔다리와 신장을 이용하니 그 레버리지에서 나오는 파괴력은 절륜하다.

앙리 유이의 몸통이 찢겨 나갔다. 하지만 앙리 유이는 즉시 몸을 벌레 군집으로 바꾸어 아르곤의 공격을 흡수해 냈다.

"나에게 타격전은 통하지 않는다!"

"컥……."

그 순간 갑자기 허공에서 신음 소리가 들려왔다. 팬텀이 얼굴을 찡그리며 가로등 위에 서 있었는데 인상이 아주 볼만하다. 마치 술 취해서 쓴 시를 만인이 모인 장소, 이를테면 야구 시구식 때 낭독하면 이런 표정일까?

"…말하는 건 팬텀이랑 똑같네?"

아르곤이 피식 웃으며 무명지를 구부렸다. 앙리 유이의 피와 살을 얼려 만들어진 얼음도끼 두 자루가 아르곤의 손 안에서 빙글빙글 돌았다.

"으음… 딱히 신자는 아니지만 이게 적절하겠군."

팬텀은 자신의 옛 동문 형제를 위해 몸소 성호를 그어 보였다.

"패, 팬텀! 뭐야? 그거 무슨 의미야?!"

앙리 유이가 고함을 질렀다.

"……."

하지만 팬텀은 얼굴을 손으로 가릴 뿐 답하지 못했다.

"뭐긴 뭐야? 넌 이제 수컷의 생식기가 됐다는 뜻이지."

보다 못한 창영이 한마디 해주었다.

그림리퍼가 질주하며 달려오고 그 뒤로 악령들이 울부짖는다. 앙리 유이가 손에 넣은 비셔스 바이러스의 통제력을 통해 몰려든 사령들이 아르곤을 노리고 급강하해 왔다.

사령들은 육탄전 능력을 주로 쓰는 이들에게 매우 난처한 존재다. 그들의 형상은 엑토플라즘으로 이루어져 있어 무기로 엑토플라즘을 흩어 접근을 잠깐은 막을 수 있으나 결국 쇄도하는 걸 막을 수가 없다.

그러나 아르곤은 자신의 손에 들린 핏빛 얼음손도끼를 휘둘러 그림리퍼들을 깔끔하게 토막 내고 두 얼음손도끼를 손에서 합쳐 한 자루 대태도로 만들었다.

"아니……."

"사법사들 몸에는 사법이 남아 있어서… 이걸 얼려 쓰면 천하제일의 마법검이란 말이지."

아르곤은 그렇게 중얼거리며 앙리 유이의 피와 살로 만들어진 얼음을 휘둘렀다.

일반적인 얼음이면 취성이 강해서 깨지겠지만 아르곤의 동결 능력은 저 얼음을 거의 완전무결한 강검으로 만들어주었다.

게다가 이 검에는 바로 앙리 유이의 사법이 깃들어 있다.

태초의 영의 일부를 몸에 이식해서 이능을 발현하는 사법사들의 사법 코어는 그 어떤 악령도 잡초 베듯 베어버렸다.

앙리 유이의 혈육으로 만든 검을 휘두르며 아르곤은 앙리 유이에게 질주해 왔다.

"큭!"

아낙스의 예지 능력을 사용해서 그 공격을 피해보려 한 앙리 유이는 어이없는 결과에 경악했다. 아르곤은 그냥 움직이면 쫓아와서 칠 생각으로 가득 차 있다. 말로 하자면 단순하지만 실제로 그를 상대해야 하는 앙리 유이로서는 기가 막힐 노릇이다.

예지? 그 어떤 예지도 이 거리에서 아르곤과 육탄전을 벌일 경우 도움이 되지 않는다. 어떤 방향으로 피하든 도망치든 반격하든 간에 아르곤의 콤비네이션 공격은 무한대로 발산한다.

결국 앙리 유이를 기다리는 건 이렇게 맞는 미래, 저렇게 맞는 미래, 호되게 맞는 미래, 더욱더 세게 맞는 미래들뿐이다.

"뭐 이런 게 다 있어?!"

어이없어하는 앙리 유이의 얼굴에 아르곤의 주먹이 꽂혔다.

앙리 유이가 피 화살을 뿜으며 저 멀리 날아갔다. 일격에 함몰된 머리를 재생시키며 앙리 유이는 왜 다른 뱀파이어들이 아르곤이라면 쉬쉬하는지 알아챘다.

'이놈과는 육탄전을 벌이면 안 되는구나!'

크르르르!

그때 앙리 유이에게는 천운으로 킹콩처럼 건물에 매달려 이동하던 사안의 마수가 아르곤을 발견하고 뛰어내렸다.

쿵!

길거리에 주차된 차량이 통째로 납작해진다.

하지만 아르곤은 이미 상공에서 공격해 온 마수를 피하는 것과 동시에 바닥에 얼음을 뿌려두었다.

끔찍한 파육음과 함께 거대한 얼음 파이크가 위에서 떨어진 사안의 마수를 꿰뚫었다.

크워어어어!

사안의 마수가 몸부림치지만 소용없다. 몸 밖에 있는 것은 응시가 가능하지만 이미 몸 안에 스며든 냉기를 어찌 쫓아낼 것인가? 사안의 마수 안에 들어간 얼음은 주위 체액을 흡수해 계속 커지며 마수의 몸을 갈기갈기 찢었다.

하지만 그런 상황에서도 아르곤은 사안의 마수에겐 눈길 하나 주지 않았다.

"오, 망할……."

앙리 유이는 자신을 향해 일직선으로 돌진해 오는 아르곤을 보며 당황했다. 사안의 마수가 떨어지는 틈을 타서 거리를 좀 벌렸는데 그럼에도 불구하고 예지에는 무슨 수를 쓰더라도 변함없이 '맞음', '맞음', '신나게 맞음'만 뜨고 있었다. 이 정도 거리로는 안 되나?

급한 대로 앙리 유이는 염파를 모아서 전신으로 방출했다. 이성이 있는 자의 정신에 과부하를 걸게 만드는 마인드 쇼크! 테트라 아낙스의 이것에 버티는 놈을 본적이 없었다.

'아무리 아르곤이라고 해도… 이건 막을 수 없겠지?!'

그러나 그 순간 아르곤의 눈이 멍해졌다. 마인드 쇼크가 아르곤을 훑고 지나가자 아르곤은 잠깐 흔들리더니 곧 정신을 차렸다.

"이… 이건 말도 안 돼!"

앙리 유이는 경악했다. 마치 EMP 쇼크를 회로 차폐로 막아내듯 아르곤은 아주 순간적으로 무심의 상태에 빠져서 마인드 쇼크를 그냥 흘려보낸 것이다.

"이……."

이건 이상하다. 어째서 이 녀석이 이런 걸 할 수가 있는 거지? 이 멍청해 보이는 히피가 원래 유명한 노르드 전사, 바이킹 왕족이고 뱀파이어가 된 이후에도 무술을 좋아해서 많은 수련을 쌓았다는 건 이해가 간다. 그러나 이런 정신 공격을 흘려보낸다고?

"모르고 있나 보군? 팬텀이랑 친하면 알 줄 알았는데?"

아르곤은 그리 말하며 앙리 유이의 혈육으로 얼음해머를 만들어 본래 주인의 얼굴에 꽂아 넣었다.

투콱!

호쾌한 소리와 함께 앙리 유이가 마치 모터사이클 사고라도 낸 사람처럼 붕 날아간다.

기세 좋게 돌격해 헥토르에게 한 방 먹인 아그니였지만 현재 그는 수세에 몰려 있었다.

"…우리끼리의 싸움은 무의미합니다. 그만 포기하시지요?"

조반니는 그렇게 말하며 주먹을 휘둘러 온다. 아그니가 발출하는 발화 능력이 작동하기도 전에 직접적으로 능력의 집중점을 때려서 깨버린다.

"젠장, 석세서는 과연 보통이 아니군. 머리도 보통이 아니게 미쳐 있어. 이 상황에서 포기가 되겠냐?"

저 손에 들린 너클에는 파군의 능력과 완전히 동일한 인챈트가 걸려 있다. 텔레포트 능력에 인챈트 능력까지 있는 복합 능력자인 데다가 기본 체중 자체가 월등히 높다. 변신이나 강신, 소환 등으로 체중이 늘어나는 능력을 가진 이들이 있지만 그런 이들조차 인간 형상일 때의 기본 체중에 영향을 받는다.

게다가 헥토르는 여럿이다. 비셔스 바이러스에 오염된 구울이나 커럽티드의 육종을 바탕으로 만들어낸 정보 복제체이나 헥토르의 성격 때문인지 자아 붕괴를 일으키기는커녕 오히려 광기의 정신 공유를 이루고 있었다.

바지지직!

공기 중에 기분 나쁜 방전 소리가 일어나고… 세인트 엘모의 불이 사방팔방에서 눈을 밝힌다.

콰르르릉!

천둥소리와 함께 뇌광이 질주한다.

"윽!"

파군이 주위의 자동차들을 들어 올려 강제로 접지시키지만 눈부신 섬광과 고열, 폭풍이 날린다.

"젠장! 이 미친, 아! 네가 복제당했는데 무슨 짓이야?!"

분노한 헤카테가 헥토르들를 향해 공격하지만 헥토르들은 간단히 유도전류만으로 충격파의 방향을 틀어버렸다.

헥토르의 전투 능력은 그야말로 최상급, 그런 데다가 지금은 수도 많으니 당연하다.

"이거 큰일인걸요. 우리 셋보다 저들이 화력도 강하고 대응력도 좋네요. 능력 다양성도 뛰어나고……."

파군은 자신들이 궁지에 몰렸다는 걸 깨달았다.

조반니가 모든 상황에 대응하고 헥토르의 화력은 아그니에 필적한다. 거기에 더해서 헥토르는 수가 많으니 현재로서는 도저히 승기가 없다. 이대로 죽을 수밖에 없나? 그런 걱정을 하고 있을 때였다.

푸확!

뭔가가 데굴데굴 굴러와 그들 사이에 떨어지는 게 아닌가?

"허억… 크윽……."

폐부가 찢어지면서 헛된 바람 소리가 목에서 새어 나온다. 상처조차 재생시키지 못한 앙리 유이가 바닥에 쓰러져 신음하고 있다.

"응?"

"…무슨?!"

모두들 앙리 유이가 날아온 쪽을 바라보았다.

콰직!

거대한 붉은 낫이 호를 그리며 날아와 사안의 마수의 목을 찍어버린다. 그리고 그 낫을 쥔 이는 사안의 마수를 질질 끌고 오는데… 낫이 박힌 위치가 절묘해서 거구의 마수가 꼼짝 못 하고 딸려 온다.

마치 근 1톤에 달하는 황소를 코뚜레로 가볍게 제압하는 목동처럼 마수를 질질 끌며 질주하던 이는 낫을 장창으로 변이시키며 휘둘러 마수를 바닥에 패대기쳤다.

아스콘 바닥에 갈리며 미끄러진 마수가 길가의 소화전에 충돌해 멈춰서는 순간, 소화전에서 뿜어져 나오는 물이 얼어붙으며 마수를 거대한 얼음 안에 봉인해 버렸다.

"음, 이거 참. 진행 방향에서 소리가 난다 싶더니만……."

긴 백발을 포니테일로 정리한 야구 모자의 청년이 걸어온다. 호리호리한 마른 근육질이지만 백인들 사이에서도 상당히 큰 키에 저 거대한 장병(長兵)을 가볍게 휘두르는 폼이 예사롭지 않다. 아니, 앙리 유이를 쳐 날린 게 저 인물이라면 당연히 예사롭지 않지.

"아… 아르곤?!"

붉은 얼음의 장창을 든 백발 청년이 헥토르들과 아그니의 싸움, 그 한복판으로 걸어 들어왔다.

"음… 이걸 어째야 하나."

아르곤은 난처한 표정으로 아그니와 헥토르, 조반니를 번갈아 보았다. 아마 누가 적이고 누가 아군인지 결정하기 힘든 것 같았다.

"아르곤! 저 자식들을 좀 봐! 헥토르가 여럿이야!"

보다 못한 헤카테가 머리 위로 손을 휘휘 휘두르고 손짓 발짓 해가며 헥토르 쪽을 가리켰다. 답답해서 마음이 말보다 앞서서 복장이 터지기 일보 직전인 것 같다.

'헥토르가 여럿이라면 저들은 아담카드몬 아낙스에게 복제당 했거나 조종당하는 자들이니 우리 쪽 편에 서라.'

그런 이야기를 하고 싶은 모양인데… 아르곤은 그녀의 뜻을 이해했지만 피식 웃었다.

"헥토르가 쌍둥이 형제였나 보지?"

"야, 이! 그런 재미없는 농담은 하지 마! 뱀파이어에게 무슨 쌍둥이 형제가 있어?! 그리고 무슨 돼지도 아니고 저 정도를 한 꺼번에 낳을 수 있을 것 같아?!"

헤카테도 아르곤이 농을 건다는 건 알고 있었지만 지금 기분 은 그런 농담 받아줄 기분이 아니었다.

그러나 그때 헥토르가 코웃음 쳤다.

"감히 날 상대로 쌍둥이니 뭐니 농을 걸다니……."

"잠깐!"

놀란 조반니가 막으려 했지만 늦었다. 헥토르의 코일 건이 아 르곤을 향해 불을 뿜었다.

그리고 그 순간 헥토르의 세계가 회전했다.

"어라?"

물론 헥토르는 여러 분신을 통합해서 관리하고 있었으니 자신에게 일어난 일을 객관적으로 볼 수 있었다.

아르곤은 어렵지 않게 헥토르의 공격을 피하고 장창을 휘둘러 헥토르를 후렸다. 허리를 축으로 헥토르의 몸이 빙글 돌면서… 안에 있던 걸 밖으로 쏟아낸다.

마치 바람개비에 분무기로 물을 뿌린 것처럼 원심력에 의해서 뇌수와 뇌장이 흩뿌려진다.

"화력이 강한 무기를 여럿이 모여서 쓰면 쏠 수 있는 루트가 뻔하지."

아르곤은 헥토르들의 배치를 보고 헥토르의 공격을 미리 예측하고 있었던 것이다.

놀란 헥토르가 움직이려 했지만 아르곤은 빠르다. 대부분의 뱀파이어들이 지면을 우악스럽게 힘으로 박차면 몸이 너무 떠 버리기 때문에 되레 속도를 내기 힘들어진다.

스포츠카나 F1 레이싱 카들은 접지력을 높이기 위해 일부러 날개를 달아서 차체를 지면에 억누르는데 넘쳐나는 머신의 힘으로 추진력을 얻기 위해서는 접지력을 강제로 늘릴 필요가 있기 때문이다.

아르곤은 자신의 능력으로 효과적으로 접지력을 올리며 이동한다. 지면과 자신의 몸을 아주 잠깐 동안 얼음으로 붙이면서 접지력을 늘려 일반적인 뱀파이어들보다 훨씬 기민하게 움직인다. 헥토르가 미처 반응하기도 전에 붉은 장창이 춤추며 헥토르들을 난도질했다.

"크억!"

그다음 순간에는 그들의 발아래에서 얼음 스파이크가 튀어 올라 꼬치로 만들어 버렸다.

"컥!"

"이… 이건!"

아르곤의 얼음은 단순한 동결 저온 능력이 아니다. 운동에너지를 극단적으로 제한하는 능력이다. 이 능력이 무한정 공급된다면 그가 만들어내는 얼음은 절대로 깨지지 않는 불파의 병기가 되며 그 얼음에 구속당하는 이는 빠져나갈 수 없다. 얼음에 구속당한 신체 일부를 포기하고 벗어나지 않으면 안 된다.

"크흡!"

헥토르들은 얼음에서 빠져나오기 위해 자신의 몸을 찢어버렸다. 체액을 따라 자라나는 얼음 때문에 잠깐 사이에 몸 각각의 50%가량을 버려야 했다.

'헥토르 성격에 신체를 이렇게 쉽게, 빨리 포기하다니 의외로군. 게다가 결정을 한 순간 전원 동시에……. 그럼 별개의 인격을 복제한 게 아니라 헥토르의 자아 하나에 통합되어 움직이고 있나?

아르곤은 자신의 공격에 반응하는 헥토르를 보며 그들이 어떤 원리로 복제되어 움직이는지 가설을 세우며 계속해서 헥토르를 공격해 갔다.

"이런!"

조반니가 사이에 끼어들어 양손의 너클 대신 쇠파이프를 들고 아르곤의 장창들을 쳐냈다. 그러나 몇 합 되지 않아서 아르곤의 창이 조반니의 쇠파이프를 쳐 날려 버렸다.

'이런 젠장. 나도 꽤 실력에 자신이 있었는데……'

조반니는 아르곤의 공격에 기이함마저 느꼈다. 이 녀석의 공격은 거의 마법이다. 무슨 수를 써도 그다음에 발산하는 패턴에 말려들어 가고 만다.

'예지 불가의 공격인가… 아낙스를 상대하기 위해 익혔다는 무한의 공격?'

조반니는 자신의 목을 향해 날아드는 창을 피해 텔레포트로 피했다. 간신히 아르곤의 공격을 피하긴 했지만 여기저기 긁혀서 너덜너덜해졌다.

"설마… 테트라 아낙스가 보조연산을 해주지도 않는데 모든 걸 다 불파의 얼음으로 잡을 수 있을 리는 없지요? 허세를 부리고 있다는 건 알고 있습니다. 게다가 지금 헥토르는 이곳에 있지도 않아요. 이건 어디까지나 비셔스 바이러스의 희생자들의 몸에 VT인자를 넣어서 만든 몸에 불과합니다."

조반니는 아르곤이 일부러 자신의 능력을 과시하고 허세와 진짜를 섞어서 공격하고 있다는 것을 지적했다. 거기에 더해서 은근슬쩍 헥토르의 본체가 따로 있다는 사실을 알려주기까지 했다.

그러나 아르곤은 어깨를 으쓱해 보였다.

"원래 이 능력은 이렇게 쓰는 거야. 무작정 허공에 힘을 무의미하게 방출하지 않고 요소요소 적절하게 운용하는 거지. 아, 그런데 당신들 상대하는 사이 앙리가 회복하잖아."

"내가 도와주지."

아그니가 은근슬쩍 아르곤의 옆에 와서 섰다.

"아그니, 잠깐 좀 떨어져 주지 않을래? 놀랐잖아."

아르곤은 아그니를 완전히 신뢰하지 못하는데 갑자기 다가온 것에 대해 흠칫 놀랐다.

"왜 이러실까, 우리 사이에."

"우리 사이가 어떤 사이인데?"

"얼음과 불의 사이지."

"하하하. 그거 좋은데?"

아르곤은 웃음을 터뜨리곤 주머니에서 풍선껌을 꺼내 하나는 아그니에게 던져 주었다.

"당분이 좀 필요하지 않아?"

그 순간 헥토르들이 일제히 공격을 퍼부었다.

"젠장!"

아그니는 아르곤이 던져 주는 풍선껌을 받으면서 발화 능력을 최대한 퍼붓기 시작했다.

"…저 자식들, 우리 잡아먹겠다고 한국에 왔던 잡것들이지?"

아르곤의 뒤를 따라 추격해 온 창영이 발을 멈추고 빌헬름에게 물어보았다. 창영이 보니 무슨 바람이 불었는지 아그니와 아르곤이 손잡고 헥토르들과 싸우고 있는 게 보였다.

"뭐, 먹을 게 있으면 먹는 타입이죠, 저 아그니란 자는……. 나머지 두 분은 그래도 꽤나 분별이 있는 편입니다."

빌헬름은 아르곤이 부적을 찢고 꺼내둔 155㎜ 고폭탄과 장약을 들고 이동하며 답했다.

"뭐, 지금은 아그니조차 분별이 있어 보이지만요."

빌헬름이 쓴웃음을 지었다.

"그만큼 아담카드몬 아낙스가 밀어붙이는 이 상황이 고압적이란 뜻이지요."

정야 역시 고폭탄들을 든 채로 그들을 바라보았다.

"어떻게 할까요? 여전히 적의 수가 많은데요? 이 상황에서 분노한 앙리 유이를 관리하는 것과 저들을 상대하는 것, 두 마리 토끼를 다 쫓진 못할 것 같은데?"

정야의 곁에서 멈춰선 팬텀이 고개를 끄덕였다.

"저희가 돕지요."

팬텀은 안개로 변해 사라지더니 어느새 헥토르들 중 하나에 접근했다.

투확!

헥토르의 팔다리가 잘려 나간다.

"큭?!"

그리고 그다음엔 팬텀의 관수가 헥토르의 가슴을 관통해 등으로 튀어나왔다. 심장과 폐부를 흉골 밖으로 적출해 버리는 잔혹한 일격이었다.

"이 자식!"

심장과 폐가 적출당한 헥토르가 몸을 버둥거리며 팬텀을 붙잡았다. 비록 심장이 꿰뚫렸지만 외상에 불과하다. 재생력이라는 입장에서 보면 심장과 폐가 적출당하는 것보다 헥토르의 전하 공격이 훨씬 더 치명적이다.

그러나 헥토르는 그 전기 능력을 방출하지도 못했다. 팬텀과의 접촉면을 통해서 사악한 힘이 뇌수를 따라 침입해 왔기 때문이다.

놀란 헥토르들이 팬텀을 공격하려 했지만 그 순간 그들 사이로 돌풍이 휘몰아쳤다. 창영이 뛰어내려 돌풍을 일으키며 헥토르들을 향해 걸어갔다.

"윽······."

아르곤과 아그니를 상대하느라 정신 팔고 있던 헥토르들은 갑작스러운 난입자들에게 당혹스러워했다. 아르곤, 아그니, 파군, 헤카테만 해도 신경 쓰이는 상대였는데 갑자기 난입한 팬텀과 창영은 충분히 위협적이다. 힘의 균형이 상대 쪽으로 완전히 기울어 버린 것이다.

"어찌해야겠느냐, 하인?"

헥토르가 조반니를 보고 물어보았다.

"저 새끼 저거 또 지랄병 도졌네. 야, 조반니. 넌 저런 소리 듣고도 참고 있냐?"

"입장이 입장이다 보니."

아그니의 빈정거림에 조반니가 진심으로 슬퍼하면서 답했다.

그사이 정야는 재생하는 앙리 유이에게 다가갔다.

VT인자가 높은 뱀파이어는 몸이 수천 번 찢어진다 해도 멀쩡히 재생되는 법이지만 아르곤이 어찌나 호쾌하게 짓이겨 놨는지 앙리 유이는 아직 완전히 재생하지 못하고 있었다.

"큭… 크하, 이봐. 잠깐. 나는 단지……."

앙리 유이는 몸이 재생되기도 전에 다가오는 정야를 보며 뒷걸음질 쳤다.

"협력해 주실 건가요?"

"물론이지! 진짜야! 지금 서린조차 저 플라자 호텔에 들어가지 못해서 애쓰고 있다고! 그쪽으로 라이칸스로프 여단이 가고 있다는 걸 알아?!"

"……?!!"

모두들 그 말에 깜짝 놀랐다.

"진짜군."

팬텀이 사법을 펼쳐 상공에 떠돌아다니는 사령을 조종해 시야를 확보해 보고 고개를 끄덕였다.

헥토르들과 조반니, 사안의 마수들도 까다로운 상대지만 만월하의 라이칸스로프 여단은 그보다 더 까다로운 괴물들이다.

"내 도움 없이는 아무도 저 안에 들어갈 수 없어! 그런데 단지 의심만으로 날 이렇게 대하다니!"

앙리 유이는 자신이 절대로 먼저 손을 쓰려 한 게 아니며 아르곤이 다짜고짜 미쳐서 덤벼들었다고 주장하고 있었다.

물론 그게 개소리라는 건 정야도 안다. 다만 앙리 유이가 말한 대로, 그가 협력하지 않으면 이 세상이 끝장난다는 것은 사실이었다.

"그럼 당신을 빠르게 플라자 호텔로 보내 드리지요."

정야는 그리 말하고 그동안 들고 왔던 155mm 고폭탄에 신관을 장입한 뒤 앙리 유이의 재생되고 있는 복부에 퍽 찔러 넣었다. 신관은 회전식 안전장치가 붙어 있는 촉발신관, 강선포에서 발사되면 정해진 회전수만큼 포탄이 회전해야 안전장치가 풀리는 것이니 그냥 터지진 않을 것이다.

그러나 앙리 유이는 불안함에 몸을 떨었다.

"잠깐, 지금 무슨 짓을 하는 거야?"

"당신의 조력을 얻기 위해서 당신을 먼저 저 앞에 보내 드리려고요. 아르곤! 뭔지 알겠지요?"

"아하… 물론."

아르곤은 소화전의 물을 이용해 얼음대포를 만들기 시작했다. 앙리 유이의 몸에 고폭탄이 꽂혀 있으니 후장식 대포라기보다는 총류탄에 가깝다. 대포에서 뿜어져 나오는 가스압을 받아서 탄체가 날아가게 되어 있다. 물론 회전식 고폭탄의 안전장치를 풀기 위해 회전날개를 형성하는 것도 잊지 않았다.

'이런 걸 보면 아르곤 이 녀석 머리가 상당히 좋은 것 같은데?'

앙리 유이는 그리 생각하면서 너털웃음을 터뜨렸다. 지금 웃을 때가 아닌데 웃음이 나온다. 그가 몸으로 인간 대포, 아니, 인간 총류탄이 될 판인데 웃음이 나오다니?

"이봐… 너희들… 아, 진짜 이건 아니다. 응? 그렇지? 이러고도 협력하라는 건 너희들 인성에 문제가 있는 거야. 응? 내가 인성에 문제 있다고 말할 정도면 진짜 심각한 거다!"

앙리 유이가 그렇게 말하자 모두들 질려 버렸다. 그래, 자신이 스스로 인성에 문제가 있다는 건 알고 있었구나.

하지만 아르곤은 싱긋 웃으며 얼음대포를 완성시켰다.

"미안하지만 우리 아가씨 의향을 무시하기엔 내가 너무 신사라서 말이야."

졸지에 얼음대포에 꽂힌 총류탄 신세가 된 앙리 유이가 욕을 내뱉었다.

"신사 좋아하네! 먹지도 못할 여자 마음 신경 쓰는 건 바보짓이야!"

"아, 네. 그러세요?"

하지만 정야는 들은 체 만 체하면서 포를 격발시켰다.

투쾅!

천지를 뒤흔드는 요란한 소리와 함께 앙리 유이가 날아갔다.

"오⋯⋯."

"인간 대포, 아니, 이 경우는 뱀파이어 대포인가?"

빌헬름과 창영은 저 멀리 날아가는 앙리 유이를 보며 감탄했다. 빌딩과 빌딩 사이, 쭉 뻗은 틈새를 따라 위태롭게 회전하면서 날아가는 앙리 유이의 모습은 정말 가관이었다.

5

"이렇게 된 거란 말이지?"

서린은 벌레가 되어 재집결하고 있는 앙리 유이의 곁에 서서 그간 있었던 이야기를 들으며 쓴웃음을 지었다.

앙리 유이를 쫓아온 아르곤과 아그니 일행. 그리고 그들을 쫓아온 헥토르들과 조반니, 라이칸스로프 여단이 대치하고 있다.

미묘한 힘의 균형이다.

'싸워보지 않으면 모르겠군. 하지만 한 가지 확실한 건 시작하면 위험하다는 건데.'

아담카드몬 아낙스의 전면적인 제한에 의해서 예지 능력을 한정적으로 쓸 수 있긴 하지만 그럼에도 불구하고 이들의 운명이 복잡하게 얽혀 있는 게 느껴졌다. 미묘한 힘의 균형, 그 너머에 보이는 운명의 실타래는 십중팔구 죽음과 사별로 이어져 있다. 어느 쪽이 이길지는 모르나 일단 손을 섞으면 죽는다.

서린만 그렇게 생각하는 게 아닌지 다들 침을 꼴깍꼴깍 삼키며 서로서로의 눈치를 보고 있었다. 쌍방의 힘이 비슷하고 변수가 너무 많다. 이런 상황에서는 쉽게 손을 뻗기 힘들다.

졸지에 센트럴파크를 에워싼 가도에서 옛날 서부영화의 클라이맥스가 시작되고 있었다.

"이제 어디서 교회 종이라도 치면 서로 일제히 총질이라도 하나요? 그것도 나쁘지는 않은데 이 총 어떻게 장전하는 거죠?"

정야가 FN 미니미를 들고 창영에게 어떻게 장전하는지 물어보았다. 군 경력이 없는 여인이라도 탄창 삽입식 총을 장전하는 건 어렵지 않다. 그러나 탄띠 장전식은 직관적으로 이해하기 힘들다.

"물러나는 게 좋을 텐데, 정야."

아르곤은 직접적인 전투 능력이 없는 정야를 걱정했지만 창영은 대신 그녀의 총을 장전해 주었다.

"싸우지 않고 누군가의 트로피로 사는 건 질색이에요. 다행히 보통 사람들보다 훨씬 튼튼해졌으니 할 수 있는 건 해야지요."

정야는 창영에게 장전된 총을 받아 들고 아르곤을 노려보았다.

그러자 아르곤이 얼굴을 붉혔다.

"미안, 풍선껌 재고가 슬슬 떨어져 가서 말이야. 그런 표정으로 봐도 줄 수 있는 게……."

"……."

그런 의미로 바라본 거 아닌데. 그리고 한 클랜의 수장, 뱀파이어 군주인 진마가 줄 수 있는 게 고작 풍선껌뿐인 것도 문제다.

그때 창영 역시 무장을 준비하고 말했다.

"상대가 너무… 많고 강한데. 시간을 끌면 우리가 불리해지는 거 아닌가?"

창영은 플라자 호텔을 손으로 가리켰다.

플라자 호텔에서 시작된 공간 방출과 왜곡이 뉴욕 전역으로 퍼져가고 있었다.

물론 지금 이곳에 있는 이들도 그 공간 방출과 왜곡의 위에 있기에 그들 자신들끼리는 이상을 못 느낀다. 그러나 멀리 떨어진 외부를 바라보면 알게 된다.

이 공원의 넓이가 점점 넓어지고 있다. 지상의 물체들은 너무나 멀리 멀어지고 있고 우연히 확장 면에 걸쳐져 있던 가로등은 마치 거대한 바오밥 나무처럼 부풀어 올라 팽창하고 있었다.

다만 하늘에 떠 있는 보름달은 되레 가까워졌는지 거대하다. 마치 천구의 20%는 달이 들어찬 듯하다. 달빛이 너무 강해서 속이 메슥거릴 정도였다.

마법과 기괴현상(奇怪現象)에 익숙한 진마들조차 이런 모습은 처음 본다.

"이런 건 정말… 놀랍군. 우리가 알던 세계의 끝인 것 같아."

마법사로도 이름 높던 팬텀조차 놀라서 중얼거린다.

"당사자인 앙리 유이는 어떨까요?"

빌헬름이 팬텀의 경악에 그렇게 물어보았다. 그러자 막 공중 분해당했다 몸을 재생시킨 앙리 유이가 말을 이어나갔다.

"난 이런 상황이 오기 전에 협력하려고 했는데 다들 선입견으로 지레짐작을 하고 나를 일방적으로 공격하지 않았나!"

"아, 네. 어련하시겠습니까."

서린은 앙리 유이의 뻔뻔한 소리에 기가 막혀 버렸다. 원래 힘을 손에 넣어서 다른 뱀파이어들을 제거하고 아담카드몬의 성취를 빼앗으려고 하지 않았던가? 그러나 대부분의 얌체들이 그러하듯 지금의 앙리 유이는 자신이 진심으로 힘을 얻어서 서린을 도우려 했었는데 이들이 괜히 그를 미워해서 린치를 가했다고 믿고 있었다. 본인부터 속이고 진심으로 그걸 믿으면 약도 없다.

"그래서 안에 들어갈 수는 있나?"

서현은 그 점을 물어보았다.

"들여보낼 수는 있다. 있지만… 괜찮겠나?"

앙리 유이는 쓴웃음을 지었다. 라이칸스로프 여단과 조반니, 헥토르가 호시탐탐 기회를 노리고 있는 와중에 누군가 먼저 호텔 안으로 들어간다면 그 순간 양측의 균형이 깨질 것이다.

누구를 들여보낼 것인가?

"답은 정해져 있지. 아낙스의 정신 공격에 내성이 있는 자가 들어가야 해. 내가 들어간다."

서현은 그렇게 말했다.

그러자 앙리 유이가 코웃음 쳤다.

"내가 들어가고 싶은데. 저 안에서 아담카드몬이 벌이는 일은 단순한 정보 발산이 아니라 재창세다. 그런 힘을 오용할지도 모르는 녀석에게 넘겨줄 수는 없다."

"……."

그 순간 그 소리를 듣고 있던 모두가 앙리 유이를 바라보았다. 적과 대치 중 시선을 돌리는 게 얼마나 위험한 일인가 생각하면 이렇게 모두의 시선이 모인다는 건 기적과도 같은 일이다.

'오용할지도 모르는 녀석이면 너잖아?'

'너네.'

'이 새끼 뇌 어디 벌레가 파먹기라도 했나?'

'역시 헥토르 친구. 헥토르랑 같은 수준인데?'

모두들 한마음 한뜻으로 비난의 시선을 보낸다. 지금 이 순간은 모두가 이심전심, 텔레파시 능력자라도 된 기분이었다.

"아니, 형을 보내도록 하지. 그리고… 실베스테르 신부도."

"응?"

서현은 서린의 선택에 깜짝 놀랐다.

"그러고 보니 그 아저씨는 어딨지……?"

서현이 그런 의문을 표한 그 순간이었다.

―…아저씨라고? 한국어는 그래서 마음에 안 드는군.

바로 실베스테르가 말을 걸어왔다.

서현은 귀에 리시버를 빼고 있다가 들어서 꽂았다.

"안 죽었나 보군요, 아·저·씨. 그래, 지금 어디에 있지요?"

―멍청한 흡혈귀 둘을 데리고 마천루를 순회하는 관광 코스를 즐기고 있지. 애석하게도 둘 다 계승자에 능력이 상당히 다양해서 나 혼자서는 사냥하기가 불가능하군.

실베스테르가 그렇게 말하는 순간 폭발음이 저 멀리서 들려왔다.

'아, 그 계승자 둘… 설마 그걸 상대하고 있나?'

서린은 깜짝 놀랐다.

사니타와 유할리, 두 계승자의 능력은 저 앞에 있는 조반니 못지않다. 나중에 만들어져서 조반니보다 혈인 능력의 밸런스는 더욱더 잘 갖춰져 있는 대신 육탄전 능력이 좀 떨어지지만 유할리에게는 적요계 변이 능력이 있어서 그런 부족한 부분을 잘 상쇄시킨다.

실베스테르를 시초로 하는 뱀파이어 헌터들의 전투 스타일이 총화기로 상대를 제압하고 능력의 허점을 공략해 쓰러뜨리는 것임을 감안하면 그가 저 둘을 맞상대하고 살아 있는 것만으로도 놀라운 것이다.

―내가 들어가려면 계승자 둘을 너희가 추가로 상대해야 하는데…….

사니타와 유할리의 능력을 생각해 보면 치명적인 무게추다. 지금의 균형을 깨기엔 충분한 적수가 가세하는 것이다. 그러나 실베스테르는 스스로의 말에서 뭔가를 깨달았는지 코웃음 쳤다.

―나도 물러 터졌군. 찰나라 해도 너희를 걱정하다니. 너무 너희와 오래 싸워왔나.

실베스테르는 자신이 이쪽의 균형추를 걱정해 주었다는 사실에 실소했다.

―증오가 사랑과 일맥상통하는 건 상대의 존재에 그만큼 구애받게 된다는 점… 그런 면에서 나는 너희의 존재에 너무 구애받았나 보군. 방금 전 내 추태는 잊어주도록. 난 기꺼이 이 아가씨들을 너희 앞에 배달해 줄 수 있다.

실베스테르는 자신이 따돌리고 있는 두 뱀파이어가 이쪽 라인에 합류할 경우 힘의 균형이 무너질 것을 우려했다가 이내 마음을 고쳐먹었다.

'뱀파이어들과 괴물들이 서로 싸워 죽어 없어지는 건 바람직하다.'

그렇게 생각하고 있는 이를 안에 들여놔도 되는 것인가?

아담카드몬 아낙스가 제안하는 것은 뱀파이어와 라이칸스로프가 없는 세계.

뱀파이어와 라이칸스로프들이 받아들일 수 없는 제안이지만 그렇지 않은 이들에게는 받아들이지 않을 이유가 없는 제안이다. 한세건이 아담카드몬의 제안을 거부한 것은 그 행위 자체가 이능의 힘이기 때문이며 그가 자기 파멸을 곧 자기 구원으로 여기고 있기 때문이다.

하지만 한세건이 아닌 실베스테르라면 이 제안을 거절할 이유가 없지 않은가? 서린은 그 점에서 고민했다.

하지만 서현은 그런 서린의 마음을 아는지 모르는지 앙리 유이를 종용했다.

"언제까지 이러고 있을 수는 없지. 들어가겠어. 열어!"

"너희가 들어가면 그때부터 힘의 균형은 저쪽이 유리해지는데?"

"그럼 그 전에 좀 수를 줄여놓으면 되겠지?"

서현이 그리 말하자 헥토르가 코웃음을 쳤다.

보통 인간들이라면 들리지 않을 거리지만 이 자리에 있는 이들은 뱀파이어와 라이칸스로프, 인간을 초월한 존재들뿐이다.

헥토르는 서현의 말을 듣고 대화에 끼어들었다.

"오만한 잡종 새끼로군. 저열한 슬라브인과 원숭이 혼혈아가 개새끼 냄새를 풀풀……."

그러자 라이칸스로프 여단 쪽에서 예리한 살기가 헥토르에게 쏟아졌다.

"아무래도 그 주둥이에는 좀 더 두꺼운 마개가 필요한 모양이군."

볼코프도 헥토르의 폭언에 어이없어서 한마디 했다.

"……."

이미 볼코프에게 쓴맛을 본 헥토르는 조용히 입을 다물었다. 강자 앞에 약하고 약자에게 강한 그 인간적인 면모에 모두들 다시금 실소했다.

"이렇게 서로서로 눈치 보는 것도 영 성에 차지 않는군. 분위기가 달아오를 듯하다 식어버리니 말이야. 그래서 흥을 좀 돋울까 하는데."

헥토르가 입을 다물자 볼코프는 그리 말하고 걸어 나왔다.

"아르곤, 일단 우리가 좀 무대를 달궈놓는 게 어떨까?"

놀랍게도 볼코프는 수에 앞서고 있는 지금 이 순간 아르곤을 지명해서 결투를 신청했다. 현재 그와 아르곤의 승부는 1승 1패, 확실히 그들 둘은 숙적이라 할 만했다.

"손주들과의 인연보다 승부사로서의 인연에 집착하다니 좋은 외조부가 못 되시는군요."

서린이 그걸 보고 한마디 했지만 볼코프가 쓴웃음을 지었다.

"손주들 볼 면목이 없어서 말이지. 그래, 대답은 어떤가? 아르곤?"

"부, 부끄러워."

"……."

"아니, 멍석 깔아주면 하기 싫은 성격이라. 하지만 뭐, 울며불며 애원하는데 어쩔 수 없지, 뭐. 나도 그렇게 냉정하진 않아서. 노인이 그렇게 애원하는데 안 들어줄 수도 없는 일이고."

"……."

명색이 호적수인데 이건 뭐 졸지에 볼코프가 싸워달라고 징징댄 꼴이 되었다.

"약간 양념을 치자면 네 클랜원들과 그들이 보호하던 히피들을 살해한 건……."

"그만… 거기까지 하셔도 됩니다, 노인 양반. 내가 별로 그렇게 짜게 먹는 취향이 아니라서 굳이 양념을 치지 않아도 할 거라고. 1승 1패니까 역시 결판을 내야 하지 않겠어?"

아르곤은 자신을 도발하려는 볼코프의 말을 끊었다.

볼코프도 어쭙잖은 말장난으로 아르곤을 도발할 생각은 없는지 그만둬 달라는 말에 입을 다물었다.

"그렇지만 그 전에 서현, 넌 들어가."

아르곤은 볼코프에 맞서기 위해 걸어 나가며 등 뒤의 서린, 서현 형제에게 손을 휘휘 내저었다.

"괜찮겠어?"

서현이나 실베스테르가 호텔 안으로 들어가면 어떻게 될지 모른다. 아니, 만약 아르곤이 볼코프와의 승부에서 져버리면 볼코프를 막을 수 있는 인물이 그리 많지 않다. 아르곤이 이전 승부에서 볼코프를 제압했지만 그것은 보조연산 능력을 활용했을 때고 그것은 애석하게도 아낙스의 힘에 의해서 얼마든지 끊어질 수 있는 것이다.

즉 현재 이들이 격돌을 하면 누가 이길지 모르는 상황……. 그나마 볼코프를 맞상대할 수 있는 서현을 빼버린다면 퇴로가 없는 배수진이 된다.

"괜찮아. 들어가, 형."

서린이 그리 말하자 서현은 더 이상 고집 피우지 않았다.

"그럼… 다음에 보지. 부디 내세가 아니라 살아서 봤으면 좋 겠군. 이상한 소리지만."

서현은 그 말을 남기고 지면을 박찼다. 마치 레이싱 카가 순 식간에 관중석 앞을 지나치듯 고속으로 가속한 서현의 모습이 이내 시야에서 사라져 버렸다.

"자, 그럼 세상의 끝에… 호적수의 만남. 나쁘지 않은 무대, 나쁘지 않은 적수로군."

볼코프는 싱긋 웃으며 뒤의 부하들에게 명했다.

"이 승부가 끝날 때까지 누구도 개입하지 마라."

라이칸스로프 여단만이 아니다. 조반니와 헥토르, 심지어 심 령이 없는 사안의 마수들조차 볼코프의 명령에 수긍했다. 모두 들 수긍하는 것을 보니 이미 아담카드몬 아낙스의 군세에서 볼 코프가 차지하는 위치가 얼마나 무거운지 알 수 있었다.

"…음… 창영."

"네, 아르곤?"

"가급적 이길 생각이지만 만약 내가 지면 돌풍으로 저 아저씨 를 들어서 붙잡아둬. 네 능력이면 저 아저씰 죽이진 못해도 잡 아두긴 할 수 있을 테니까."

"…어휴, 상대는 뭔가 멋있게 카리스마를 보이는데 왜 그따위 소리를 합니까? 우리 클랜의 마스터도 좀 멋있다는 걸 자랑하고 싶습니다만……."

창영이 짜증을 내며 머리를 긁적였다.

"난 원래 그런 거 잘 못 하는 성격인 거 알잖아? 그리고 원래 난 잘생겨서 뭘 해도 멋있지."

"아, 네… 택배 상자에 구겨져 들어가려고 요가를 한다거나, 보트를 저어서 태평양을 건너고, 공짜 도넛을 두 번 먹기 위해 변장을 하고. 참으로 멋있었소이다. 졸라게 멋있었네요."

창영은 아르곤의 궁상을 떠올리며 혀를 찼다.

"그 졸라 멋짐의 한계를 보고 싶으니 여기서 픽 쓰러져 죽지 마쇼, 응?"

"물론이지. 내가 몬티가 뱀파이어면서도 탈모가 진행되는 모습을 다 보기 전에 죽을 리가 없잖아? 자, 그럼 농담은 여기까지 하고."

아르곤은 그렇게 말하고 고개를 뒤로 젖혔다가 홱 몸을 틀어 볼코프를 노려보았다.

"그럼 어디… 에스프리 동료들의 핏값을 받아볼까?!"

그 순간 볼코프와 아르곤이 동시에 간격을 좁혔다.

실베스테르는 마침내 플라자 호텔에 들어서고 쓴웃음을 지었다.

"마치 이상한 나라의 앨리스가 된 기분이군."

호텔 안은 고급스러운 대리석과 가구들로 가득하다.

그 안에서 조명은 희박하다. 공간의 개념이 일그러지는 것은 지금까지 300년을 살아온 실베스테르도 처음 보는 일이었다.

아담카드몬 아낙스가 나타나기 전까지는 말이다.

약 250년 전까지 실베스테르가 보던 마법은 산파가 죽어가는 아이를 살리기 위해 천사나 정령들에게 탄원하는 것이거나… 미운 집 송아지가 다리를 절도록 하는 게 전부였다. 그때 가장 강력한 마법은 다름 아닌 실베스테르 자신이었다.

하지만 그 이후 마법은 인구가 늘어나는 만큼 급속도로 강해졌고 그만큼 문명의 힘도 강해졌다. 강 하구 퇴적주에 불과했던 맨해튼 섬이 매립되고 이런 마천루로 변모하게 되었을 때를 떠올려 보면 인류의 문명은 정녕 놀랍다.

그 문명을, 더욱더 강력해진 마법의 힘이, 아담카드몬 아낙스의 힘이 파괴하려 하고 있었다.

"내가 앨리스가 되기에는 소녀심이 부족하지. 하얀 토끼도 없고 체셔 고양이도 없어. 흠, 대신 날 아저씨라 부른 건방진 늑대 새끼가 있군."

호텔 로비의 문이 부서지고 서현이 모습을 드러내었다. 아담카드몬 아낙스의 힘 때문인지 조용해진 이곳 호텔 안에서 그는 대뜸 M─14 라이플을 들고 장전하더니 도자기를 쏴버렸다.

"음… 기묘한 시공간인데."

총탄의 궤적과 소리의 반향을 살피며 서현은 쓴웃음을 지었다.

"대뜸 총부터 쏘나? 총소리가… 하긴 뭐, 들어온 순간 이미 들켰겠지만 시끄럽군."

실베스테르가 핀잔을 주자 서현은 코 밑을 손으로 쓱쓱 문지르며 천천히 걸어왔다.

"안녕하세요, 실베스테르. 무사해서 다행이네."

"정말 다행이군. 아저씨라고 안 불러서."

"쓸데없는 말장난으로 기력 소비할 생각은 없어. 가끔 해야 재밌는 거지 계속 주야장천 하는 것도 별로고."

"……"

주야장천 말장난을 하는 건 재미없다는 인식에는 공감하지만 가끔 하겠다니? 앞으로도 또 하겠다는 뜻 아닌가?

"앞으로도 할 기회가 있다면 좋겠군. 이 세상이 끝장나지 않는다면 말이지. 물론 날 아저씨로 부르라고 허락하는 건 아니야. 애초에 한국어는 너무 상대와 자신의 관계를 정해야 하는 대명사를 많이 써서… 그리 좋지는 않군."

"그런데 저건 뭐지?"

서현은 피를 꿀럭꿀럭 흘리며 커져 있는 종양덩어리를 가리켰다. 입구 로비의 대리석 무대 위에 악기를 들고, 턱시도를 입은 종양들이 피를 흘리고 있는데 점점 커지고 있었다.

"…일단 느끼는 감상은, 음, 불쾌하게 생겼군."

"그런 의미에서 물은 건 아닌데."

"체셔 고양이는 아니야. 그리고 우리에게 반응하지 않는군. 나는 건드리지 않겠다. 왜? 라이칸스로프, 갑자기 배가 고파져서 저거라도 뜯어먹고 싶나? 네가 뭘 처먹든 관여하고 싶지는 않은데 저걸 먹는 건 그렇게 현명한 선택이 아닐 거다."

"…나름 미식가까진 아니지만 먹는 건 가려 먹어. 그래서 한 니발도 안 먹었는데."

서현은 그리 말하며 쓴웃음을 지었다.

그때 그들의 귀에 총성이 들려왔다.

"훌륭한 초청장이로군. 저쪽으로."

실베스테르는 소리가 들린 곳으로 몸을 돌리며 소매에서 은색의 검을 꺼내 들었다.

"미리 말해두지만 라이칸스로프, 나는 널 인정하지 않는다. 강대한 적과 싸우기 위해서 뭐든 이용해야 하니까 하는 거지. 그러니까 네가 선두에 서라."

"안 해도 될 말을 해서 사람 기분 망치는 건 스승이나 제자나 똑같군."

서현은 그렇게 말하면서도 실베스테르의 앞에 서서 먼저 걸어갔다.

"내가 한세건을 직접 가르친 기억은 없어."

"광의로 보면 그래도 스승과 제자 아닌가?"

"그런 식으로 치면 모든 뱀파이어 헌터가 내 제자인 셈이지. 지금 헌터들이 뱀파이어를 사냥하는 스타일은 나에게서 비롯된 거니까."

실베스테르가 그렇게 말할 때였다.

펑!

대리석 기둥 너머로 상당량의 고폭탄이 폭발하며 호텔 안에서 폭풍을 일으켰다.

"어이쿠!"

기둥을 돌아서 나오던 거구의 남자, 한니발이 서현과 실베스테르를 향해 SPAS—12 샷건을 겨누었다가 총을 거두었다.

"너무 의외라서 반사적으로 쏠 뻔했군! 환영은 아니지?"

"아, 그래. 무슨 일이야?"

서현은 그리 말하고 거구의 한니발을 피해 상황을 보았다.

눈앞에는 거대한 낭떠러지가 펼쳐져 있었다. 마치 무저갱의 입구가 열린 것 같은데 그 주위로 신기하게도 호텔의 요소들, 정원과 분수대, 대리석 기둥과 샹들리에, 온실을 지탱하는, 인산염으로 코팅된 철주들과 잘 가공된 금속 공예물인 램프가 얼기설기 널려 있었다. 마치 허공에 떠 있는 섬 같다.

게다가 문제는… 지금 그들이 서 있는 위치도 결코 고정된 게 아니라는 것이다.

끼기기기기긱!

건물이 뒤흔들리는 지진 같은 소리와 함께, 땅에 뚫린 구멍이 이동한다. 아니, 서현과 실베스테르, 한니발이 서 있는 공간이 이동하면서 땅에 뚫린 구멍이 머리 위로 이동한다.

바로 위로 떨어질 것 같은 끔찍한 기분이 들었지만 기분 탓이다. 중력은 바닥을 향해 작용한다.

하지만 한세건은 그들의 머리 위에서 공간과 공간을 이동하며 싸우고 있었다.

"망할, 너무 판타스틱한데?"

호텔에 들어서기 전부터 상상 이상의 모습들을 잘 봐왔지만 떠다니는 시공간이라니…….

서현은 너무 어이가 없어서 그걸 보고 혀를 찼다.

한세건은 그 시공간을 뛰어다니며 보이지 않는 뭔가와 싸우고 있었다. 그런데 이 멀찍이 떨어진 거리에서도 한세건은 보이나 그가 싸우고 있는 적이 보이지 않는다. 그럼에도 불구하고 그는 무언가를 향해 총을 쏘고 혼팅의 저주를 쏘아 보내고 검을 휘두른다. 한세건의 검에 뭔가가 충돌하면서 불꽃이 튀고 거대한 파문이 이는 걸로 보아 허공에 삽질하는 건 아닌 것 같다.

"나로서는 도저히… 어떻게 같이 못 하겠어."

한니발은 그렇게 말하며 자신의 손에 들린 끊어진 도폭선을 들어 보였다.

한세건은 이동을 위해서 도폭선을 마치 실베스테르의 은사처럼 사방에 깔고 지지물로 쓰고 있었다. 폭발시키라고 코일에 컴파운드 폭약을 점착시킨 것에 몸을 맡기다니 미친 짓이다.

한니발도 한세건이 깔아주는 도폭선을 이용해 이동을 시도해본 모양인데 한니발은 한세건보다 훨씬 체중이 많이 나가서 끊어진 것이다.

"이거라면 좀 더 나을 거다."

실베스테르가 은사를 꺼냈지만 곧 고개를 저었다.

"아니, 생각이 짧았군. 너에게는 무리지."

실베스테르의 은사는 텅스텐과 카본 필라멘트에 정제 의식 처리를 끝낸 은을 발라 만든 것이다. 상당한 인장강도를 자랑하지만 실베스테르의 마력이 더해지지 않는다면 한니발 같은 거구가 매달리는 건 권장할 일이 아니다. 그리고 한니발의 힘은 아마도 실베스테르의 마력과도 상충할 것이다.

'의도적으로 능력을 집결시키거나 약화시킬 수는 있는 것 같은데, 아예 꺼버리는 건 불가능한 모양이군.'

서현은 한니발의 능력을 그렇게 분석하고 쓴웃음을 지었다.

"한세건은 그럼 혼자서 아낙스와 상대하고 있는 건가? 괜찮은가?"

실베스테르가 그렇게 물어보았을 때였다.

그들의 앞에 갑자기 누군가 착지했다.

"이거 참 호스트로서 손님 접대가 너무 부족했군. 준비한다고 했는데……."

붉은 금발에 호박색 눈동자를 가진 자, 아담카드몬 아낙스가 넥타이를 고쳐 매면서 말하고 있었다.

"음……."

서현은 하늘 위, 그러니까 저 거대한 구덩이 쪽에 펼쳐진 섬들을 바라보았다. 한세건이 열심히 무언가와 전투 중임에도 그들의 눈앞에는 아담카드몬 아낙스가 있다.

환영이나 환각인가? 아니, 그런 건 아닌 것 같다. 이건 그보다 더 근본적인 무언가다.

"아, 그러고 보니 말을 안 했는데."

한니발은 그렇게 말했지만 그때 아담카드몬 아낙스가 말을 걸어왔다.

"교섭을 해보지."

탕!

아담카드몬 아낙스의 말이 끝나기가 무섭게 실베스테르의 데

저트 이글과 서현의 M—14 라이플이 동시에 불을 뿜었다.

하지만 아담카드몬 아낙스는 마치 지나는 모기라도 잡듯 손뼉을 짝 쳤다.

땡… 그르르르…….

아담카드몬 아낙스의 발 앞에 50구경 A.E.탄과 7.62㎜탄의 탄자가 서로 뒤엉킨 채 떨어져 있었다. 마치 공중에서 총알끼리 충돌한 것 같다.

"……."

"음……."

그 모습을 본 실베스테르와 서현은 다들 아담카드몬 아낙스의 힘에 경악했다.

실베스테르와 서현이 거의 동시에 총을 쏘긴 했지만 이 가까운 거리에서 총알이 뒤엉킬 정도는 아니다. 그런데도 두 총알을 서로 충돌시킬 수 있다는 건 시공을 자유자재로 뒤집어 꼬아놓을 수 있다는 뜻이다.

"말도 하기 전에 공격부터 가하다니. 그만큼 내 말이 가지는 무게를 이해하고 있다고 봐도 되겠지? 마음이 흔들릴까 두려워서 폭력으로 입을 다물게 하려 한 것이니 말이야."

아담카드몬 아낙스는 자신이 교섭을 말하자마자 공격해 온 서현과 실베스테르를 보며 이해한다는 듯 고개를 끄덕였다.

그러자 실베스테르가 서현을 돌아보았다.

"음, 지금 네가 짖고 있냐? 어디선가 개 짖는 소리가 들리는데."

그러자 한니발을 들어서 방패로 세우고 있던 서현이 어깨를 으쓱했다.

"멍멍?"

"확실히 네 것과는 다른 개소리로군. 그럼 이상한 일이지? 라이칸스로프도 아닌 놈이 헛소리를 이렇게 박진감 넘치게 할 수 있다니?"

아담카드몬 아낙스는 그런 서현과 실베스테르를 보고 웃음을 터뜨렸다.

그리고 그 다음 순간… 갑자기 실베스테르와 서현의 모습이 한니발의 앞에서 사라졌다.

"이런."

한니발은 그 모습을 보며 혀를 찼다.

실베스테르는 자신이 알몸으로, 목장의 건초 저장고에 누워 있음을 깨달았다. 긴 은발이 그의 몸을 가리고 있지만 새벽녘의 쌀쌀한 공기는 그에게도 약간 고통을 주었다.

"음… 또 이런 저열한 환술을……. 이런 놈들이 생각하는 건 늘 똑같다니까."

실베스테르는 이것이 아담카드몬 아낙스의 환술이라고 생각하고 몸을 일으켰다.

그런데…….

"음?"

그의 몸에서 마력을 발할 때마다 드러나야 할 마력 문신이 보이지 않는다.

실베스테르의 강력한 힘을 봉인해 인간의 형상을 유지하기 위해 만들어진 구속구이자 방어 술식이기도 한 마법 문신이 없다니?

"…불쾌하군. 난 이런 환술로 설득되지 않아. 설령 네가 올바르고 정당하다 해도 이런 수단을 쓴 순간 너와 나는 영세토록 적이다."

실베스테르는 그렇게 중얼거렸다.

물론 상대는 반응하지 않는다. 이런 환술에서 시전자는 피시전자와 직접 교감하면 안 된다. 몽롱한 상태에서도 적대하는 타자(他者)가 존재하면 그로 인해 자아가 강해진다. 인간의 정신이란 자신과 남을 구별하는 것에서 자신을 규정짓기 때문이다. 그러니 그저 지금까지의 모든 것이 꿈이었다는 의심을 심어주고 마음의 무장을 해제시키고 나서 유린하는 것이 환술의 기본이다.

하지만 실베스테르는 아담카드몬 아낙스를 어떻게 해야 도발할 수 있는지 잘 알고 있었다.

"앙리 유이의 불완전한 피조물이라서 그런지 하는 짓이 딱 그 수준이로군."

그러자 그의 그림자에서 목소리가 들렸다.

"넌 원래 인간이 되고 싶어 하지 않았나, 실베스테르? 아니, 이름 없는 자여? 어째서 이 절호의 기회를 거절하나?"

'역시 앙리 유이와 싸잡아 욕하니 발끈하는군.'

너무 예상대로 쉽게 상대가 반응해서 실베스테르는 실소했다. 앙리 유이가 아담을 컨트롤하기 위해서 박아둔 쐐기는 그가 신적인 힘을 얻고 난 뒤에도 여전히 작동하고 있었다. 유아기 시절의 상처가 평생을 지배하는 것과 같다.

이거라면 앙리 유이가 내심 자신만만해하며 뭔가 해보려고 한 것도 이해가 간다. 신적인 존재에게 집착을 심어두다니.

'앙리 유이가 들어왔으면 정말 자신이 원하는 대로 이 힘을 거머쥐었을지도 모른다.'

그리 생각하니 평상시 냉담한 실베스테르조차 등골이 오싹해졌다. 하지만 그는 알몸으로, 아무 마법도 힘도 없는 지금 이 상황에서도 의연하게 말했다.

"어리석은 놈이군. 이런 환술을 쓸 때는 내가 뭐라 하든 반응하지 않는 게 원칙이다. 앙리 유이가 그런 것도 가르쳐 주지 않았나?"

"아니, 너에게 경의를 표한다고 해두지. 인간이 아니면서 그 어떤 인간보다 더 인간을 사랑하는 마인."

"내가 사랑하는 건 인간 안의 순수다. 그 안의 순수를 사랑하는 것과 인간을 사랑하는 것은 별 차이가 없는 것 같으면서도 많은 차이가 있지. 그러니 그런 찬사는 내게 맞지 않아."

실베스테르는 그리 말하며 손을 들어 손가락 끝에 의식을 집중시켰다.

은빛이 손가락 끝으로부터 그의 몸 전신을 향해 살며시 맥동한다. 이것이 환술인지 뭔지는 모르지만 실베스테르는 순식간에 자신의 제어권을, 자신의 정보를 이 환술 안에 투영하는 데 성공했다.

이로 인해서 그는 아담카드몬 아낙스가 무슨 수를 쓰더라도 방어할 수단이 생겼다. 즉 이번 대화를 통해서 아담카드몬 아낙스의 마음 안에 실베스테르에 대한 부채 의식이 생겼다는 뜻이다.

말싸움에서 실베스테르가 아담카드몬 아낙스를 이기고 있다.

"나는 당신들이, 그대와 한세건이 왜 나를 거부하는지 잘 알고 있어. 당신들은 둘 다 자신에게 주어지는 쾌락을 거부하지. 남이 주는 당연한 승리나 혜택은 의심하고 오로지 스스로 투쟁해서 얻는 것만을 믿는다. 불쌍하게도 강대한 뱀파이어들과 싸우는 약자로서 철저히 PTSD에 시달리고 있는 셈이지. 너희의 감정과 정서는 뱀파이어들에게 지배당하고 있는 것이다. 뱀파이어를 미워하고 증오한다면서 그 행동이 너희를 뱀파이어에 속박하고 있는 거지. 지금 이것도 그래. 내가 뱀파이어를 없애는 것 외에, 너희의 방식으로 과연 언제 뱀파이어를 근절하지?"

"근절……?"

"설마 근절할 생각도 없이 단지 쾌락을 위해 뱀파이어와 싸우는 건 아니겠지? 폭력을 휘두를 대상이 필요해서 좀비를 만들고 총알을 박아 넣는 많은 서브 컬처 창작자와 향유자처럼… 뱀파이어의 존재와 싸우고 싶어서 그들의 멸종을 막고 그 싸움에 증오라는 양념을 더해서 좀 더 즐기는 게 아닌가?"

아담카드몬 아낙스는 실베스테르와 한세건을 동시에 비난했다.

"너희가 뱀파이어를 근절시키지 않는다면 그것에 대해 가지는 감정, 증오는 결국 폭력중독자의 변명에 불과하다. 근절시켜서 세상을 구하고 너희의 순수를 증명해라."

"……."

즐겨 쓰던 말버릇을 표절당한 실베스테르가 꿀 먹은 벙어리가 되었다.

"증명하지 않으면 어떻게 되지?"

"지금의 나는 그대들을 이렇게 분단시키고, 상대하지 않을 권리가 있다. 이대로 아인소프 오올을 발할 시간을 벌면 내 승리다. 자, 나를 긍정하라고는 하지 않겠다. 내가 너를 내 무대에 올릴 이유를 만들어다오."

아담카드몬 아낙스는 실베스테르에게 자신을 설득할 것을 요구했다.

민스크의 버려진 아파트 폐허들. 그 녹슨 급수탑 위에서 서현은 아담카드몬 아낙스를 맞이하고 있었다.

"인간을 모조리 되살릴 수 있고… 덤으로 나나 서린이나 라이칸스로프 여단에게도 인간의 운명을 줄 수 있다, 그 뜻인가?"

아담카드몬 아낙스가 제시한 새로운 세계, 아인소프 오올로 재창세를 한다는 계획을 들은 서현은 실소했다.

서현은 릴리쓰의 자식으로 태어나 자신의 삶을 선택할 수 없었다. 인간이 되어 평범한 삶을 살고 싶지 않았냐고 하면 거짓말이겠지.

하지만 인간의 삶을 또 마냥 동경할 수는 없다. 그는 폭력의 세계를 살아왔고 그 폭력이 무력한 인간을 얼마나 쉽게 유린하는지 잘 알고 있었기 때문이었다.

서현은 인간의 삶이 마냥 아름답고 깔끔하지 않다는 걸 잘 안다. 선진국이나 문명국, 치안이 안정된 개발도상국에서도 살기 팍팍해서 자살자가 속출하는데 제3세계나 분쟁 지역에서 태어난 사람들은 어떤가?

물론 이건 서현이 정상적인 라이칸스로프가 아니기 때문에 그렇게 생각하는 것일 수도 있다. 인간의 자식으로 태어나 만월에 각성해 버려 자기 가족을 직접 잡아먹은 이들이라면 그 끔찍한 과오를 보상하기 위해서 전 세계를 불태우는 짓이라도 할 수 있겠지.

그러나 서현은 거부했다.

"내 대답은 알고 있겠지?"

"그렇다. 물론 그대는 거절하겠지."

"잘 알고 있군."

"생명을 가진 자들이 자신들의 연속성에 어떤 의미를 부여하는지 잘 알고 있으니까. 인간은 15일만 지나면 모든 세포가 죽고 새로운 세포로 교체되지만… 그럼에도 불구하고 그들은 자신이 연속성을 가진 존재라고 믿는다. 그렇지 않으면 견딜 수가 없겠지."

"보통 그렇게까지 생각하며 살아가는 자는 없지. 자신의 정체성, 자아의 연속성을 의심하는 자는 십중팔구 광인이다. 단지 이 순간, 주어진 정보만으로 살아가지 않는 한 네가 제안하는 것은 받아들일 수 없는 일이다."

서현은 아담카드몬 아낙스의 제안의 허점을 지적했다.

광인이 아니고서야 아담카드몬 아낙스의 제안이 제대로 되었다고 생각하기 힘들다.

"만약 당신들이 정말 뱀파이어와 라이칸스로프의 숙명에 절망하고 있었다면, 그게 아니더라도 이번 사건으로 죽은 수천만, 아니, 억 단위의 인민들의 목숨을 가엽게 여겼다면……."

아담카드몬의 목소리는 음습하게도 양심을 자극한다.

"이성적으로 이게 어리석다는 걸 알면서도 기꺼이 미치는 길을 택하지 않았겠는가? 결국 그대들은 미칠 정도로 갈구하지 않았어. 불광불급(不狂不及)이라 했지? 미칠 정도로 갈구하지 않으면서 지금까지 잘도 폭력을 휘둘러 왔군."

"말이야 바로 해야지. 살인을 한 건 너와 앙리 유이다. 그런 살인자들이 자신들이 저지른 과오를 돌이킬 수 있다고 하는 말을 곧이곧대로 믿어야 할 이유가 있나?"

"그러나 내 말이 진실이라는 건 이미 알고 있을 텐데?"

"네가 진실로 미쳐서 그렇게 생각하고 있다는 건 알고 있지. 설령 진실이라 해도 네가 들이미는 것은 미치광이의 논리다. 물론 넌 그걸 알고서 들이미는 거겠지. 너의 손만을 더럽히기 위해서……."

아담카드몬 아낙스는 애초에 누구도 자신을 긍정해 주길 원하지 않는다.

그가 들이미는 논리가 미쳐 있다는 걸 누구보다도 잘 아는 게 바로 본인.

그가 원하는 건 다른 이들이 자신의 유혹을 거절했다는 사실이다.

"…잘 알고 있군. 그래, 나는 너희의 인정을 원하지 않는다. 너희는 날 인정해선 안 된다. 절대로. 더럽혀야 할 것은 내 손뿐, 너희는 나를 부정함으로써 내가 손을 더럽혀 만들어낸 세계를 진정으로 누릴 수 있게 될 것이니… 너희는 나를 부정해야 한다."

애초에 맨해튼 섬으로 오라고 해놓고 반격한 것이나…….

이렇게 되도 않는 설득을 하는 것은 명백했다.

아담카드몬 아낙스는 부인받고 싶어 한다. 이 어둠의 세계 속 구성원들의 적개심을 무릅쓰고 그것을 무력으로 뒤집음으로써 그는 자신만 손을 더럽히고 억지로 이 세계를 구원하려 하는 것이다.

오만불손한 광기의 메시아!

이건 지나친 오만이다.

그러나 그럼에도 불구하고 한 가지, 그의 예측에 올라타 줄 수밖에 없는 게 있다.

서현으로서는 지금 이 잘난 척하는 메시아를 부정하고 싶어서 견딜 수 없다.

"닭이 울기 전에 세 번, 아니, 삼백 번은 죽여주지. 난 베드로처럼 말랑말랑한 성격은 아니야. 널 부정하고 아작을 내주겠다. 그러니 날 너와 같은 무대에 올려. 난 비록 내가 죄인이라는 걸 잘 알고 있지만 떠먹여 주는 구원은 사양이다. 널 두들겨 패고 내 스스로 납득이 가는 방식으로 자학도 하고 고통도 받으면서 살아갈 생각이다. 설마 이런 식으로 끝내려고 날 부른 건 아니겠지?"

서현은 그리 답했다.

실베스테르는 이렇게 답했다.

"정말 분단시키고 분리시키려 했다면 나에게 이렇게 물으러 올 이유도 없겠지. 한심한 갈보구나. 스스로 선택하지 않은 사랑을 품고 파멸할 운명이라니."

"흠?"

"난 삼백 년의 시간을 그냥 산 게 아니다. 어떤 의미에서는 다른 뱀파이어들보다 훨씬 충실한 삶이었지. 왜냐면 뱀파이어들보다 더한 결격품이었으며 그런 주제에 이 월야를 질주하는 대부분의 놈들과 달리 진짜 신자니까."

"……."

"결격품으로서 신앙을 가진다는 게 무슨 의미인지 알고 있느냐? 이 우주에 절대적 진리가 있고 그 진리가 나를 미워할 거라는 걸 확신한다는 뜻이다. 이것이 나를 지탱하는 확신이야. 그 반면 너는 너의 삶, 너의 존재에 확신을 가지지 못하고 있다. 애초에 앙리 유이가 널 컨트롤하기 위해서 그렇게 만든 것도 있고 앙리 유이의, 지성에 비해 부족한 지혜가 만들어낸 재앙이기도 하지. 그래서 너에게 격렬하게 저항하는 자들을 통해서 너를 확인하고 싶은 거겠지. 가장 강한 적은 바로 자아를 규정지어 줄 테니까. 내가 무엇에 분노하고 무엇에 적개심을 품는지 그것을 통해서 자신을 확인하려 하는 것이다. 훌륭한 어린애로군."

"놀랍군……."

아담카드몬 아낙스는 정곡을 찌르는 실베스테르의 말에 감탄했다.

"마법으로 만들어진 괴물이라기엔 너무 인간적이지 않은가?"

"삼백 년을 허송세월하지 않았다는 뜻이지. 그리고… 이해가 곧 사랑을 말하지는 않아. 애석하게도 신에 비하면 나는 불완전하니 내가 너를 이해함으로써 너에 대한 적개심과 증오는 더더욱 커지는군."

"……."

"그리고 너는 나의 적개심과 증오가 필요하지. 미움받지 않으면 규정할 수 없을 만큼 공허한 존재니까. 넌 결국 이러니저러니 해도 아인소프 오올을 발동할 테지만 나를 무대에 올려놓지 않고서는 견딜 수가 없을 거다. 널 적극적으로 미워해 줄 상대 중 나는 손에 꼽을 만한 인물일 테니까."

"……."

"이 미친 달이 지기 전에 널 부정해 주마. 날 상대해라, 아담카드몬 아낙스."

"하하하… 멋지군. 오늘 밤 나는 뱀파이어 군주들을 위해서, 진마들을 위해서 자리를 마련했지만 좋아, 이 자리 중 하나는 당신 것이다. 한세건과 서현, 그리고 당신 정도가 적합하겠군."

아담카드몬 아낙스는 실베스테르의 지적을 긍정했다.

구원을 거부하는 구도자 한세건.

구세주를 부정하는 비인외도의 성직자 실베스테르.

그리고 스스로를 구원하려 하는 죄인 서현이 한 시공간 위에 섰다.

시공이 쪼개어져 분리되어 있던 이들이 갑자기 한자리에 모이게 되자… 막 아담카드몬 아낙스의 그림자를 쫓아 싸우던 한세건은 깜짝 놀랐다.

탕!

너무 흥분해 있어서일까, 아니면 설령 진짜 서현이라도 쏴버리고 싶었던 걸까?

한세건은 갑자기 눈앞에 나타난 서현을 보자마자 글록 18로 머리를 갈겼다.

물론 서현은 그런 한세건을 보지도 않고 인디언 직물로 총탄을 받아냈다.

"진짜로군. 막아내는 걸 보니."

"아니. 아담카드몬 아낙스도 이건 할 수 있을걸. 아, 제발 좀……."

서현은 자신의 직물을 투과해 들어오는 혼팅의 저주에 기겁하면서 직물을 패대기쳤다.

"이런 사면발니(음모에 기생하는 이의 일종) 같은 거 좀 옮기지 좀 마! 이 성병 환자야!"

"걸려봤나 봐? 잘 아네?"

한세건은 짜증 내는 서현에게 빈정거렸다.

"사람 대가리에 총을 쏘고 지금 그게 말이라고 하냐?"

"그나저나 네놈에겐 잘 통하는데 왜 저 자식에게는……."

한세건은 투덜거리며 탐랑의 힘을 확인해 보았다.

"충분히 통하는 거지, 뭐. 애초에 총을 쏠 수도 없었던 것에 비하면야……."

"그럼 너랑 실베스테르는 어떻게?"

한세건은 그 점을 궁금해했다. 그가 얻은 탐랑은 결국 가지고 있던 VT인자의 저주를 더욱 증폭시키고 의념화한 것이다. 누군 그런 위험한 도박을 하면서까지 왔는데 다른 이들이 손쉽게 무임승차하는 걸 보면 자신의 행동에 회의를 느낄 법도 하다.

"저 녀석이 메시아병에 걸려서 무대를 갖추고 싶어 하기 때문이지. 다행히 12사도 대신 세 명 정도로 만족할 모양이야."

서현이 그리 대답했다.

역시 그 자리에 있던 실베스테르도 자신의 신부복이 멀쩡한 것을 확인하고 은색 세이버, 아르젠트 하르페시언을 고쳐 잡았다.

"저 녀석이 저지르고자 하는 것은 어지간한 자의식 없이는 저지를 수 없는 오만한 짓이니… 그 자의식에 걸맞게 그는 자신을 부정해 줄 적이 필요한 것이다. 안타고니스트가 없이 프로타고니스트만이 존재할 수 없듯, 좋은 무대가 되려면 좋은 적이 필요한 법이지. 그렇다고 해도 네가 한 짓은 헛되지 않았다. 한세건 네가 달라붙어서 물어뜯은 덕분에 우리가 안타고니스트로 인정받은 것이지."

실베스테르가 그리 말하자 듣고 있던 한니발이 깜짝 놀랐다.

"잠깐? 당신들 셋만?"

그 순간 한세건과 서현, 실베스테르가 굳었다.

"……."

"…어."

"아마도?"

서현이 어깨를 으쓱해 보이자 한니발이 짜증을 냈다.

"젠장, 이 자식이… 몸값도 비싼 베오울프 사장님인 내가 직접 뛰는데 대접이 너무 박한데?"

"진짜 싫어하나 보지 뭐."

서현은 왜 아담카드몬이 한니발을 싫어하는지 알 것 같았다. 뱀파이어와 라이칸스로프를 없애고, 이 세상을 인간의 것으로 만드는 것을 구원이라 주장하려면 인간들만의 세계가 매력적이라는 증거가 있어야 한다.

한니발은 워낙 개자식이며 그러면서도 순수한 인간이다. 게다가 이 녀석이 가지고 있는 고유 능력은 아담카드몬 아낙스가 그리는 미래를 정면으로 반박하는 것이나 다름없다.

"그러고 보니 이 친구가 있었군. 야, 전범. 네 친구지?"

"아니거든? 절대 아니거든?"

"부정을 두 번 하면 강한 긍정이라더라?"

서현과 한세건이 티격태격하는 사이 실베스테르는 안도의 한숨을 내쉬었다.

"처음엔 어떻게 될까 고민했는데 이 귀한 자리에 내가 있어서 다행이로군. 인간이 아니라서 서류 면접에서 탈락시킬까 봐 걱정했거든."

"당신이요? 농담도 잘하시는군요."

한세건은 실베스테르가 떨어질까 봐 조마조마했다는 사실에 쓴웃음을 지었다. 아담카드몬 아낙스는 실베스테르를 아라한인 한니발보다 더 높이 평가하고 있었다.

"자… 그럼 협의를 끝내셨나?"

한세건과 서현, 실베스테르가 다시 모여서 어찌 된 일인지 상황에 대한 분석 결과를 나누는 동안 잠자코 있던 아담카드몬 아낙스가 다시 모습을 드러내었다.

그는 정장 차림에 손에 찻잔을 들고 허공에 내밀었다. 그러자 허공에서 주전자가 나타나 기울어지며 따끈한 붉은 홍차를 부었다.

"……."

"이때다. 쏴버려."

서현이 한세건에게 총질을 종용했다.

하지만 한세건은 잠자코 그를 바라보았다.

"무슨 속셈이지?"

"사실 지금 힘을 좀 써서 당신들을 시공의 균열에 감금해 둘 수도 있지만 그렇게 힘을 쓰면 도저히 아인소프 오올의 진도가 안 나가더군. 마치 느린 컴퓨터로 대규모 코드를 빌드업하는 느낌이랄까. 여기서 쓸데없이 자원을 낭비하는 것도 그렇고… 이 달이 지기 전에 결판을 내고 싶군."

"그 전에 나는……."

한니발이 말을 걸었지만 아담카드몬 아낙스는 한니발을 의도적으로 무시했다.

"뱀파이어들은 내 이상의 아인소프 오올에 정말 호응해 버릴 수가 있어. 그러니 너희를 내 안타고니스트로 결정했다. 자…날 부정함으로써 날 완성시켜라."

"이 새끼가 사람이 말하면……."

한니발이 짜증을 냈지만 그때 서현이 한니발에게 다가와 그의 허리띠를 잡았다.

"뭐, 어쩔 수 없지. 방패로 써주지."

"이런… 썅."

한니발은 짜증을 내면서도 서현의 뜻에 응했다.

"그럼 시작해 볼까?"

한세건은 양손을 교차시켰다가 펼쳤다.

검은 장막이 한세건의 손 앞에서 울부짖는데 그것을 향해 실베스테르가 은사를 뿌렸다.

혼팅의 장막을 꿰뚫고 나가는 은사가 검은 광택을 발하며 마치 갈라지는 번개처럼 허공을 지그재그로 그으며 날아든다.

아담카드몬 아낙스는 몸을 뒤로 날려서 그 공격을 피하며 등 뒤를 향해 핑거 스냅을 딱 소리 나게 쳤다.

부우웅…….

아담카드몬 아낙스의 등 뒤 공간이 갈라지며 프로이센 군복을 입은 무수한 병사들이 일렬로 도열해 소총을 겨누고 있는 게 보였다. 옛 시공간을 열어 전쟁의 한 장면을 불러낸 것이다!

투투투투…….

비록 구형 흑색화약으로 발사하는 드라이제 소총이라고 하지만 저 많은 병력이 일제사격을 하면 그 위력은 어마어마하다.

하지만 서현이 나서서 총탄을 막아냈다.

딱!

아담카드몬 아낙스의 손이 튕겨지자 이번엔 그들의 머리 위로 어느 시대인지도 알지 못할 붉은 하늘이 열렸다.

기괴한 생물들, 하지만 사안의 마수와 비슷한 이형의 마수가 그들을 노려본다.

"아이템! 장비 효과 발동해!"

"야, 이 개새꺄!"

한니발이 욕을 내뱉으면서도 금강계를 펼쳐 머리 위에서 쏟아지는 주술 공격을 막아내었다.

第37夜

최종화:광월야

1

한세건은 자신이 망가진 존재라는 걸 부인할 생각이 없다. 그는 망가졌고 그 상처를 회복하는 모든 수단을 스스로 거부했다.

대신 그는 뱀파이어들에게 재앙이 되고자 했다. 선한 뱀파이어든 악한 뱀파이어든, 단지 뱀파이어이기만 하면 치러야 할 비용으로서 존재하고 싶다. 살아 숨 쉬는 인간이 아니라 어떤 관념이나 재앙이 되고 싶어 했다.

여기에 가치판단이 끼어서는 안 된다. 그러면 십중팔구 상황과 여건에 휩쓸려 이 분노가 풍화되고… 개념이나 재앙으로서가 아니라 인간 한세건이 될 테니까.

하지만 지금 그는 뱀파이어를 멸종시키겠노라 단언한 자와 대치하고 있었다.

"내가 너무 이 세상을 얕잡아 봤군."

아담카드몬 아낙스, 그의 존재가 한세건을 강제로 인간으로 끌어내렸다.

신에 가까운 존재, 신이나 다름없는 존재가 뱀파이어와 라이칸스로프를 죽이고 모든 이의 운명을 농락하겠다고 선언하는 것이 참을 수 없었기 때문이었다.

"결국에는 다시 인간인가."

한세건은 길게 한숨을 내쉬었다. 뜨겁고 습한 열기가 한숨을 사로잡고 폐부로 기어든다. 덥고 사나운 열기를 내뿜는 두 개의 세력이 한세건을 에워싸고 있었다.

곤봉에 흑요석 날을 끼운 무기, '마쿠아후이틀'을 들고 재규어 가죽을 뒤집어쓴 재규어 전사들과 머스킷 총으로 무장한 콩키스타도르들이 대치하는 전선. 그 한복판에 갑자기 나타난 한세건은 쌍방 모두의 주목을 끌었다.

복장의 시대가 다르다. 게다가 갑자기 나타났으니 놀랍기도 하겠지. 무엇보다도 현재 염료로 물들인 한세건의 머리칼은 정상적인 인간에게서 나올 수 없는 색이다.

하지만 저들은 전혀 동요하지 않는다. 콩키스타도르는 머스킷을 겨누고 재규어 전사들은 마쿠아후이틀을 휘두르며 돌진해 온다.

그 한복판에서 한세건은 길게 탄식했다.

"정말 미쳐 돌아가시겠군."

양손에 글록 18을 쥐고 제자리에서 몸을 빙글 돌린다. 마치 힘이 다해 쓰러지는 팽이처럼 빙글 돌면서 지면에 몸을 붙이는 순간 한세건의 손에서 두 정의 권총이 일제히 불을 뿜었다.

검은 가시나무 같은 저주가 납탄에 매달린 채로 공중을 유영하며 탄을 비튼다.

흑색 저주의 번개가 콩키스타도르들을 습격해 순식간에 그들을 찢어발겼다. 강철 흉갑을 몸에 두른 콩키스타도르들은 현대 화기의 위력 앞에, 그리고 검은 저주의 번개 앞에 무력했다. 그야말로 무시무시한 무력시위였다.

게다가 방금 전 몸을 젖혔던 한세건은 죽었다 살아나는 팽이처럼 원심력을 이용해 다시 몸을 일으켰다.

이런 모습을 보고도 저 재규어 전사들은 한세건에게 덤벼든다.

'확실히 인간이 아니군.'

옛 아메리카 원주민들의 용맹무쌍함을 폄하할 생각은 없지만 이런 맹위를 의도적으로 보여주었는데도 한 치의 주저도 없이 덤벼들다니.

아담카드몬 아낙스의 의지가 느껴진다.

저들은 결국 아담카드몬 아낙스의 하수인인가?

"이건 또……."

한세건 입장에서 보면 이들은 그야말로 알몸이나 다름없다. 비록 9㎜ 핸드 건이긴 하지만 한세건의 손에 들린 것은 저들에겐 학살 기구나 다름없다.

그 앞으로 알몸으로 덤벼들다니. 콩키스타도르들은 하다못해 머스킷이라도 들고 있었지, 이들은 진짜 진심으로 상대할 마음도 나지 않는다.

"설마 지금 나보고 학살자가 되어보라는 건가?"

한세건은 짜증을 내며 아담카드몬 아낙스를 쫓았다. 시공을 아무리 뒤틀어도 한세건의 안에 있는 탐랑은 정말 귀신같이 아담카드몬 아낙스를 찾아낸다.

그러나 아담카드몬 아낙스는 얇은 공간의 벽 너머로 이동해 재규어 전사와 콩키스타도르, 그들을 지나지 않으면 접근할 수 없는 위치에 섰다.

"뭔가 오해하는 것 같은데 지금 이건 내 본의가 아니다."

"그럼 뭐지? 아까 전에 핑거 스냅을 하는 걸 보았다. 그게 본의가 아니라 우연히 튀어나온 행동이라면 넌 틱 장애라도 앓고 있나 보군. 자신의 몸이 때때로 막 제어가 안 되나?"

한세건은 아담카드몬 아낙스를 두고 빈정거렸다.

"아니, 이건 그냥… 손에 너무 많은 걸 들고 있다가 누가 덤비니까 손에 들고 있던 짐을 흘리는 격이라고 해야 할까? 핑거 스냅을 할 때 나는 너희의 폭력을 상쇄시키고 내가 원하는 일을 벌이려 했을 뿐이었는데 아인소프 오올로 심력을 많이 소모하고 있으니 능력이 통제가 되지 않는군. 이건 내가 흘린 힘과 정보의 일부일 뿐, 진실로 내가 원하는 것이 아니라는 걸 알아주면 좋겠다."

아담카드몬 아낙스는 아마도 아인소프 오올을 준비하는 데 역량 대부분을 소진하고 있을 것이다.

'그럼 능력을 의도적으로 발생시킨 게 아니라 흘리다시피 한

게 이런 것이란 말인가? 정말 신이나 다름없군.'

한세건이 그리 생각하고 총을 쏘려는 찰나에 한세건과 재규어 전사들 사이로 한 청년이 끼어들었다.

"괜찮아?! 뭘 멍하니 서 있어?"

"아니, 아담카드몬 아낙스와 대화하고 있었는데. 그렇군, 너에겐 안 보이나, 전범?"

한세건이 아담카드몬과 대화하면서 시간을 끌었기 때문일까? 대신 끼어든 서현이 구르카 나이프를 빼 들고 휘둘러 마쿠아후이틀을 부숴 버리고 재규어 전사를 토막 냈다.

선명한 피 냄새, 담즙과 위액의 냄새가 코를 찌른다. 비릿한 열대우림의 냄새가 함께한다. 이 모든 게 현실과 다를 게 없다.

당연하다. 지금 이 순간 저것들은 실재하고 있으니까.

그런데 저 '실재하는 목숨'이 아담카드몬 아낙스의 입장에서는 깜짝 놀라서 흘린 것 정도에 불과하단 말인가?

"대화하고 있었다고? 나한텐 그냥 서 있는 걸로 보였어!"

서현은 그리 말하며 구르카 나이프를 휘둘러 재차 덤벼드는 재규어 전사들을 토막 내고 눈을 빛냈다. 맹수의 눈. 고위 라이칸스로프가 야수들이나 특정 인간을 위협할 때 쓰는 위협 기술이다.

재규어 전사들은 갑자기 폭발적인 살기를 내뿜는 서현을 보며 놀라서 물러났다.

"이러니까 또 진짜 인간 같군."

서현이 쓴웃음을 지었다.

그때 그들의 머리 위로 새하얀 은색 강선이 쏟아져 그들의 목을 휘감았다.

투확!

그리고 목이 잘려 나간다. 제대로 잘리지 않은 목으로부터 피가 특정 방향으로 뿜어지는 모습, 목이 잘린 몸이 왈츠라도 추듯 제자리에서 빙글 도는 모습은 끔찍하기 이를 데 없었다.

그런 피의 축제 너머로 은발의 신부가 모습을 드러내었다.

"아무래도 이 작자는 우리를 진지하게 상대할 생각이 없는 것 같군."

실베스테르는 쓴웃음을 지으며 권총을 들어 보였다.

"공룡시대라니, 아주 재미있었어. 마이클 크라이튼과 스필버그의 영화 같지는 않군."

그 순간 서현의 표정이 일그러졌다.

실베스테르는 지금 대체 무슨 소리를 하고 있는 건가? 공룡시대라니?

"신부… 원래 그런 거 좋아하는 거 잘 알고 있었지만 충격인데. '여름방학을 맞이해 공룡시대로 떠나자, 어린이 친구들~'도 아니고. 난 지금 프로이센과 오스트리아 전쟁인 것 같아. 드라이제 후장식 소총이라니."

서현이 자신이 처한 상황에 대해서 설명했다. 역시 이것도 한세건이 보는 것과는 다르다.

한세건은 어깨를 으쓱해 보였다.

"나는 마야나 아즈텍 문명 같은데."

아무래도 그들이 보는 건 다 다른 것 같다.

한세건은 아담카드몬 아낙스가 말한 '흘렸다'는 의미를 좀 이해할 수 있을 것 같았다.

"그렇군. 이건 승산이 있어."

아담카드몬 아낙스는 무한의 힘을 가지고 있는 존재다. 그러나 아인소프 오올을 그냥 기계적으로 정보 송출로 쓰는 게 아니라 어떤 의도를 가지고 가공하는 작업은 그에게도 부담스럽다.

"야, 아이템. 이 공간을 깰 수 있겠어?"

서현은 자신의 뒤를 따라 접근해 오는 한니발에게 그렇게 물어보았다.

"아이템에게 물어보는 넌 무슨 저능아냐?"

한니발은 투덜거리며 고개를 까딱였다.

"이 공간은 좀 힘들어. 내 금강계보다 넓게 퍼져 있는 특수 능력은 중화시키기 힘들거든. 게다가⋯ 아담카드몬 아낙스는 정말 이상한 방식을 좋아하는군."

"응? 무슨 의미야?"

서현이 의아해할 때였다.

"내가 그대들에게 아인소프 오올의 권리를 양도했다는 뜻이다."

놀랍게도 대답한 것은 아담카드몬 아낙스였다.

"뭣?"

"무슨 뜻이지?"

한세건이 눈살을 찌푸렸다.

"너희가 원하는 세계를 만들 권리를 주었다는 뜻이지. 이 아인소프 오올의 정보 속에서 너희가 원하는 세계를 만들고 정보를 가공해라. 그럼 그대로 이뤄질 테니."

"……."

모두 꿀 먹은 벙어리가 되었다. 설마 이런 방식으로 나올 줄은 꿈도 꾸지 못했다.

한세건도, 서현도, 실베스테르도, 아담카드몬의 방식을 거부하기 위해 이 자리에 서 있다. 그런데 그것을 아담카드몬 아낙스는 아주 간단한 방법으로 논파해 버렸다. 그 칼자루를 바로 자신을 부정하는 이들에게 쥐여준 것이다.

그러니 이제 상황이 뒤바뀌었다.

"…거봐, 특이하지?"

한니발이 쓴웃음을 지었다.

정의에 목마른 젊은 혁명가가 있다. 식민 지배를 당하는 조국을 구하기 위해, 정의를 실현하고 억압받는 민중을 대표하기 위해 고문에도 굴하지 않는 정의로운 자.

그러나 정작 조국이 해방되고 그의 활동을 통해 그를 믿는 사람들, 지지하는 자들이 그에게 권력을 쥐여주면 놀라운 일이 벌어진다. 그런 이들의 대다수가 독재자가 되어버리는 것이다.

실제로 서구 열강의 침탈을 받았던 아프리카 각국에서 벌어지는 일이다. 강대한 적의 폭력과 강압은 오히려 쉽게 정의를 이루게 해준다. 저 외압과 폭력에 굴종하지만 않으면 그것이 바로 정의로운 일이 된다. 평화로운 시기라면 그저 개인의 영달과 쾌락을 좇았을 사람이 강대한 억압과 적의에 대항해 일어나 영웅이 된다. 적이 그를 완전하게 해주는 것이다. 안타고니스트가 존재함으로써 프로타고니스트는 어둠을 가르고 지나간다. 적이란 등대가 망망대해를 밝히는 빛이니…….

그러나 일단 적이 사라지게 되면 이제 그는 고독해진다. 오직 자신만이 자신의 욕망과 싸워야 한다.

무적자의 고독. 그 안에서 파멸하지 않기란 어찌나 어려운 일인지.

눈앞에서 점점 맞춰져 가는 루빅스 큐브처럼… 찢어져 있던 시공간이 착착 맞춰지기 시작한다.

천장에 뚫려 있던 거대한 무저갱 속으로 인류의 시작부터의 역사가 차례차례 조립되어 맞춰져 들어가고 그때마다 시공은 안정화되어 간다.

플라자 호텔의 시공 균열이 점차 안정되어 가는 모습을 바라보며 한세건과 서현, 실베스테르는 전율에 몸을 떨고 있었다.

"미친……."

"지금 뭐라고?!"

"아인소프 오울을 우리에게 떠넘겼단 말인가?"

아담카드몬 아낙스는 한세건과 서현, 실베스테르를 자신의 적으로 인정했다.

진정한 적은 바로 자신을 규정해 준다.

그걸 입으로 말할 수 있는 이는 있으나 실천하는 사람은 드물다. 왜냐면 누가 누군가를 적대할 때 그 마음은 짝사랑이 되기 쉽기 때문이다.

'내가 이토록 격렬히 그를 증오하나 그는 나의 존재조차 몰랐다.'

이런 건 매우 흔한 일이다. 한세건과 서현, 실베스테르가 아담카드몬 아낙스에게 가지는 감정이 바로 그러했다. 그들은 아담카드몬 아낙스에게 압도당하고 있었으나 절대로 그를 주목하지 않았다.

그것은 아낙스의 그늘이며 그 배후에는 앙리 유이의 추잡스러운 야욕이 있다. 아담카드몬 아낙스를 직접 보는 게 아니라 언제나 그 뒤의 다른 것을 보았다.

이래서야 싸움이 되지 않는다.

아담카드몬 아낙스가 신에 가까운 힘으로 그들 셋을 죽인다 해도, 죽고 죽이고 또 죽이며 강간하고 고문하고 학대한다 하더라도… 절대로 싸움이 될 수 없다.

'그런 식이면 곤란하지. 너희는 나를 규정하는 적이 되어주어야 하는데 내가 너희를 규정하는 적이 될 수 없다니, 불공평하지 않은가?'

그래서 아담카드몬 아낙스는 그들에게 무적자의 고독을 선물했다.

자신의 모든 무장을 내려놓고 적대 행동을 중지한 것이다.

"너희들에게 그 어떤 목마름도 해갈할 수 있는 힘을 주마. 무슨 소원이든 이룰 수 있는 힘을, 권리를 주마. 그것은 이 세상의 인과조차 바꾸고, 문명도 바꾸고 역사조차 바꿀 힘이다. 세계를 너희들의 뜻대로 재창세하라!"

아담카드몬 아낙스는 그 아름다운 금색 눈으로 온후한 미소를 지어 보였다.

아이러니하게도 그 순간 아담카드몬 아낙스는······.

진정으로 한세건의 적이 되었다.

진정으로 서현이 증오하는 대상이 되었다.

그리고 실베스테르의 300년 인생에서 가장 의미 있는 강적이 되었다.

"뱀파이어와 라이칸스로프를 없애고 그들의 해악이 없는 인과율의 세계를 만들어라. 그렇다면 한세건 너의 가족도 죽지 않았을 테고 너는 지금쯤 평범하게 진학해서 보통 인간의 삶을 살아가고 있겠지."

"······."

"서현, 너는 어때? 네가 원하는 대로 릴리쓰도 아니며 그렇다고 분쟁이 빈번한 제3세계도 아닌 곳에서, 그래, 이 뉴욕에서 살아가는 건 어떤가? 주변부의 인간으로서 문명을 욕망하는 게 아니라 문명의 총아로서 삶을 누리고 살아가는 것이다. 그 어떤 초능력보다, 괴력보다 더한 행복을 얻게 되겠지."

"······."

"그리고 너, 흡혈귀의 눈물에서 태어난 마인이여. 네가 입고 있는 신의 사랑으로도 구할 수 없던 너 자신을 구원해라. 정명한 존재로서 그 영혼이 신의 소산임을 보증받고 세세토록 번성

할지어다."

"……."

"물론 세계의 창조주가 평범한 인간일 필요는 없지. 아름답고 강한 힘과 불로장생의 힘을 가지고 다시 태어나는 것도 좋겠지. 뱀파이어와 라이칸스로프, 릴리쓰의 소산을 인정하지는 않겠지만 그대들만이 초능력을 가지는 것은 어떨까? 욕망하는 것을 모조리 이룰 수 있는 힘을 가지고 그대들을 긍정하는 인과율의 세계로 전생하는 것이다!"

아담카드몬 아낙스는 말한다.

품고 있으면 반드시 이뤄지는 소원. 이건 그 어떤 독보다 더 치명적이다. 육신의 독은 기껏해야 육신의 죽음만을 부른다. 그러나 충동과 욕망조차 무분별하게 이루는 소원은 그들의 영혼을 죽인다. 길 잃은 자신들의 욕망이 그들의 영혼을 죽이고 그들이 과거 지키고자 노력한 가치를 쓰레기로 만든다.

물론 한세건은 거부했다.

"개자식! 웃기지 마! 싸워! 너를 지키지도 않고 이딴 식으로 날 능멸하겠다고?!"

탐랑의 힘을 끌어 올려 아담카드몬 아낙스를 노린다.

신조차 멸하는 개념병기, 저주의 힘이며 인간의 운명을 관장하는 북두의 흉성이 흉포한 검은 힘을 휘둘렀다. 검은 저주와 속박의 쇠사슬이 허공을 때린다.

그러나 어느새 그는… 텅 빈 플라자 호텔의 로비에 있었다. 아직 호텔의 팽창한 시공간은 깊은 무저갱을 이루고 있으나 방금 전과는 확연히 다르다.

점점 호텔이 원상 복구 되고 있었다.

"통상 공간으로 돌아오고 있어!"

서현은 경악했다.

정말 오늘 밤으로⋯ 저 거대한 정보 연산이 끝난단 말인가?

"맙소사⋯ 아인소프 오올이 완성될 거야!"

서현은 그것을 느끼고 경악했다. 만약 이대로 아인소프 오올이 완성된다면 그가 원하는 세상이 만들어진다. 만인에게 사랑받고, 존중받으며 문명의 총아로서 행복을 추구할 수 있는 삶. 지금처럼 죄책감을 끌어안고 살아갈 필요도 없다. 죄를 지었다는 사실조차 사라질 테니까. 새로운 세계, 새롭게 조율된 인과율 속에서 그는 아무도 밟지 않은 첫눈처럼 순결하게 반짝일 것이다.

그것이야말로 구원. 감히 이 이상을 상상할 수도 없는 완벽한 구원이다.

하지만 그게 과연 올바른가?

"나는 이런 걸 원하지 않아!"

서현은 고개를 저었다.

물론 말도 안 된다는 걸 알고 있었다. 이 아인소프 오올로 이뤄질 세계는 철저히 그의 욕망을 충족시켜 줄 세계가 될 것이다. 구원받고 싶었던 서현의 열망이 고스란히 충족되어, 아예 죄를 지었다는 과거조차 존재하지 않게 된다.

그걸 서현이 원하지 않았다고?

확신할 수 없다.

어디선가 박수 소리가 들려왔다.

"이 갈망이 충족되고 나면… 우리의 삶은 의미를 잃겠지. 과연. 훌륭하다, 아담카드몬 아낙스."

실베스테르는 박수를 쳤다.

적이지만 너무나도 훌륭하다. 어찌 이렇게나 완벽하게 영혼을 파괴하고 고문할 수 있을까?

"모든 지옥의 악마조차 너의 고문 미학 앞에선 부끄러움에 몸을 떨 것이다. 이것에 비하면 과거 존재했던 무수한 지옥의 모습이란 얼마나 유치한 것인지."

실베스테르는 진심으로 감명받았다.

"인간이 상상한 악마들이 왜 한 인간의 영혼에 그렇게나 막대한 대가를 지불하는지 이해하지 못했었지."

설화에서 악마는 인간의 영혼을 얻기 위해 막대한 대가를 치른다. 부와 영화, 권세와 색욕을 퍼부어준다.

"신부의 옷을 입고 있지만 나는 인간의 영혼이 과연 그런 소원의 기적을 받을 만큼 가치 있다고 믿지 않았어. 지상에 인간은 많은데 한순간이나마 찬란한 빛을 발하는 영혼은 너무나도 적었으니까. 그러나 내가 틀렸군. 악마는 인간의 영혼에 가치가 있기 때문에 소원을 들어주는 게 아니었어."

실베스테르는 그간 자신이 악마라는 존재에 대해서 얼마나 안일하게, 수박 겉핥기로 이해하고 있었는가를 깨닫고 부끄러워했다.

"소원을 들어주는 과정 그 자체가 고문이었다!"

"……!!"

"으윽……."

실베스테르가 깨달은 진리에 서현과 한세건의 표정이 일그러졌다.

"그래, 내가 이 소원을 이룸으로써 모든 인류에게 항구적인 범죄를 저지르게 되며 정작 그걸 기억도 못 하고 영원히 내 인생을 누군가에게 조작당하게 되다니. 초능력을 타고났고 원하는 것은 무엇이든 손에 넣으며 삶을 즐거워하고 간혹 찾아오는 회의나 의문조차 이내 지워 버리고 충실히 욕망을 수확할 수 있는 삶을 살게 되는 게 온전히 나의 책임이라니… 이 무슨 영겁의 고통이란 말인가?"

실베스테르는 무표정으로 박수를 쳤다.

"다시금 찬사를 보낸다, 아담카드몬 아낙스. 내 삼백 년 인생에 그 어떤 흉악한 놈도 너와 같지는 않았다."

그때 굉음이 울려 퍼졌다.

쾅!

묵직한 쇠사슬들이 한세건에게서 풀려 나왔다.

"젠장, 웃기지 마! 난 이런 걸 허락할 수 없어!"

한세건은 탐랑의 힘을 휘둘러 아담카드몬 아낙스를 공격했다. 아담카드몬 아낙스는 기꺼이 그 공격을 받아들였다.

"두려운가? 운명의 신이 너의 편에 서서 영원히 지복을 누리며 만사가 너를 위해 그 육즙이 흐르는 속살을 바치는 것이? 영구적인 번영과 행복을 누리며 행여 운명에 사육당하는 가축 신세로 떨어지는 게 아닐까 두려워하나? 안심해! 이 두려움도 기억나지 않게 될 것이다!"

"닥쳐! 그게 너에게 무슨 의미가 있지?"

"말했잖아! 내가 진실로 원하는 건 나를 규정하는 것이다! 너희가 지금 이렇게나 날 부정하기 위해 애쓰는 그 모습이 보기 좋군! 나는 아담카드몬으로서의 사명을 완수하고 이 세계, 저 멀리에 문명의 씨를 뿌리며 덤으로 너희의 소원을 이뤄주고 영겁의 번영을 누리도록 축복해 주지! 이것이 나를 규정하고 내 존재를 긍정하게 한다! 암! 숭고한 사명이지!"

콰직!

검은 가시가 아담카드몬 아낙스의 몸을 휘감고 날카로운 짐승의 이빨이 그 팔다리를 물어뜯는다. 그러나 아담카드몬 아낙스는 마치 십자가에 매달린 메시아처럼 그 고통을 받아들이고 있었다. 금색 눈동자가 광기로 번득이고 있었다.

"좋아! 바로 그 자세야! 부끄러움에 몸부림치고 거부하는 게 좋아! 이렇게 저항하지 않으면 도저히 자신을 납득할 수 없겠지? 내가 그렇게 좋은 아이라고 생각지도 않았는데 크리스마스 선물에 너무 좋은 게 들어 있으면 어쩐지 미안하고 부끄러운 그런 감정! 충분히 이해하지! 안심해! 즐거움을 위해선 고통이나 슬픔이란 양념 또한 필요한 법이지. 쓰고 맵고 떫은 맛 또한 조미료이니… 이 맛의 깊이는 세상이 너의 욕망으로 이뤄졌다는 사실도 잊게 만들어줄 거다!"

쾅!

분노한 한세건은 아담카드몬 아낙스의 몸을 쇠사슬에 묶어 플라자 호텔의 벽면을 장식한 이태리산 대리석에 내던졌다.

대리석이 깨지며 아담카드몬 아낙스의 몸이 벽에 박혔다. 하지만 아담카드몬 아낙스는 웃는다. 이런 걸 반격하거나 맞지 않는 건 쉽다. 지극히 쉽고도 간단한 일이다.

하지만 이젠 상관없다. 승리는 그의 것이다. 한 인간이 휘두르는 폭력 정도로 이 운명의 격류를 바꿀 수는 없다. 그야말로 당랑거철이다.

"그래, 거부해라! 너희의 입을 적실 이 달콤한 인생을 거부함으로써 너희의 순수를 증명하라! 물론 나는 그런 너희의 진정한 갈망을 알기에… 기꺼이 너희 대신 손을 더럽혀 주지! 너희는 순수한 채로 너희의 욕망을 긍정당할 것이다! 너희가 부정하려 했던 적인 나의 손에 의해서!"

신이자 악마, 위대한 아담카드몬은 환희와 희열에 가득 차 외쳤다.

"막을 수가 없어!"

한세건은 절망했다. 그 어떤 절망적인 상황에서도, 뱀파이어의 질병이 진행되어 인간이 아니게 되었을 때도 이렇게 절망하지 않았었다.

그러나 곧 가장 감미로운 상, 영광과 번영이 약속된다니? 한세건의 투쟁과 삶이 곧 그 의미를 잃고 퇴색하게 된다. 남는 것은 한때 그였던 그림자가 행복과 번영을 누리며 살아가는 것이겠지. 전 인류의 행복을 위해서는 그게 나을지도 모른다.

복수에의 갈망, 폭력에의 추종. 그것이 고통스럽지만 인간의 쾌락 중추를 자극하는 것이라는 건 이견의 여지가 없다.

그럼 한세건은 자신의 쾌락을 충족시키기 위해 뱀파이어와 싸워왔단 말인가? 그것만이 전부는 아니나 완전히 아니었다고 부정할 수는 없다.

안타고니스트라는 등대를 잃으니 바다는 너무도 검고 어두워 하늘도 물도 분간이 가지 않는다.

한세건은 자신이 표류할 것을 알았다.

영원한 행복과 쾌락, 구원을 앞에 두고 한세건은 절망했다.

포격으로 부서진 교회당에서…….

아직 어린 서현은 신들의 상징을 보았다. 부서진 이콘 안 어머니에게 안겨 있는 아기 예수의 상.

정교회의 신앙을 지니지는 않았지만 서현은 신 앞에 무릎 꿇고 자신을 구원해 줄 것을 빌었다.

대답은 없었다.

서현은 보호받지 못하는 릴리쓰의 자식이었고 고든은 그의 젊은 육신을 노렸으며 많은 마법사와 괴물들이 그를 위협해 왔다.

그리고 서현 안에 잠들어 있는 괴물… 인간의 고기를 탐닉하는 식인귀가 그를 위협한다.

'살려주세요. 절 구원해 주세요. 제 육신을 구하지 못한다면 다만 영혼이라도 구해주세요.'

어린 시절의 서현은 지푸라기라도 잡는 심정으로 신에게 기원했고…….

신은 응답하지 않았다.

그런데…….

"이제 와서?!"

서현 역시 아담카드몬 아낙스를 향해 총을 쏘았다. 그러나 아담카드몬의 상처는 순식간에 재생된다.

"어린 시절에 난 신에게 빌었어! 제발 날 구해달라고! 날 그 고통과 절망에서 건져주기만 한다면 신의 종으로서 뭐라도 할 수 있으니 제발 용서해 달라고 빌었어! 하지만 신은 응답하지 않았지!"

당연하다! 신의 응답을 받았다고 주장하는 자가 있다면 그야말로 거짓된 선지자! 신의 위광을 빌려 자신의 욕심을 채우려 하는 사이코들뿐이다!

"나는 내 손을 피로 더럽히고 괴물로서 살아왔어! 무고한 사람들을 죽이면서 핵의 불길로 이 세상을 정화하려고도 했었지! 그러면서 전쟁터에서 주운 잡지 쪼가리를 보면서 문명을 동경해 왔다고! 난… 삶의 주변인에 불과했다!"

소년병의 삶은 영원히 남을 영혼의 상처였다.

"그런데 이제 와서 그 빌어먹을 신이 날 구해준다고? 내 소원을 들어주고 날 긍정한단 말이냐? 웃기지 마! 내가 내 상처와 죄를 받아들이고 싸우고자 결의한 이 순간에! 이제 와서 어린 시절의 내 소원을 들어주겠다니!"

그는 전력을 다해서 아담카드몬 아낙스를 찢었다. 목을 도려내고 절단면을 물어뜯고 먹어치운다! 재생한다면 먹어치운다! 식인을 자제했었지만… 지금은 이 이상 가는 방법이 없다!

하지만 먹어도 먹어도 아담카드몬 아낙스가 자라나는 속도가 더 빠르다. 무한한 공허, 라이칸스로프의 공허보다 아담카드몬 아낙스의 생명력이 더 강하다.

서현은 절망했다.

"눈물을 흘리는 흡혈귀는 아낙스다."

진리를 아는 자, 아담카드몬 아낙스가 선언했다.

"그럴 거라고 생각했지."

실베스테르는 알고 있었다.

타락하지 않은 뱀파이어만이 눈물을 흘릴 수 있다. 인간의 피를 한 번도 입에 대지 않고 순수한 상태로 태어난 뱀파이어.

현세에 남은 순수한 뱀파이어는 없다. 아낙스가 타락하고 인간의 피를 입에 댔을 때 눈물을 흘리는 흡혈귀는 모두 사라졌다.

실베스테르는 그것을 알면서도 사람을 죽이고 먹어치우는 괴물들에게서 순수를 찾는 순례자였다. 왜냐면 그는 타락한 뱀파이어들의 영혼을 불사르는 고통을 느끼고 있었고 그 고통의 불길이 어쩌면 그들을 정죄해 다시 순수를 되찾게 해줄지도 모른다는 믿음을 가지고 있었기 때문이었다.

저 피를 마시는 괴물들조차 믿음과 영지만으로 구원받는다면… 영혼 없는 마인, 마법의 산물인 그조차 신의 품 안에 귀의

할 수 있겠지.

뱀파이어를 사냥하고 인간을 지키는 것은 실베스테르에게 있어서 구원의 이정표였다.

하지만 지금 눈앞의 뱀파이어, 아마도 눈물을 흘릴 수 있는 뱀파이어일 아담카드몬 아낙스는 이정표 같은 어정쩡한 것을 약속하지 않았다.

구원 그 자체를 주겠노라.

레디메이드 구원.

마치 슈퍼마켓에 진열된 상품처럼 너무나 쉽게 구할 수 있는 것을… 아니, 슈퍼마켓의 진열품이라면 하다못해 값을 치러야 가져갈 수 있지, 이건 길거리에서 나눠주는 홍보용 티슈 같다.

그러고 보면 한국의 교회들은 구원받으라고 길거리에서 티슈를 나눠주곤 했던가?

이런 묘한 곳에서 일치감을 느끼며 실베스테르는 웃었다. 언제나 굳어 있는 표정으로 스토익한 삶을 살아온 마인이 이렇게 해맑게 웃는 것은 과연 얼마 만일까?

"네 여정은 끝났다, 순례자. 넌 구원받을 것이다."

"그러나 그건 구원받고자 하는 내 열망이 투영된 것이지, 신의 뜻은 아니지 않나."

"……."

"결국 나는 홀로 고장 난 나침반을 보고 망망대해를 헤맨 셈이 된다. 그 어떤 악마보다 더 악랄한 악마. 너는 내 삼백 년의 순례를 무위로 돌렸다. 잘했어. 이 이상 가는 징벌은 없겠지."

실베스테르는 박수를 쳤다.

점점 그 박수 소리가 잦아들고 있었다.

절망이 그의 마법으로 만들어진 심장을 짓누르고 있었다.

세 명의 안타고니스트… 고행자와 속죄자, 순례자들은 결국 승리할 수 없었다.

프로타고니스트가… 아담카드몬 아낙스가 투쟁을 선택했다면 그들 셋은 끝까지 저항했을 것이다.

하지만 아담카드몬 아낙스는 기껏 쌓아 올린 위업을, 아인소프 오올로 빚어낼 재창세의 권리를 그들에게 주었다. 적에게 베풀어줌으로써 그는 승리했다. 그 어떤 과거의 승리들도 감히 이런 위대한 승리 앞에서 뽐내지 못하리라.

적에게 영광을 주고 소원을 들어주고 사랑을 줌으로써 위대한 승리를 거두는 이야기.

믿음 소망 사랑 중에… 그중에 제일은 사랑이라 했던가? 그야말로 교훈적이다.

그리고 만월이 서서히 지면에 맞닿고 있었다. 밤이 끝나간다. 위대한 사랑이 승리하고 이 이야기는 끝이 날 것이다.

2

볼코프와 아르곤의 격돌은 그야말로 호각이었다.

아르곤은 거시동결 능력의 봉인을 풀지 않았으나 지금 그에게는 앙리 유이의 피와 살로 만들어진 붉은 얼음이 있었다. 사법사의 사법, 검은 영이 감도는 이것은 복합 장갑처럼 단단한 볼코프에게도 타격을 주었다.

하지만 볼코프의 반격 역시 매섭다. 정타는 단 한 발도 없지만 스칠 때마다 아르곤은 재생력이 없으면 죽을 만큼의 상처를 입었다.

"대단하군."

헥토르는 그 모습을 보며 내심 감탄하고 있었다. 언제나 오만방자한 그이지만 자신을 일격에 걸레짝으로 만든 볼코프는 존중할 수밖에 없다. 볼코프를 존중하지 않으면 그에게 패배해 마음마저 꺾여 버린 자신이 더더욱 한심해지기 때문이다. 자신을 존중한다면 볼코프를 존중해야 했다. 그럼 물론 저 볼코프와 호각으로 겨루는 아르곤도 인정할 수밖에 없다. 하지만 그 외의 뱀파이어들은?

"쓰레기지! 하하… 곧 끝내주마! 이제 아인소프 오올로 나는 진정한 왕의 충실한 심복으로 거듭나겠지!"

헥토르는 이후의 미래를 그리며 전력을 끌어 올렸다.

"으음……."

"어쩌지, 사니타?"

두 여자 뱀파이어, 사니타와 유할리는 실베스테르의 유인에 밀려 마천루 관광 코스를 돌다 돌아와 전선에 합류했다.

계승자 둘의 합류, 그리고 서현의 부재는 힘의 균형추를 크게 흔드는 일이었지만… 계승자인 조반니의 반응이 어째 시큰둥하다.

조반니는 아담카드몬 아낙스의 진정한 승리를 원하지 않았다. 그저 계승자이니 행동을 강제당할 뿐. 그래서 그는 힘의 균형이 이쪽으로 기운다 싶으면 손속에 사정을 두었다. 열심히 싸울 이유가 없다. 이 싸움은 그의 싸움이 아니니.

그리고 그것은 당연히 유할리와 사니타도 눈치챌 수 있었다.

"조반니 님의 뜻이 옳아. 우리가 박 터지게 싸울 이유는 없지. 어차피 우리의 목적은 시간을 끄는 것⋯⋯."

사니타는 고개를 돌려 달을 바라보았다. 서서히 저물어가는 달, 지평선에 가까워질수록 그 크기는 거대해 보인다.

"시간을 끄는 정도로 충분해. 이걸로 모든 게 그 뜻대로 이뤄지겠지. 설령 서린 님이나 다른 이들이 저력을 보여서 전황을 뒤집는다면 그때 가서 상대하면 되는 거고."

유할리와 사니타는 그렇게 스스로를 납득시키며 조반니의 태업에 편승했다.

그러자 그때 그들의 옆에서 의외의 목소리가 들려왔다.

"적극적인 개입은 안 하겠다? 그 정도만 해도 충분해. 현명한 선택을 했어. 잘했다, 사니타, 유할리."

깜짝 놀란 유할리와 사니타가 돌아보니 그들 사이에는 붉은 머리칼의 미녀가 언제 나타났는지 모르게 서서 어깨에 팔을 두르고 있었다.

"…레베카 님?!"

테트라 아낙스 사인방의 일각, 레베카가 그녀들 사이에 나타난 것이다.

놀란 그녀들을 향해 레베카는 턱짓으로 저 앞쪽, 사안의 마수들을 가리켰다.

"잘 봐."

그 순간 사안의 마수들 앞에 누군가가 내려섰다.

테트라 아낙스 사인방 중 한 명, 마틴과 오라클 시스템의 공격 병기로 만들어진 여성형 뱀파이어, 스팅레이였다.

오오오오오!

스팅레이의 머리칼이 하늘로 치솟아 오르고, 그녀의 뒤로 무수한 텔레파시의 창검이 떠올랐다.

사안의 마수가 놀라서 그들을 바라보았지만 스팅레이에게서 발출된 창검들이 사안의 마수들을 덮치고 폭발했다. 정신파 폭풍이 휘몰아치며 사안의 마수들을 갈기갈기 찢어놓았다.

순식간에 백치가 되어버린 마수들은 생존을 위한 호흡 기능마저 잃어버리고 바닥에 쓰러져 버렸다.

"아니!"

무수한 헥토르가 그 모습을 보며 경악했다.

"가만히 있어주니까 이놈들이 다 호구로 보지?! 직접 손을 쓰는 건 진짜 간만이군!"

소년 모습의 마틴이 짜증을 내며 양팔을 크게 휘둘렀다.

스팅레이가 만들어낸 텔레파시의 검들이 마틴의 등으로 날아와 꽂히나 했더니… 등에 꽂힐 때보다 훨씬 더 빠른 속도로 쏘아져 나가 헥토르들에게 명중했다.

펑!

그 순간 헥토르의 형태가 부서지고 헥토르의 몸을 이루고 있는 것들은 다시 본래의 모습, 커럽티드와 엑토플라즘 덩어리로 변모했다.

퍼퍼퍼펑!

순식간에 무시무시한 살덩이들이 헥토르를 대신했다.

"이럴 수가! 안 돼! 난 아직 충성을 다 증명하지 못했다! 여기서 물러설 수는 없어!"

헥토르는 강제로 추방당하며 비명을 질렀다. 공을 세워 일등 공신이 되어 위대한 신왕의 총애를 받는 귀족이 되고 싶다, 그런 욕망을 지니고 있는 헥토르로서는 분신들에게서 추방당해 이 전장에서 강제로 이탈당하는 건 절대 있어선 안 될 일이었다. 공을 세울 기회를 박탈당하지 않는가?!

하지만 그가 아무리 몸부림쳐도 진심으로 공격해 오는 테트라 아낙스에게 저항할 수단은 없었다.

"하아… 하아… 으, 당분이 떨어지는데."

아르곤은 머리가 지끈지끈 쑤셔오는 걸 느끼고 입에 물고 있던 풍선껌을 뱉었다.

벌써 단물이 다 빠진 지 오래다.

"아무 데나 뱉으면 곤란하지. 멍청한 놈."

볼코프는 그런 아르곤에게 핀잔을 주었다.

"아니, 그게……."

"아무래도 네 공격 능력은 예지 능력자를, 아낙스를 상대하기 위해 갈고닦은 것 같군. 훌륭했다."

볼코프는 아르곤의 무예가 어떤 방식으로 발전한 것인지 깨닫고 과거형으로 말했다.

"하지만 그런 마법 같은 능력은 혈인 능력과는 별도의 자원을 소모하는 것 같군. 그리고 유감스럽게도 그 자원은 다 떨어진 것 같고."

아르곤이 내뱉은 풍선껌을 말하는 걸까?

말도 안 되는 말이지만 아르곤은 쓴웃음을 지었다.

볼코프의 지적은 정확했다. 아르곤의 무예는 근접하면 예지 능력으로도 피할 수 없는 무한 발산의 공격. 그러나 그것을 위해서는 상당량의 연산 능력을 필요로 했다. 일전에 볼코프를 제압했던 거시동결 능력도 그렇고 이 무한 발산의 공격도 그렇고 아르곤이 가진 기술이나 능력은 마법적인 연산 능력을 요구하는 게 많았다.

그리고 그만큼 포도당을 소모한다. 아르곤이 캔디류나 풍선껌을 달고 다니는 건 바로 그 때문이었다.

"뭐, 그런데 아직 승리 선언하면 곤란한데… 살짝 저혈당이 왔을 뿐이야. 그리고 글리세믹 인덱스 지수가 높은, 다이어트의 적인 고열량 식품은 이 세상에 널려 있지."

아르곤의 혈당이 떨어지고 있긴 하지만… 그의 저력은 이게 끝이 아니다.

"그대가 아직 저력이 남아 있다는 건 안다. 하지만 나도 내 저력을 좀 아끼고 있었기 때문에 이번 승부는 내가 이겼다고 자부할 수 있지."

하지만 볼코프는 자신 역시 저력을 남겨두고 있었다고 선언했다.

"하여튼 허세는……."

아르곤은 미소를 지으며 코웃음 쳤다.

그런데 그때였다.

"한창 흥이 오른 중에 죄송하지만 이번 승부는 무승부로 하고 둘 다 물러나시지요?"

볼코프와 아르곤 사이에 서린이 들어와 섰다.

어찌 된 일이지? 라이칸스로프 여단과 헥토르, 사안의 마수와 석세서 등 쟁쟁한 적들과 격투를 벌이고 있던 게 아닌가?

놀란 볼코프와 아르곤이 주위에 시선을 돌리니 놀라운 모습이 보였다. 테트라 아낙스 사인방이 나타나 이 상황을 정리한 것이다.

헥토르의 분신들은 아담카드몬 아낙스의 힘과 단절되었는지 다시 본래의 살덩이로 돌아가 있었고… 사안의 마수들도 마비되었다.

라이칸스로프 여단들은 땅에 무기를 내려놓고 무릎을 꿇고 있는데 그 주위는 팬텀과 창영이 감시하고 있으며… 조반니와 석세서들도 어느새 팬텀과 창영에 합류해 라이칸스로프 여단을 감시하고 있었다.

"라토바……."

그리고 라토바의 머리에는 정야가 총을 겨누고 있었다. 물론 저 방아쇠를 당긴다 해도 라토바가 죽지는 않겠지만 그 모습은 볼코프를 동요시키기에 충분했다.

"물론 할아버지는 직접 당하지 않으면 마무리 짓지 못하는 성격이겠지요. 덤비세요. 짧게 한 손만으로 상대해 드리죠."

서린은 어깨를 으쓱해 보이고 오른팔을 앞으로 내밀었다.

"…재롱이 지나치구나, 서린."

"시간 없으니 빨리 하지요."

서린이 빈정거리자 볼코프는 두 다릴 굳게 지면에 뿌리내렸다. 그리고 전신의 힘을 끌어 올렸다. 전차의 복합 장갑, 그 이상의 강도로 몸을 강화시킨 그는 그 무지막지한 몸을 앞으로 돌진시키며 일권을 날렸다.

이 주먹 앞에 분쇄되지 않는 적이 없었다. 그야말로 무적의 일격이다. 아무리 릴리쓰의 자식 서린이라고 해도 이것 앞에 맨몸으로 덤비는 것은 바보짓이다.

하지만 서린은 피하지 않았다.

'진심인가?'

볼코프는 순간 당혹스러워했다. 비록 적으로 서 있지만 서린을 죽이는 것은 그도 원하지 않았다.

아, 물론 이 일격으로 죽진 않겠지. 재생력을 가진 서린이 이것으로 죽지는 않으리라. 하지만 라토바나 다른 라이칸스로프 여단이 제압당한 상황에서 서린을 으깨 버리면 팬텀이나 창영이 가만히 있지 않겠지? 정말 지금까지와는 비교할 수 없는 끔찍한 혼전이 시작될 것이다. 그리되면 라토바의 목숨을 보장할 수 없다.

그런 생각을 하고 있을 때였다.

바지지직!

갑자기 서린으로부터 어마어마한 전력이 뿜어져 나왔다.

'이건 헥토르의 능력인데?'

볼코프는 강력한 전하가 자신을 감전시키고 신경계를 불태우는 것을 느끼면서도 돌진했다. 헥토르도 그를 막지 못했다. 그런데 이제 와서 이걸로 그를 막겠다고? 안일한 생각이다.

그러나…….

그다음 순간 볼코프의 몸이 하늘로 치솟아 올랐다. 창영의 돌풍이 볼코프를 아래에서 위로 집어 던진 것이다.

하지만 이 바람을 일으킨 건 창영이 아니다. 왜냐면 창영도 놀라서 입을 쩍 벌리고 있었기 때문이다.

"큭……."

그 모습을 보고 신음성을 토한 것은 의외로 앙리 유이였다.

"속였겠다! 내가 오라클 시스템을 장악한 게 아니라 오라클 시스템이 내 몸을 점거하고 뺏어 갔잖아!"

앙리 유이는 서린이 저렇게 다른 뱀파이어들의 혈인 능력을 쓸 때마다 자신의 육신들, 벌레들이 죽어나가는 것을 느끼며 비명을 질렀다. 그가 테트라 아낙스의 정보 능력을 흡수한 게 아니다! 테트라 아낙스가 그의 혈인 능력을 장악한 것이다!

서린은 앙리 유이의 항의를 들은 체 만 체하며 어깨를 으쓱해 보이고 옷에 난 불을 털었다.

"익숙하지 않아서 전기가 좀 역류했네요. 아, 옷이 바스러지네."

"야!"

앙리 유이가 항의했지만 서린은 귀를 새끼손가락으로 휘휘 후벼 파며 한 팔을 들어 올렸다.

서린의 뒤에 서 있던 베이런이 어디서 구해 왔는지 지퍼식 턱시도를 하나 가져와서 불타 버린 서린의 옷을 대신해 그의 몸을 덮어주었다.

서린이 그걸 입고 베이런이 지퍼를 올려주자 순식간에 근사한 턱시도가 되었다.

"이런 편한 옷이 있다니……."

"개인적으로 이런 잡스러운 기능이 붙은 옷은 품위를 떨어뜨린다고 생각하지만 상황이 상황이다 보니… 알몸으로 돌아다니는 것보다는 낫겠지."

베이런은 서린에게 직접 옷을 입혀주고도 만족스럽지 않은지 투덜거렸다.

둘 다 앙리 유이의 항의 따위는 신경도 쓰지 않는다.

"당했군. 그래서 아낙스를 그렇게 쉽게 보면 안 된다니까."

팬텀은 그런 앙리 유이를 보고 쓴웃음을 지었다.

"흐음… 앙리, 이거라도 돌려줄게."

아르곤은 그런 앙리 유이가 안돼 보였는지 아직도 얼음으로 가지고 있던 앙리 유이의 혈육 일부를 앙리 유이에게 던져 주었다.

하지만 흥분해서일까?

앙리 유이의 가슴에 거대한 얼음검이 푹 꽂혔다.

"컥!"

"…받으라고 던져 준 건데… 무슨 괴롭힘같이 되어버렸네."

아르곤은 쓴웃음을 지으며 얼음을 해제시켰다.

하지만 앙리 유이는 자신의 육신을 회수할 생각도 못 하고 있었다.

"이럴 수가. 내가… 내가 아낙스를 초월했다고 생각했는데. 결국 손바닥 위에서 놀아난 광대였어! 망할! 대체 어째서야! 태어날 때부터의 격이라는 걸 아무리 노력해도 초월할 수 없다는 건가! 빌어먹을! 나도 위대한 존재가 되고 싶어! 당신처럼! 세이리오스의 성자 아낙스처럼!"

앙리 유이는 열등감과 허영심의 괴리를 견디지 못하고 절규했다.

그 모습을 보며 서린은 쓴웃음을 지었다.

"아니, 뭐… 아담카드몬 아낙스가 강림했잖아. 세상에 민폐 끼친 걸로는 충분히 천상천하 유아독존이었어. 아… 짜증 날라고 하네. 창영, 앙리 유이 좀 조용히 시켜줄래요?"

서린이 부탁하자 창영이 어깨를 으쓱해 보였다.

"기꺼이?"

"그럼……."

턱시도로 옷을 갈아입은 서린은 빙글 제자리에서 몸을 돌려 보고 흡족한 미소를 지어 보였다.

하지만 팬텀은 그런 서린을 쓸쓸한 표정으로 바라보고 있었다.

"괜찮겠습니까, 아낙스……."

"…어쩔 수 없어요. 지금 형들을 구하고, 덤으로 실베스테르 신부를 구할 수 있는 건 저뿐일 거예요."

서린은 배시시 웃었다.

"…전 언제나 도움이 되지 못했군요."

팬텀은 그리 말하며 고개를 숙였다.

"아니요, 솔직히 말해서 전 당신과 아르곤, 둘은 아주 높이 평가하고 있어요."

"……."

"소망은 독이 될 수도 있다는 걸 당신과 아르곤은 직관적으로 이해하고 있었지요."

그렇다. 팬텀은 뱀파이어로서 소망을 가진다는 게 얼마나 위험한지 알고 있었기에 항구적으로 이뤄지지 못할 소망, 정의로운 세계를 꿈꿨다.

그것은 제논의 역설 안에서의 아킬레스다. 아킬레스와 거북이가 골인 지점을 향해 함께 달린다. 물론 그리스의 용사 아킬레스가 거북이보다 느릴 리 없다. 현실에서는 아킬레스가 항상 거북이를 압도적으로 따돌리고 골인하나… 제논의 역설 안에서 시간을 미분하면 아킬레스와 거북이는 항상 무한대로 쪼개진 시간 속에서 달리고 있다.

정의를 추구하면 팬텀은 바로 그 역설 안의 아킬레스가 된다. 아무리 그가 거북이고, 강력한 힘을 가지고 있다고 해도 달성할 수 없는 성취. 골인 지점에 당도하는 게 목표가 아니다. 달리는 그 순간이 중요한 것이다. 팬텀은 이미 소망이 위험하다는 것을 알고 있었기에 역설의 아킬레스가 되기로 결정했다.

그리고 아르곤은? 강력한 힘을 가지고 있으며 영웅의 운명을 타고난 그는 자신의 힘으로 욕망을 충족시키려 하면 이내 욕망에 중독되어 파멸할 것을 알고 있었다. 그는 소망과 욕망을 제어하고 절제하며 무위자연의 길을 걸었다. 진정한 의미의 노장사상을 몸소 실천한 것이었다. 불로장생, 손가락 하나로 곰이나 호랑이 같은 산신조차 굴복시킬 수 있는 압도적 무력의 존재이면서도 자신의 욕망을 통제하고 살아간다는 건 보통 자제력으로 할 수 있는 일이 아니다.

"타락한 뱀파이어의 기나긴 삶, 남의 피를 마셔야 유지될 수 있는 존재이면서도 당신과 아르곤은 그 삶에 대해 올바른 해답을 내렸지요. 그리고 그것은 아낙스에게 큰 감명을 주었습니다. 당신과 아르곤은 분명히 큰 도움이 되었습니다."

"응? 내가?"

아르곤이 어깨를 으쓱해 보였다.

"그렇게 말하니까 마치 영원히 작별할 것 같잖아."

"……"

"…젠장, 진심이냐."

아르곤은 자신의 모자를 벗어서 서린에게 씌워주었다.

턱시도에 야구 모자는 어울리지 않지만… 베이런은 아무 말도 하지 않았다.

"넌… 책임이 없어. 아낙스의 책임을 네가 대신할 이유는 없어, 서린."

아르곤은 서린을 바라보며 그렇게 말했다.

"하지만 가야 해요."

"어째서?"

"왜냐면 그게 제……."

서린은 아르곤에게 꾸벅 고개를 숙였다.

'그게 제 소망이기 때문이지요.'

테트라 아낙스 사인방의 수장, 서린은 그렇게 인사를 하고 플라자 호텔을 향해 발걸음을 옮겼다.

다른 사인방, 레베카와 마틴, 베이런 역시 서린의 뒤를 따랐다.

하지만 그 외에는 누구도 발걸음을 옮길 수 없었다.

믿음, 소망, 사랑, 그중에 제일은 사랑이라.

자신의 원수를 사랑함으로써 아담카드몬 아낙스의 승리는 확정되었다. 이제 이 달이 떨어지면 세계는 한세건과 서현과 실베스테르 신부의 소망을 받아들인 세계로 재창세될 것이고… 그것으로 아담카드몬 아낙스의 존재는 영원히 그 의미를 가지게 되리라.

아담카드몬 아낙스를 부정하기 위해 돌입한 세 명의 안타고니스트도 절망에 짓눌려 쓰러졌고 이제 달이 떨어진다.

그런데 그때였다.

"힙스터의 성지 뉴욕에 사상 최악의 힙스터 아낙스 등장!"

"……"

"꼭 해야겠어?"

"아니, 이미 저질렀……"

테트라 아낙스 사인방은 서린의 독주를 막지 못했다.

서린은 아르곤에게 받은 야구 모자를 거꾸로 쓰고 씩 웃었다.

"다시 왔군, 서린. 하지만 이미 늦었다."

아담카드몬 아낙스는 자신을 대적하기 위해 돌아온 서린을 보며 쓴웃음을 지었다.

"나는 지금 지극한 충실감을 맛보고 있다. 그리고 이들 셋은 그 소망을 이루고 구원받겠지. 여기에 네 역할은 없다, 서린. 나는 너의 답을 원하지 않아. 아니, 누구도 너의 답 따위는 원하지 않는다."

"아, 그러신가."

서린은 그리 말하며 걸어왔다.

"큭… 서린……"

한세건이 몸을 일으켰다.

"괜찮아, 형?"

"모르겠어."

"흠?"

"지금까지 단 한 번도 난 내가 가는 길을 의심하지 않았는데… 이제는 모르겠군. 난 길을 잃었다."

한세건은 자신이 패배했음을 시인했다. 그가 얼마나 혹독하게 자신을 채찍질해 오고 싸워왔는가를 생각하면 이 발언은 그야말로 놀랄 일이었다.

"…형은?"

서린은 자신의 쌍둥이, 서현을 바라보았다.

"뭐… 하. 하하하. 이런 방식도 있다는 게 놀랍군. 난 이런 결 말을 원하지 않아. 하지만 내가 어린 시절에 원했던 것이… 그리고 지금도 아직 완전히 버리지 못한 소망이 달성되어 날 죽이 겠군. 그건 진정한 의미의 죽음이지."

"실베스테르, 당신은요?"

"할 수 있는 건 다 해봤다. 모든 것을 다 해보고도 벽에 부딪혔다면 어쩔 도리가 없지."

실베스테르도 이제 한계에 부딪힌 듯했다.

그러자 서린은 어깨를 으쓱해 보였다.

"애써서 음모를 꾸미고 힘을 끌어모으고 이룩한 성과를 아낌없이 적에게 주다니. 이러려고 사람들을 죽였나?"

"사람을 죽인 건 내 본의가 아니다. 하지만 이것이 완성되면 사람들이 살해당했다는 인이 사라지니 그 과조차 없을 것이다. 이게 가장 합리적인 방식이지."

확실히… 여기서 죽은 사람들은 죽은 사람들이라고 이 대량 학살을 그냥 방치한다는 건 말도 안 된다. 되살릴 수 있다면, 돌이킬 수 있다면 돌이키는 게 옳다. 그게 저 셋의 희생으로 이뤄 진다면 다수를 위해 소수를 희생시키는 게 옳은가 하는 문제로 비화할 수도 있겠지만… 저 셋이 희생해야 하는 건 아무것도 없다. 되레 운명의 축복을 받게 되는 것이다. 이런 축복을 얻기 위해서라면 영혼도 팔아치울 이들이 넘쳐날 텐데⋯ 사치스러운 소리를 할 수는 없겠지.

"외령 아담카드몬의 힘을 빌리면서 전 우주에 우리 문명의 정보를 전파한다는 목적도 달성하고, 인류의 번영도 구가하고, 너희에게 재앙을 안겨주었던 릴리쓰의 오만함도 지워내고⋯ 그야말로 완벽한 결말이지. 교훈적이기도 하고."

아담카드몬 아낙스는 단언했다.

하지만 서린은 고개를 가로저었다.

"그러나 나에겐 아직 이뤄야 할 '소망'이 있어."

"무슨 소망이냐? 네 소망도 역시 들어주지. 평범한 인간으로서 살아가는 것? 아니면 아낙스의 거대한 부와 권력을 지닌 채 부귀공명을 누리며 살아가는 것? 릴리쓰의 잔재를 지워내는 선에서 그 모든 소망은 이뤄질 것이다! 안심해라! 아인소프 오올의 힘은 거의 무제한이니 너의 소망 정도야⋯⋯."

아담카드몬 아낙스는 한세건과 서현, 실베스테르를 굴복시킨 그 무기를 다시 서린에게도 들이 밀었다.

테트라 아낙스 사인방이 전율했다. 월야의 주민들, 뱀파이어들은 누구도 이런 걸 감당할 수 없다. 뱀파이어, 피를 마시는 괴물의 숙명은 그들의 정신에 치명적인 결함을 만들었고 그 결함은 이런 소망의 힘을 다룰 때, 아인소프 오올처럼 위대한 대기적을 다룰 때 치명적인 구멍이 될 것이다.

그리고 서린은⋯⋯.

맙소사. 서린이야말로 그 어떤 이들보다 더 가혹한 운명을 짊어진 인물이었다. 아담카드몬 아낙스가 소망의 독을 넘겨준다고 그걸 받으면 서린 역시 저들처럼 파멸할 것이다.

하지만 서린은 받아들였다.

서린은 '소망' 한다. 신의 아들, 뱀파이어들의 숙명을 수호하는 아낙스의 굴레를 벗어던지는 것을. 그렇다고 그만이 책임의 무게에서 벗어나 자유를 얻는 걸 원하는 것은 아니다. 뱀파이어들을 인간들에게서 숨겨 뱀파이어와 인간, 쌍방을 수호해야 하는 세계의 수호자, 그런 비참한 숙명을 누구도 짊어지지 않기를 원한다. 그리고 그와 인연이 있는 자들이 행복하기를…….

하지만 이 소망을 품고 있는 것과 이것을 강제로, 아인소프 오올로 인과를 만져서 실천하는 것은 다르다.

삶은 매 순간순간이 새로운 만남이기에 의미를 가진다. 그것이 결정된 인(因)과 과(果)의 매트릭스라면 아무리 그게 복잡하더라도… 설령 기만이 있어 매트릭스 안에 존재하는 개개인들에게는 진짜 세계와 별반 다를 바 없다 하더라도 의미가 없다.

'기만의 대명사인 테트라 아낙스인 내가 생각할 일은 아니지만.'

"아니, 넌 테트라 아낙스일 필요도 없다, 서린."

아담카드몬 아낙스는 서린에게 말했다.

"받아들여라. 너의 소망이 이루어지는 것을. 이것만이 일억 이상 살해당한 인류를 구원하고 너와 네 주변인들을 구원하는 길이다."

"나는 이 소망을 받아들이기로 했어. 하지만… 강아담, 네가 생각하는 소망과 내가 생각하는 소망은 달라. 네 기대를 까마득하게 초월할 거다."

강아담이라는 호칭에 아담카드몬 아낙스는 흠칫했지만… 별 의미 없는 혼동이리라 생각하고 받아들였다.

그러자 서린이 눈떴다. 서린의 붉은 눈에, 그리고 검은 눈에 똑같이 금빛이 어른거리기 시작했다.

"무슨… 무슨 짓이냐, 서린?! 아니, 아낙스의 화신!"

아담카드몬 아낙스는 갑작스러운 서린의 변화에 놀랐다. 아니, 그만이 아니다. 테트라 아낙스 사인방이 모두 걸어오는 게 아닌가.

"미안하군. 미안해. 나 때문에……."

서린은 그를 제외한 테트라 아낙스 사인방에게 머리를 조아렸다.

하지만 베이런과 레베카, 마틴은 그런 서린에게 고개를 가로저었다.

"네 탓이 아니야."

"미안해야 할 사람은 오히려 우리지."

"넌 이 책임을 질 이유가 없는데……."

그들은 아낙스가 아니면서 아낙스의 전생과 기억, 개성을 물려받은 서린에게 미안해했다.

"아니… 하지만 이게 내 소망이야. 그리고……."

서린은 고개를 들었다.

"내 믿음이기도 하지!"

지각변동이 일어나기 시작했다.

안정화되던 아인소프 오울이 갑자기 격류를 일으키기 시작했다.

"무엇을 할 셈이냐, 서린?!"

아담카드몬 아낙스는 의아해했다.

서린이 하는 것은 아인소프 오울을 막지 못한다. 그러나 서린은 분명히 아인소프 오울에 새로운 인과, 새로운 정보를 연산해넣고 있었다.

'무슨 소망을 이룰 셈이지?'

하지만 연산 속도가 너무 빠르다! 아담카드몬 아낙스조차 저속도를 따라가지 못한다. 왜냐하면 지금 이 순간 서린은 모든 오라클 시스템, 그리고 앙리 유이가 숨겨둔 모든 벌레와 앙리 유이에게서 사법을 받은 사법사들을 갈아 넣어서 연산을 시작하고 있기 때문이었다.

"크악!"

그뿐만이 아니다. 테트라 아낙스 사인방조차… 가장 체적이 적은 마틴부터 코피를 흘리며 무릎을 꿇었다.

'목숨을 걸었나?'

서린의 손끝에서도 핏물이 터져 나왔다.

"뭘 하고 있는 거지, 서린?!"

"내 소망, 내 믿음대로 행동하는 거지! 아담!"

서린은 답했다.

"네가 사랑으로 적의 소망을 이뤄준다면 어째서 단 세 명에게 소망의 무게를 지울 셈이지?! 정녕 소망을 들어주는 게 사랑이라면 나는… 전 인류의 소망을 여기에 짜 넣겠다!"

전 인류의 소망을 짜 넣는다?

아담카드몬 아낙스는 그 소리를 듣고 실소했다.

물론 가능하다. 정보 능력을 가진 자, 테트라 아낙스만이 가능한 묘기다. 완전한 존재로 태어난 그는 다른 뱀파이어들과 달리 피를 마실 필요가 없었다. 뱀파이어들이 겪는 도덕적인 문제로부터 자유로운 존재였던 그였으나 그는 다른 뱀파이어들을 지키기 위해 스스로 피를 마시고 타락했다.

그렇게 해서 혈족을 늘리고 오라클 시스템을 만들고 앙리 유이에게 그 능력의 요소를 나누어 주면서까지 정보 능력을 가진 존재를 늘려왔던 것이다.

여기에 자신의 목숨과 존재조차 건다면?

그러나 그래서야 무슨 의미가 있는가?

"무의미하다! 모두의 소망을 이뤄주는 세계 따윈 없어! 소망끼리 상충해서 결국 현실 그대로의 모습으로 남을 뿐이다! 너는 변화 없는 세상을 위해서 네 존재마저 버릴 셈이냐?"

아담카드몬 아낙스는 서린과 함께 목숨을 걸고 있는 테트라 아낙스 사인방을 바라보았다.

"그게 너희의 소망이냐?! 이건 무의미한 자살에 지나지 않는다!"

"그게……."

베이런은 입을 벌렸다가 예상치 못한 중압감에 입을 다물었다.

이 정도까지 대량의 정보를 작정하고 다룬 적은 처음이었기 때문이다.

베이런 대신 레베카가 답했다.

"그게 바로 우리의 '믿음'이다."

"구성원 개개인의 소망에 이 세계를 맡겨야지. 특정인에게 무게를 지게 해선 안 돼!"

마틴이 보충했다.

"음……!"

아담카드몬 아낙스가 손을 들었다.

"안 돼. 그건… 용납할 수 없다."

서린은 그런 아담카드몬 아낙스를 보며 웃었다. 그의 눈에서 금색 안광이 일렁인다.

"도금이 벗겨졌군, 아담. 나는 연산 중이라 손을 쓰지 못하지만……."

그 순간 아담카드몬 아낙스의 머리에 총탄이 명중했다.

선혈이 튀며 아담카드몬 아낙스의 몸이 튕겨 나갔다.

실베스테르가 데저트 이글을 겨누고 어깨를 으쓱해 보였다.

"뭐, 별로 연습한 건 아니지만… 전술 연계를 해볼까? 아마 이번 세계에서는 마지막일지도 모르는데?"

"그렇지!"

실베스테르의 총격을 맞고 휘청거리는 아담카드몬 아낙스를 향해 서현이 뛰어들어 나선충격을 먹였다. 복부로부터 충격이 퍼져 나가며 조직이 뒤틀리는 이 끔찍한 일격은 전차조차 우그러뜨리는 위력을 지니고 있다.

하지만 아담카드몬 아낙스는 그 충격을 흡수하며 코웃음 쳤다.

"역시 마지막은 이래야지. 이게 전부인가?"

서현의 공격에 맞고 휘청거리는 아담카드몬 아낙스의 몸에 도폭선들이 감겼다.

"아니, 이미 끝이다. 내 싸움의 마지막을 너 따위로 더럽히고 싶진 않다. 이건 논타이틀매치라고 해두지."

한세건은 도폭선을 폭파시켰다.

"한세건이 설마 테트라 아낙스를 지키게 될 줄은 몰랐지. 뭐, 좋아! 지금 이 순간이 너무 충실해서 돌아버릴 지경이군! 내 죄를 지워주겠다는 구세주에게 이런 걸 싹 갈기는 쾌감에 돌아버릴 거 같아!"

서현은 METIS 미사일 발사기로 산산조각 난 아담카드몬 아낙스가 몸을 재구축하기 전에 열압력 탄두를 장착한 미사일을 발사했다. 실내에서 미사일을 발사하는 미친 짓이지만 뭐 어떠랴?

열압력 탄두가 아담카드몬 아낙스에게 명중했다. 물론 너무 가까워서 안전장치 때문에 터지지 않는다. 하지만 서현은 손가락을 딱 튕겼다. 그의 핑거 스냅과 함께 아그니의 발화 능력이 발동해 열압력 탄두가 폭발하며 폭염과 폭풍이 호텔 로비를 뒤흔들었다.

그 폭풍과 폭염을 한 자루 세이버로 수직 절단 한 신부복 차림의 실베스테르가 은발을 휘날리며 걸어왔다.

"너는 몰수패다, 프로타고니스트."

실베스테르는 은사를 호텔 바의 리큐르 장에 치고 아르젠트 하르페시언을 휘둘렀다. 검광의 궤적을 따라 리큐르가 날아가면서 아담카드몬 아낙스에게 날아가고 METIS 미사일이 폭발하고 붙은 폭염에 의해 점화되어 불바다를 만들었다.

앙리 유이는 자신의 여벌의 몸들이 죽어가는 것을 느끼며 쓴웃음을 짓고 있었다. 평소의 그라면 이렇게 자신의 힘이 소모되는 것을 참아 넘길 수 없었으리라. 그러나 지금 그는 덕분에 아낙스와 연결되어 그의 최후의 싸움을 지켜볼 수 있었다.

"이런 식으로… 날 비웃고 떠날 셈인가? 아낙스!"

앙리 유이는 이 싸움의 결과가 어찌 되든 아낙스는 더 이상 존재하지 않을 거라는 걸 깨달았다.

그처럼 되고 싶었다. 그의 그림자를 쫓고 그와 대등한 존재가 되고 그에게 인정받고 싶었다. 그래서 벌인 일이다. 수천만의 인명을 살상했고 아담카드몬 아낙스를 만들어내어 모든 위험을 불러일으킨 장본인이면서 자신의 손에 희생당한 이들보다 아낙스의 행방을 더 염두에 두는 것은 오만해 보인다. 하지만 그는 천성이 오만했다.

"하다못해 마지막 무대에 서고 싶었다. 아낙스의 적이 나이길 바랐어! 당신이 이렇게 죽고 다시 태어나지도 않는다면 좋아! 그 어떤 세상이 오더라도 나는 네가 사랑했던 모든 필멸자를 죽인다! 고문하고 능욕하고 죽일 거다! 네가 나를 보든 보지 않든 나는 이 세상의 재앙으로서 네가 쌓아 올린 모든 것을 부정하겠다!"

앙리 유이는 파멸을 앞두고 소망했다.

"뭐? 소망? 음… 곤란한데?"

아르곤은 볼코프와 싸우느라 달아오른 몸을 식히며 거리의 자판기를 붙잡고 머리핀으로 자물쇠를 따다가 말했다.

"뭔가 불사르는 듯한 화끈한 소망이 있어서 램프의 마신에게 빌 거라면 난 그냥 내 손으로 이룰 것 같거든? 요새는 좀 힘들겠지만 냉병기 시대였으면 나 세계 통일도 했었을 거야. 칭기즈칸처럼?"

아르곤은 자물쇠를 따고 조심스럽게 자판기 안의 음료들을 꺼내며 말했다.

"음. 뭐, 그렇다고 내 자신에게 100% 만족하는 건 아니야. 사실은 팬텀이 좀 부러워. 그렇게 세상을 좋게 만들고 싶어 한다는 건 나로서는 엄두도 안 나는 일이거든. 좋은 녀석인 줄 알았던 놈이 시간 좀 지나면 물드는 걸 많이 봐서 굳이 선과 악으로 나누어서 뭔가를 대접하니 보편적인 호의로 대답하는 게 편하잖아? 아, 물론 그게 특정인을 사랑하지 않고 아무도 사랑하지 않는 거라는 비난을 들은 적은 있어. 부인할 생각도 없고. 만인을 공평히 사랑하는 건 아무도 사랑하지 않는 거니까."

아르곤은 소프트드링크를 따서 마셨다.

"미안, 혈당이 떨어져서. 원래 아낙스가 날 뱀파이어로 만들면서 만약의 경우 자기 목을 따라고 인과 초월의 연산 능력을 주었는데 이게 반편이 능력이라 혈당이란 자원을 필요로 하지.

아, 하던 이야기 계속 말이지? 내가 특정인을 지나치게 사랑했다면 이렇게 오랜 세월 견디지는 못했겠지. 때론 상실을 견딜 줄도 알아야 하는데 말이야. 그래도 소망이 있다면… 음, 뱀파이어는 탈모 면역이면 어때? 요새 몬티가 그걸로 마음 상해 하던데? 뱀파이어면 무조건 풍성한 머리숱을 가지는 거야. 아, 아니지. 아예 탈모라는 병이 사라지면 어때? 탈모 없는 세계! 좋다. 난 지금 왠지 세계 평화에 이바지한 느낌인데?"

아르곤은 아무렇지도 않게 어마어마한 소원을 빌어버렸다.

"소원이라. 보통은 들어주는 쪽이지 빌어본 적은 없군요."

팬텀은 그렇게 말하곤 센트럴파크의 벤치에 앉아서 다리를 꼬았다.

"제가 선업을 쌓으려 노력하는 것은 선업을 이룩하고자 하는 방향성이 저의 정신 건강에 좋기 때문입니다. 슬프게도 사법사란 것들은 늦든 빠르든 검은 영의 영향을 받게 되어 있고, 자아가 흔들리면 파멸하기 좋지요."

팬텀은 자신의 손가락 위를 타고 흐르는 검은 정보들을 보여주었다.

릴리쓰나 아담카드몬, 다른 외령들과 같은 존재, 이차원 영적 존재인 검은 영지. 그것을 보며 팬텀은 쓴웃음을 지었다.

"이걸 제거하고 깨끗한 몸이 된다, 그런 소원을 생각지 않은 것은 아니지만 글쎄요. 저는 지금의 제게 만족하고 있습니다. 꿋꿋하게 이런 저이면 좋겠군요."

팬텀은 어깨를 으쓱해 보였다.

"아낙스가 행복해졌으면 좋겠습니다, 스승님. 그게 어떤 형태이든 말이지요."

그렇게 말하는 팬텀의 목소리에는 그리움이 묻어났다.

"음, 소원이라. 소원."

창영은 뭔가 끄적끄적 수첩에 적다가 깜짝 놀랐다.

"아, 종이로 적은 건 무의미한가? 뭔가 강렬하고 짧은 것일수록 효과가 좋다고? 젠장, 그럼 뭐가 좋을까. 부귀공명?"

창영은 고개를 갸웃거리며 저 멀찌감치 자판기를 만지고 있는 아르곤을 바라보았다.

"저 새끼가 싫은 건 아냐. 솔직히 말하자면 고마워하고 있어. 물론 저 녀석 앞에선 입이 찢어져도 말 못 하겠지만. 하지만 씨발 사람 새끼가 좀 상식이 있어야 할 거 아냐? 저 새끼에게 상식을 불어넣어 줄 수는 없나? 뭐? 안 되겠다고? 거참 뭔 소원이니 소망이니 그런 게 그리 어설퍼?"

그렇게 말하던 창영은 얼굴을 붉혔다.

"사… 사실 생각해 보니 뭐, 딱히 엄청나게 뭔가 바라긴 좀 그런 것 같고 그냥 평화가 있으면 좋겠어. 나나 정야에게? 아니, 그냥 좀… 에스프리 전체에게?"

"전투 능력."

정야의 소망은 간단했다.

"남자들만 고환으로 스테로이드 맞고 근육 붙는 이 세상 꼬라지가 마음에 들지 않아요. 하이에나는 암컷이 수컷보다 덩치도 크고 힘도 세던데 말이죠. 음… 다른 여성 뱀파이어들은 화끈하게 싸우던데 난 들러리 신세인 게 마음에 들지 않네요. 애초에 내가 좀 싸울 수 있었으면 적요 같은 거에게 그렇게 시달리지도 않았을 테고."

정야는 눈을 흘기며 말했다.

"여자라고 호위받으며 살고 싶다고 생각하면 큰 오산이에요. 적요나 다른 놈들, 하여튼 나에게 엉겨 붙는 놈들은 다 후려쳐서 대서양 너머로 날려 버리고 싶군요. 그러니까 내 인생의 주도권이 나에게 있고 나서의 이야기 아닌가요? 아, 물론 날 지켜 준 이들에게 고맙긴 해요. 그들의 희생이나 호의를 무시하는 건 아니지만 호의만으로 살아야 하는 건 지겹다는 거죠."

아그니와 헤카테, 파군은 눈앞에서 벌어지는 일에 놀람을 금치 못했다.

"어우, 나에게도 묻는 건가? 아니, 그런데 나 지금 이번에 꽤점수 좀 벌지 않았어?"

아그니가 그렇게 물어보자 헤카테가 마지못해 고개를 끄덕였다.

"아니, 뭐, 그전엔 정말 폐기물급 쓰레기인 줄 알았는데 아주 야아아아아아아악간 괜찮은 구석이 좀 있었지."

"앙리 유이와 그 일당이 너무 쓰레기 같아서 말이죠."

파군이 그리 말하며 평가를 깎았다.

아그니는 약간 상처받았지만 선글라스를 쓰고 표정을 감추었다.

"내 소망은… 키가 아르곤만큼 컸으면 좋겠군. 내 출신 지역 평균보다는 월등히 큰데도 말이지……."

"……."

"……."

듣고 있던 헤카테와 파군의 말문이 막혔다.

헤카테는 퍼뜩 정신을 차리고 말했다.

"난 좀 뱀파이어여도 예술적 재능이 뛰어나면 좋겠어. 대체 뱀파이어가 오래 산다고 그런 걸 못하라는 법은 누가 만든 거야? 뭐? 뱀파이어라서가 아니라 원래 그냥 내가 재능이 없는 거라고? 그런 제약 따위 없어?"

그러자 파군이 부채로 얼굴을 가리고 살며시 미소를 지었다.

"뭐, 저야 워낙 뛰어난 조직의 총수이니 소망이라면… 그래요. 제 소원분만큼 헤카테에게 그 부족한 재능을 보충해 줬으면 좋겠군요."

"……."

헤카테는 왠지 놀림받는 기분이 들었지만 지금은 어째 꿈을 꾸고 있는 것처럼 머리가 붕 떠서 생각이 잘 정리되지 않았다.

"나에게도 물어보는 건가?"

볼코프는 의아해했다.

"그렇군. 라토바도 선택했단 말인가? 납득하겠다. 정말 내가 미친 게 아니라면 이 세상은 미쳤군. 미친 달의 세계라……."

볼코프는 뱀파이어들이나 마법사들이 쓰던 관용구를 되새김질하며 누가 지었는지 모르지만 참 잘 지은 말이라고 생각했다.

"염치가 없군. 난 패했다. 패자가 뭔가 받아 가는 건 아닌 것 같아. 어찌 감히 바라겠느냐?"

볼코프는 소망을 말하는 것을 거절하려 했으나 그다음 이야기를 듣고 생각을 고쳐먹었다.

"그렇군. 소망이 또한 징벌이기도 하다. 그런 관점은 정말 생각도 못 했군. 그렇다면 뭐가 좋을까?"

볼코프는 어깨를 으쓱해 보였다.

"난 라이칸스로프이길 포기하고 싶다. 그래, 가족을 물어 죽인 때부터 모든 게 잘못 맞물려 들어갔어. 그래서 아담카드몬 아낙스에게 동조한 것도 있었지. 너희들이 아담카드몬 아낙스를 패퇴시켰다 해도 그의 뜻에 진정으로 동조한 이가 있었다는 걸 잊지 마라. 아, 물론 내가 이런 말 할 처지는 아니지. 무고한 이들의 피가 내 손에 묻어 있으니 말이다. 그러니… 난 라이칸스로프가 되고 싶지 않다."

볼코프는 여전히 강건하고 무지막지한 자신의 손을 바라보며 쓴웃음을 지었다.

"인간으로서 살고 인간으로서 죽었으면 좋겠다. 그것이 나의 소망이다."

그리고 달이 떨어졌다.

테트라 아낙스 사인방은 차례로 녹아 소멸했다.

단숨에 막대한 정보 능력을 퍼부어 아인소프 오울을 수정함으로써 그들은 존재조차 녹아 사라졌다.

다만 서린만은 아직 남아 있었다. 하지만 그 역시 사멸할 것을 알고 있었다.

"…망할……."

서현은 동생의 참담한 모습을 보고 격정으로 몸을 떨었다.

릴리쓰가 사명을 주어 만든 자와 릴리쓰가 삶을 누리길 바라며 만든 자.

그 차이가 이것이다.

"난… 널 원망했었다, 서린."

내가 그토록 고통받는 동안 편한 잠자리에서 따뜻한 밥을 먹고 사랑을 받으며 문명의 혜택을 누리며 살던 나의 분신…….

증오하지 말라는 게 이상할 정도였다.

중앙아시아의 차디찬 눈보라를 맞으며 서현은 서린의 존재에 저주를 퍼붓곤 했었다.

"나는… 네게 죄를 지었어."

사랑받고 자란 자의 강함이 있어야만 아담카드몬 아낙스의 공격에 대항할 수 있었다.

서현과 한세건, 실베스테르 셋 다 강자다. 그들 셋은 자신의 정신이 약하다고 생각한 적이 없었을 정도다. 자신들의 강함에 자부심마저 느끼고 있었다. 하지만 그들 셋을 다 합쳐도 아담카드몬 아낙스에게 대항할 수는 없었다. 아담카드몬 아낙스가 그들에게 던진 절망 앞에서 자책하는 자들은 감히 버틸 수도 없었다.

오직 서린만이⋯ 진실로 사랑받고 자란 따뜻한 마음의 소유자만이 이 세상을 구할 수 있었다.

"왜 이렇게까지 해야 했어? 왜?"

"그게⋯ 내 믿음이고 소망이니까."

서린이 웃으며 대답했다.

"그런 건 대답이 안 돼!"

서현이 호텔의 테이블을 후려쳤다.

둔중한 대리석이 덮여 있던 테이블이 얇은 유리잔처럼 산산조각 나 계단 아래로 굴러떨어졌다.

그러나 서린은 놀라지도 않고 차분하게 답했다.

"아니, 그게 내 대답이야, 형. 믿고 소망하는 것. 그 이상의 대답이 있을 수 있겠어?"

"⋯제기랄!"

서현의 몸에서 오갈 데 없는 살의가 뿜어져 나왔다.

"어차피 아인소프 오올을 발동하면 살아나는 것 아닌가?"

한세건은 그렇게 말하며 코웃음 쳤다. 그는 서린을 보지도 않았다. 아니, 차마 볼 수가 없었다. 아마 지금의 서린을 본다면 뱀파이어를 증오하기 위한 그의 마음이 부서져 버릴지도 모른다.

그렇게나 약한 마음이라고 생각지는 않지만 아담카드몬 아낙스에게 한 번 부서졌던 마음이다. 두 번 부서지지 말라는 법이 없지.

"……."

실베스테르는 한세건의 말을 듣고 고개를 가로저었지만 말하진 않았다. 한세건도 몰라서 말한 게 아닐 것이다. 그 증거로 그는 서린과 서현을 아예 바라보지도 않고 있었다. 고개를 돌리지도 못하고 격정을 속으로 삭이고 있는 것이다.

"하아."

실베스테르도 장탄식을 했다. 서린이 아무리 넉살이 좋다고 하더라도 아인소프 오울을 재정립하면서 그 안에 자신의 미래를 넣진 않았을 것이다. 자신의 운명을 자기 손으로 써넣는 순간 그것은 거짓된 미래, 거짓된 세계가 된다.

한세건과 서현, 실베스테르가 그 아인소프 오울에 소망을 담아야 했을 때 느낀 절망을… 서린은 단지 혼자서 받아낸 것이다. 아니, 테트라 아낙스 사인방을 포함해 아낙스의 화신 전원이 받아낸 것인가.

"왜 우리가 이런 걸 하지 못했지? 난 어째서… 나 자신을 지우지도 못하고!"

서현은 한탄했다. 서린처럼 자신이 없는 미래를 선택할 수 있었다면 굳이 서린이 희생할 필요도 없었을 텐데!

그는 도저히 자신을 용서할 수 없었다.

"형, 자신을 책망할 일이 아니야. 이 숙명을 재조립할 수 있을 정도로 정보 능력을 갖춘 자만이 아담카드몬 아낙스에게 대항할 수 있었어. 아낙스는 그래서 만족해. 죄업과 선업, 그 모든 것을 정리할 수 있었으니까."

"하지만 서린, 너는?"

"나는… 만족해."

"웃기지 마! 그래선 안 돼! 그래선 안 되잖아! 망할 놈아! 이걸 봐……."

서현은 휴대폰을 꺼내서 영상을 보여주었다. 벌새가 움직이는 걸 찍은 조잡한 휴대폰 사진이지만 서현은 그것을 보여주고 자신이 이 작은 생명이 움직일 때 느낀 감동을 전달하고자 했다.

"삶은… 살 가치가 있어. 나 같은 쓰레기도 느끼는 걸 네가… 이렇게나 세상을 사랑한 사람이 느끼지 못했을 리가 없어. 그런데 어째서… 어째서 이래야 한 거야?!"

지금이라도 서린과 운명을 맞바꿀 수 있다면 서현은 기꺼이 맞바꿀 것이다.

그러나 서린은 고개를 가로저었다.

"솔직히 말하자면 당연히 죽고 싶지 않지."

"보통 이 상황에서 그렇게 말하진 않지."

실베스테르가 그렇게 말했지만 고개를 저었다.

"하지만 그게 너다운 면이긴 하지, 서린."

서린은 눈물을 흘리고 있었다.

눈물을 흘리는 뱀파이어. 실베스테르가 그렇게나 찾아다닌 존재가 바로 지금 그의 눈앞에 있다.

"그렇겠지."

"그럴 거야."

실베스테르와 한세건은 납득하고 있었다.

"그럼 죽지 마. 지금이라도… 아악, 제기랄!"

서현은 그렇게 말하며 아인소프 오올에 접근할까 했지만 곧 손을 멈추었다. 아담카드몬 아낙스가 그에게 내밀었던 조건을 서린에게 내밀 수는 없다.

외통수에 몰려 있다. 이러지도 저러지도 못하는 딜레마.

그 안에서 서린은 눈물을 흘리며 웃었다.

"괜찮아. 별거 아니야. 사람들은 누구나 언젠가 죽는걸… 내게도 그냥 때가 온 것뿐이야."

"이런 죽음을 자연사와 동일시할 수는 없어."

"아냐, 별로 다를 게 없어. 전에도 말한 것 같은데 난 그런 의미에서 어머니도 원망하지 않아. 한국엔 돌잡이라는 게 있어서 장래 직업을 정하는 의식이 있는데 자식이 판검사나 의사가 되길 바라면서 그런 걸로만 채워 넣는 사람들이 있다니까. 그런 식으로 자식에게 어떤 역할이나 소망을 바라는 건 흔한 일인걸."

들어보면 어째 말이 되는 것 같다. 하지만 그게 자신을 희생하며 세계를 구하는 구세주일 리는 없잖은가. 어떤 부모가 자식이 남들을 위해 희생하고 사라지는 걸 원할까.

"…아까 전엔 미안했다. 난 그저… 이 감정을 주체할 수 없어서 성질낸 것뿐이야."

한세건이 여전히 고개를 돌리지 못하고 손으로만 악수를 청하며 화해의 제스처를 보여왔다.

하지만 이미 서린에게는 악수에 응할 손이 남아 있지 않았다.

"알아, 형."

"미안하다."

"이미 잊어버렸어."

한세건이 재차 사과했을 때 서린은 활짝 웃으며 그렇게 답했다.

그리고 아인소프 오올이 발동했다.

3

"아아아악!"

비명 소리와 함께 한세건이 깨어났다.

낡은 체육관에 걸려 있는 샌드백이 흔들리며 삐걱거리는 소리를 냈다.

"음……."

놀란 한세건이 주위를 둘러보았다. 한국에 있는 그의 아지트 중 하나다.

"꿈… 이었습니다, 라는 엔딩은 아니겠지?"

한세건은 컴퓨터에 다가가 전원을 넣었다. 하지만 부팅되는 시간을 참지 못하고 휴대폰을 들어서 뉴스를 살펴보았다. 비셔스 바이러스나 아웃레이지에 대한 이야기는 없다. 일본도, 인도네시아도 뉴욕도… 어디에도 재앙의 흔적은 없다.

"……."

혹시나 싶어서 한세건은 플렉스 메디칼로 검색해 보았다. 플렉스 메디칼은 존재한다. 그러나 한세건이 건물을 폭파시킨 사건은 존재하지 않는다.

끼기긱…….

창밖에서 무슨 소리가 들려서 한세건은 창가에 가서 블라인드를 거두었다. 그러자 그의 아지트 창문 맞은편에 광고판을 청소하는 사람들이 보였다. 광고판은 플렉스 메디칼 한국 지사가 팔고 있는 줄기세포를 활용한 발모 서비스에 대한 광고였다.

광고 문구도 끝내줬다.

─탈모는 정복당했다!

"…돈을 갈퀴로 긁어모으겠군."

한세건은 씁쓸한 표정을 지으며 손을 털어보았다. 그의 수족이나 다름없는 글록 18이 홀스터에서 튀어나와 손에 잡혔다.

"……."

그때 전화기가 울렸다.

"여보세요."

─이야기 좀 하지. 서현도 이곳에 와 있다. 아르쥬나에서 보지.

실베스테르의 착 가라앉은 목소리가 들려왔다.

"……."

한세건은 말없이 전화를 끊었다.

"그 녀석 정말 사라졌나."

한세건은 갑자기 맥이 풀려서 파워랙에 걸쳐져 있는 탄력봉을 잡고 기대어 섰다.

얼마나 큰 희생인지… 감히 가늠할 수도 없었다. 아담카드몬 아낙스가 그에게 그 조건을 내밀었을 때, 한세건은 절망에 쓰러졌었으니까.

그런데 서린에게 솔직하지 못했다. 마지막에 사과하긴 했지만… 그런 어정쩡한 사과가 그 녀석과의 마지막이라니. 왜 그런 짓을 했을까?

"대체 왜……."

한세건은 체육관의 파워랙에 머리를 대고 몇 차례나 반복적으로 받아보았다.

도시는 여전했다.

여전히 도로는 붐비었고 한강 다리를 건널 때면 택시가 은근슬쩍 라인을 밀고 와서 바이크를 타고 오가는 세건을 위협했다.

한세건은 신호 대기 중에 잠깐 헬멧을 벗고 경찰을 바라보았지만… 경찰은 그에게 관심도 주지 않았다.

그렇게 아르쥬나에 도착했다.

아르쥬나의 문을 열었을 때 그 녀석이 앉아서 '아임 데인저러스 보이' 같은 걸 부르며 놀리면 어쩌나 하는 생각도 잠시 했었다.

그래, 서린이 굳이 이 세상에서 사라질 이유는 없다. 전 세계에서의 기억이 없더라도 그냥 서린으로서 이 자리에 있을 수도 있다.

'녀석은 묘하게 착하지.'

그게 진실로 본래의 자신과 연속성이 없다 해도, 어쩌면 자신의 부재 때문에 슬퍼할 서현을 위해서라도 서린을 넣어두지 않을까? 그런 생각을 했었다.

그러나 한세건이 문을 열었을 때 그를 맞이한 건 실베스테르와 서현이었다.

서린의 모습은 어디에도 없다.

"……."

어디에 숨어서 깜짝쇼를 할 분위기도 아니다.

대신 커피 주전자를 들고 약간 놀란 표정을 짓고 있는 김성희가 보였다.

"아… 그래, 분명히… 덕연 씨 쪽 입문자였던가? 여긴 무슨 일이지?"

아무래도 생판 남은 아니고 가끔 보던 사람을 보는 시선이다.

그러자 테이블에 앉아 있던 실베스테르가 손짓했다.

"왔군. 괜찮아, 내 손님이다."

실베스테르는 테이블을 손가락으로 딱딱 두 번 두들겼다. 딜러에게 카드를 달라고 요구하는 도박사 같은 태도다.

한세건은 말없이 자리에 가 앉았다.

"그녀가 날 못 알아보다니 이상하군요."

"아니, 나도 못 알아보던데."

서현이 그렇게 말하고 한숨을 내쉬었다.

"정확히는 어디서 흘러들어 온 뜨내기 헌터… 가 내 위치더군."

"뜨내기 헌터?"

서현이?

한세건이 뱀파이어 헌터를 많이 해봐서 알지만 서현 정도면 한 지역의 뱀파이어 헌터들이 다 덤벼들어도 혼자 씹어 먹을 괴물이다. 그리고 그건 그도 마찬가지.

하지만 아마 아인소프 오올로 인해 인과가 조정되면서 그런 인과들이 변화한 것 같다.

"우선 내가 알아낸 것부터 말하지. 우리가 경험한 것은 꿈이 아니다."

실베스테르가 빠르게 말했다.

"가장 큰 변화는 아낙스의 존재가 없었던 것이 된 것이다. 아마 너희들 모두 일신상에 크고 작은 변화가 있었을 거야."

"네, 제가 테러했던 사실도 사라졌더군요. 플렉스 메디칼은 멀쩡히 한국에 진출했고."

한세건이 그렇게 말하자 서현이 어깨를 으쓱했다.

"볼코프도 없고 릴리쓰에 대한 기록도 없어… 마법사들의 누구도 릴리쓰를 알지 못하더라고. 그런데도……."

서현은 손을 들어서 손가락 중 하나를 수화시켰다.

"나는 여전히 라이칸스로프지."

"나도다."

한세건은 자신의 몸에서 탐랑을 내보였다.

강력한 외령의 힘이지만… 아담카드몬 아낙스와 싸울 때와 달리 힘을 조금밖에 꺼내지 못하겠다.

탐랑의 성격상 강대한 적, 확실한 목적의식이 없으면 그 힘을 제어하기 힘들다.

아무 일도 없이 평화로운 지금은 쓰기 힘들겠지.

"그래서 케네스 양에게 전화를 해서 물어보았는데… 뱀파이어에 대한 정보는 아낙스라는 자가 관리하는 게 아니라 아카식 레코드에서 스스로 지워진다더군. 아낙스가 기만의 죄를 지으며 세상을 속이는 게 아니라 이 세상의 시스템으로 반영되어 있어."

서현은 그리 말하고 한숨을 내쉬었다.

아낙스가 완전히 소멸했다. 처음부터 없는 존재가 됨으로써 월야의 인과관계들이 많이 뒤틀려 있었다.

그러자 한세건은 고개를 끄덕였다.

"그렇다면 아낙스도 결국 자신을 구원하고 사라졌군."

"아, 그래?"

서현이 해맑게 웃더니만 갑자기 의자를 뒤로 젖혀 테이블 밑에서 다리를 빼고 한세건의 얼굴을 뻥 걷어차 버렸다.

한세건의 몸이 바닥으로 쓰러졌다. 서현의 발차기를 피하지도 않았다.

"엿 같아."

서현은 한세건을 차고 나서 몸을 일으켜 세웠다. 하지만 한세건에게 달려들지는 않았다.

서린이 희생한 것이 가슴 아파서 견딜 수 없고 한세건이 말하는 게 이래저래 신경을 박박 긁는 것도 사실이다. 그렇지만 한세건이 가만히 맞고 있는 걸 보니 때리는 것도 바보 같다.

"썅… 너 혼자 처맞고 자책할 거냐? 지금 맞고 싶은 건 나라고! 이 엿 같은 새끼야!"

서현은 바닥에 쓰러져 피를 흘리고 있는 한세건을 보며 욕설을 퍼부었다.

하지만 한세건은 가만히 머리를 숙이고 그 고통을 받아들일 뿐이었다.

그때 김성희가 한숨을 내쉬었다.

"세상에… 이제 막 들어온 초짜들이 진마사냥꾼 실베스테르 앞에서 이런 추태를 부리다니. 당신들 대체……."

그러나 그런 김성희에게 실베스테르가 손을 내밀었다.

"그만둬, 김성희."

"아니, 실베스테르. 아무리 그래도 이건……."

"……."

실베스테르는 말없이 고개를 좌우로 흔들었다.

"그보다 커피나 리필 좀 해줬으면 좋겠군."

실베스테르가 그리 말하자 김성희는 한숨을 내쉬며 주전자를 가져와 커피를 채워주었다. 어째 실베스테르가 진마사냥꾼인 건 여전한 것 같다.

실베스테르는 커피를 받으며 서현과 한세건에게 말했다.

"어차피 우리 셋은 자책하는 버릇이 있다."

"…누가……."

"아니, 그런 버릇은 없……."

"그러니까 아담카드몬 아낙스의 수법에 꼼짝 못 하고 당했지. 만약 그때 제시받았던 자가 아그니나 헥토르 같은 놈이었다면 넙죽 받아먹었을 거다. 우리는 스스로를 용서할 수 없는 이유가 있었기 때문에 그 제안에 고통받았던 거지."

"……."

"……."

"그러니까 자책하는 성향의 너희 둘끼리 싸우는 건 일종의 공개 자위행위다. 그런 짓을 하겠다면 말리진 않는다. 인간이 쾌락을 추구하는 거야 어쩔 수 없는 자연의 이치니까."

"윽."

"무슨 부끄러운 소릴 공개적으로 하는 거야?"

김성희 앞에서 자위행위니 뭐니 하는 말을 얼굴색도 바꾸지 않고 하는 실베스테르의 모습에 서현과 한세건은 난처해했다.

"그런 짓을 하려면 최소한 아르쥬나 밖에 나가서 해라. 여기 지분의 일부는 내 소유니 내 사유물을 너희들이 때려 부수는 건 원하지 않거든."

실베스테르는 차분하게 그렇게 말하고 커피 잔을 기울였다.

잠시 침묵이 감돌았다. 그런데 그때였다.

빠앙!

카페 앞에서 누가 경적 소리를 냈다.

서현과 한세건이 고개를 돌려보니 오토바이 퀵 서비스 메신 저가 뭔가 상자를 들고 왔다.

"서현 씨 계십니까?"

"여깁니다만."

"이걸… 베오울프 CEO님… 이라는 분이 보냈습니다."

"……."

서현과 한세건이 혹시 폭발물일까 싶어서 박스를 살펴보았지만 폭발물 냄새가 나지 않는다.

상자를 열어보니 안에는 미니 프로젝터와 연동된 스마트폰이 있었다. 이것도 재차 검사해 봤지만 폭발물은 아니다. 그렇다고 저주나 마법이 걸려 있는 것도 아니다.

"그놈은 기억을 하고 있을까?"

서현이 물어보자 한세건이 어깨를 으쓱해 보였다.

"아라한이라고 했으니 모르지. 어쨌든 이런 타이밍에 우리를 향해 이런 물건을 보낸 것을 보면 뭔가 있지 않겠어?"

그때 실베스테르가 스마트폰을 살펴보고 말했다.

"안에 동영상이 있군. 아마도 이게 메시지인 것 같다."

"동영상을 재생하면 현재 위치를 송출하는 시스템이 아닐까요?"

한세건이 그런 가설을 세웠지만 서현이 코웃음 쳤다.

"아르쥬나로 퀵을 보냈잖아. 아르쥬나 위치야 누구나 다 알 텐데."

"음, 아니면 블루투스나 와이파이로 컴퓨터 바이러스를 보내는 시스템이라든가. 아니, 그런 건 너무 과민 반응인가?"

한세건은 그만큼 한니발을 신뢰하지 않고 있었다.

물론 서현이라고 해서 한니발을 신뢰하는 건 아니었다.

"틀어보자."

결국 그들은 호기심을 이기지 못하고 미니 프로젝터에 연결된 채로 스마트폰에 담겨 있는 동영상을 재생시켰다.

영상은 화면에 떠오르는 숫자부터 시작했다. 아이맥스 영화관의 오프닝 무비를 어디에서 따왔는데 당연히 미니 프로젝터의 열악한 화질로 그 영상을 보고 있으니 웃음이 다 나온다. 한니발에게는 확실히 유쾌한 면이 있다.

하지만 영상이 전환되면서 나온 것은 살풍경한 방이었다.

─슬픈 일이야.

영상 속에는 베오울프의 CEO, 한니발이 화면에 등을 돌린 채로 의자에 앉아 있었다. 빛이 부족한 곳이라 실내의 사물이 잘 찍혀 있지 않았다. 어딘가 중역용 의자 같은 것에 앉아 있는 것 같은데 화면 화질이 열악해서 영상을 판독하기 힘들다.

"휴대폰으로 찍은 영상이라면 어디에서 찍었는지 위치 정보가 기록되어 있을 가능성이 있지만 희박하군."

한세건이 중얼거리자 서현도 고개를 절레절레 저었다.

"아까 전에 못 봤어, 오프닝 영상 나오는 거? 이거 편집된 거야."

그러는 사이 영상 속의 한니발은 계속 떠벌렸다.

―아웃레이지, 비셔스 바이러스. 이 사건이 벌어졌을 때 나는 유쾌했었다. 아, 혹시 그거 봤어? 얀 베르트랑의 다큐멘터리인데 DMZ를 촬영한 장면이야. 한국의.

그 순간 자료 영상으로 얀 베르트랑의 다큐멘터리 장면이 떠올랐다.

비가 와서 물이 고인 DMZ의 땅 위로 고라니들이 뛰노는 모습이 보였다.

―아름답지? 온대기후 지역 중에 사람 손을 안 타고 원시림이 형성된 곳은 이곳뿐이라고 하는 설명과 함께 틀어주는데 난 이걸 보고 감명을 받았어.

한니발은 그리 말하고 어깨를 으쓱해 보였다.

―사람 새끼들이 없어지면 이렇게나 아름다운 세상이 펼쳐지는구나 하고 말이야.

"……."
보고 있던 한세건의 얼굴이 일그러졌다.
"윽……."
서현도 한니발의 말을 듣고 몸서리를 쳤다.
"엄청난 힙스터이신데? 과연 누구~ 에게 감명을 많이 받은 인물이야."

한세건은 왠지 이죽거리며 서현을 자극했다.

"내가 책임질 녀석이 아니지."

"책임져야 될 놈들이 보통 다들 그런 소리를 하더라고."

"아, 좀. 영상에 집중 좀 하자."

서현은 한세건의 도발을 무시하고 영상을 노려보았다.

─그래서 비셔스 바이러스의 준동 때 꽤 즐거워했는데, 아니, 이게 어찌 된 일이야? 그렇게 많은 사람이 죽었는데 없었던 일이 되다니… 개인적으로 유쾌했다고. 지금도 분쟁 지역에서 무수히 많은 사람이 죽어가는데 문명국의 놈들은 그저 태어나길 잘 태어나서 평화와 안정을 누리며 살아간다는 게 꼴 보기 싫었지.

"……."

"이건 진짜 너 같네."

한세건은 서현을 다시금 놀렸다.

"아, 제발. 그 입 좀 다물어. 다 보고 아가리 털자, 응?"

서현은 한세건의 놀림에 짜증을 냈다.

그러는 사이 한니발은 계속 말했다.

─내가 늘 존경하는 스탈린 형님이 이런 말을 했었지. 사람 새끼가 없으면 문제도 없다고. 역으로 사람 새끼들이 많으면 문제가 생긴다 이거지. 지금 당장 이 고령화사회 문제란 것도 그래.

한니발은 그리 말하며 샷건을 들어 화면 한쪽 구석을 가리켰다.

─읍… 읍…….

누군가가 입이 가로막힌 채 몸부림친다.
하지만 한니발은 아무렇지도 않게 방아쇠를 당겼다.
총성과 함께 몸부림이 사라졌다.
하지만 한니발은 그렇게 축 늘어진 몸을 향해 방아쇠를 몇 번
더 당겼다.

─아, 좋아. 아주 좋아. 흑흑, 이 나라를 일군 산업 역군님께서
글쎄 요즘 애들이 나라를 위해서 너무 희생을 안 한다고 하시잖
아. 다들 개인주의에 찌들어서 나라 귀한 줄 모른다고……. 그래
서 난 그분께 직접 목숨을 끊으셔서 고령화사회를 해결하는 모습
을 보여, 이 나라의 위기를 극복하는 데 힘써주신 분이 유종의 미
를 거두면 어떻겠냐고 물어봤고… 이분도 흔쾌히 애국심으로 응
해주셨지.

"그런데 저놈 한국인이었나?"
"일본의 정신병원에 수감되어 있던 걸로 아는데?"
한세건과 서현은 동영상에서 날뛰는 한니발의 모습을 보며
몸서리를 쳤다.

미친놈을 보는 게 어제 오늘의 일은 아니지만 한니발처럼 피곤하게 미친 타입은 반드시 자신이 집착하는 것에 돌격해 대형사고를 친다.

그리고 한니발이 지금 집착하는 건…….

'망할, 나잖아?'

서현은 경악했다.

그때 동영상 속의 한니발이 의자에서 빙글 몸을 돌려 카메라를 향해 얼굴을 보였다.

이 녀석이 과연 전에 봤던 그 녀석이 맞는가 싶을 만큼 미쳐 있었다.

—안녕, 서현. 보고 싶었어. 아마 얼떨떨하겠지?

"어우……."

화면 너머지만 서현은 왠지 소름이 돋아서 몸을 떨었다.

—아라한인 나는 아인소프 오올의 영향을 받지 않았어. 그래서 상황을 잘 아는데… 혹시 기억이 혼란스럽다거나 잊은 건 아니겠지? 만약 그렇다면 당장 이 비디오를 치워 버리라고.

서현이 한세건과 실베스테르를 바라보았다.

그들은 소리 없이 고개를 끄덕였다.

―좋아. 당연히 잊지 않았겠지. 너희들은 안타고니스트로 선택받은 자니까. 아인소프 오올 한복판에 링크되어서 그 인과율을 잠깐 동안 조정해야 했었으니 영향을 받지 않았을 거야. 자, 어디부터 말할까?

한니발은 간단하게 현재 아낙스가 없는 세계로 인과율이 조정되었으며 그 대신 아카식 레코드가 자동으로 뱀파이어 범죄를 은닉한다는 것, 그리고 인간을 뱀파이어로 바꿀 수 있는 확률, 뱀파이어가 인간을 감염시켜 동족으로 만들 수 있는 확률이 급격히 낮아져 그 결과 뱀파이어의 수가 많이 줄었다는 것을 설명해 주었다.

―어쨌거나 이런 상황이지만 덕분에 나는 먹던 걸 다시 내뱉은 기분이야. 비셔스 바이러스 때 뉴욕이 풍비박산 났던 걸 생각하면 너무나 안타까워. 그래서 나는 그때만큼 내 손으로 인명 피해를 일으킬 거야. 다행히 전쟁으로 먹고사는 베오울프의 여러 동료도 기꺼이 협력해 주기로 했고.

"…쌍."
"허허."
서현은 짜증 냈고 한세건은 어이가 없어서 웃었다.

―뭐, 궁극적으론 나 빼고 다 죽일 거지만 말이야. 아, 그리고

라이칸스로프 여단은 레온 시마노프가 이끌고 있고… 녀석에게는 외령 사탄의 힘이 있어. 릴리쓰의 세컨드 새끼 말이야. 묵시록의 레드 드래곤이지. 또 앙리 유이는 아주 미쳐서 열심히 죽이던데? 아마 아낙스가 자신을 완전히 차버리고 사라진 것에 절망한 것 같아. 아, 미리 말해두지만 앙리 유이도 전 세계의 기억을 가지고 있어.

"베오울프에… 라이칸스로프 여단도 있고 외령 사탄?"

"그리고 앙리 유이라… 나쁜 놈들은 여전히 나쁜 놈들이로군."

서린이 자신을 희생하긴 했지만 결국 이 세계는 인공적인 구원 따위 없는 진짜 세계다.

그렇다면 당연히 악은 준동한다. 끔찍한 악이 세계를 지배하고 있고 분쟁 지역은 여전히 분쟁 지역이며 지금 이 순간도 기아와 전쟁, 질병이 사람들의 목숨을 거두어가고 있다.

"이럴 거면 서린은 뭘 위해서 죽은 거지?"

서현은 그렇게 생각했다가 고개를 저었다. 서린은 매우 의미 있는 것을 위해서 희생했는데… 그걸 뭐라고 표현해야 할까?

"정말 뱀이로군. 훌륭해. 선악과를 인간에게 전달하기 위해 목숨까지 걸다니."

역시 성직자인 실베스테르는 쉽게 설명했다. 서린은 인간에게 자유의지를 주기 위해, 그 자유의지가 긍정받는 세계를 위해서 희생한 것이다.

그리고 그 결과 아낙스는 죄를 지을 수밖에 없는 구조에서 벗어났다. 이제 기만의 죄는 아낙스가 저지르는 게 아니다. 뱀파이어라는 성질이 가지는 자연스러운 반응이다. 충분히 의미가 있다.

　—그래서 말인데…….

　한세건과 서현, 실베스테르를 향해 동영상 속의 한니발이 웃음을 지어 보였다.

　—역시 서현 넌 내가 죽일 거야. 그런 의미로 선물을 보내니까 잘 상대해 봐.

　"뭐?!"
　그 순간 갑자기 아르쥬나의 문이 부서지고 거대한 소머리의 괴물이 뛰어 들어왔다.
　방금 전에 소포를 배달한 메신저가 괴물로 변해 들이닥치고 있었다.
　"아… 너 정말 열성 팬을 뒀구나. 좋겠다. 인과율의 세계를 초월해서 스토킹해 오네. 부럽네."
　한세건이 빈정거렸다.
　그러자 서현이 일어나며 몸을 떨었다.
　"어후, 그렇게 갖고 싶으면 너 줄게. 두 개 줄게, 다 가져가라, 테러범 새꺄."

"나 이제 테러범 아니야."

"나도 이제 전범 아니지."

"동생이 희생해서 죄를 씻어주니까 바로 저렇게 뻔뻔스럽게. 이래서 머리 회색인 짐승은 함부로 키우는 게 아니라더니만……."

"…아가리 뚫렸다고 남 말 한다?"

서현과 한세건은 투덜거리며 달려드는 괴물을 향해 손을 뻗었다.

4

앙리 유이는 과거를 기억하고 있다. 아인소프 오올을 재편집하기 위해 테트라 아낙스 사인방은 앙리 유이가 장악한 오라클 시스템은 물론 앙리 유이가 벌레들을 써서 만들어낸 유사 오라클 시스템에까지 침입했었다.

그때 앙리 유이는 테트라 아낙스들을 통해서 아인소프 오올에 간접적으로 접촉할 수 있었다. 그 결과 그는 기억을 잃지 않았다. 외려 그 경험 이후 앙리 유이는 놀라울 정도로 강력한 마법사가 되어 있었다. 아니, 정확히 말하면 아인소프 오올로 한번 고쳐 쓴 이 세계는 이전보다 마법의 힘이 더더욱 강해졌다. 마치 다른 세계와의 경계가 좀 더 얇아진 듯하다.

'그렇지만… 그전 세계의 기억을 가지고 있는 건 이 녀석도 마찬가지지.'

앙리 유이의 앞에는 바로 한니발이 앉아 있었다. 강대해진 마법의 힘으로도 눈앞에 이 아라한은 상대하기 힘들다. 특수 능력에 기대면 기댈수록 상대하기 까다로운 게 바로 이놈이다.

그래도 한 소리는 해야겠다.

"그렇게 쓰라고 준 게 아니다. 전력을 축차 투입 해봤자 전부 소멸당할 뿐이지."

앙리 유이는 서린이, 아낙스가 구원한 모든 것을 저주하고 있다. 이 모든 것을 죽이기 위해서라면 어떤 대가라도 치를 수 있다. 그리고 한니발은 힘사의 서원을 세운 아라한. 서로 바라는 게 일치하는 이상 좋은 동반자가 될 수 있었다.

하지만 역시 오만방자한 천성은 어디 안 가는지라 앙리 유이는 한니발이 하는 짓거리가 유치해서 마음에 들지 않았다.

"뭐 어때? 덕분에 더 많은 인간이 죽는걸."

한니발은 어깨를 으쓱해 보였다. 앙리 유이가 만든 작품들을 너무나 쉽게 소모해 버리는 게 어째 2차 세계대전의 소련과 미국 관계 같다. 지금은 잠정적으로 동맹국이지만 향후 적이 될 놈이니 미리 자원을 고갈시키자, 그런 생각을 품고 있는 게 뻔히 보이지만 이걸 따지면 문제가 수면에 올라와 버린다. 이 문제를 직시하기엔… 해야 할 일이 너무 많다.

"게다가 지금 탈력에 빠져 있을 게 뻔한데 그때 죽여봐야 무슨 재미가 있겠어?"

한니발은 그렇게 말하며 씨익 웃었다. 적은 자신을 규정시켜 준다. 그래서 많은 프로타고니스트는 안타고니스트를 필요로

한다. 적 없는 영웅담은 존재할 수 없으니 영웅과 반영웅은 이
야기의 동반자다.

"어설프게 도와줘 봐야 별로 고마워하지도 않는 녀석이니까
이게 차라리 낫군."

"⋯⋯."

그런 한니발을 앙리 유이는 못 말리겠다는 듯 바라보고 있었
다. 하지만 따지고 보면 이런 면까지 그와 한니발은 닮아 있었
다. 이제는 존재하지 않는 아낙스의 그림자 때문에 그는 여전히
고통받고 있었으니까.

5

"릴리쓰 책임은 아니지만 여하튼 뱀파이어는 있고, 라이칸스
로프도 있고⋯ 사이키델릭 문도 짭짤하다 이거지?"

한세건은 자신의 아지트 창문 밖에서 번뜩이는 탈모 치료 서
비스 광고판을 보며 혀를 찼다.

도시에 어둠이 깔리고 곳곳에서 뱀파이어와 마법의 괴물들,
악령과 이차원의 적들이 나타난다.

결국 아인소프 오올은 세계 전체에 깊은 상처를 남겼다. 레코
드판에 음악을 새기고, 판을 한번 밀어버린 뒤 그 위에 다시 다
른 곡을 새긴 셈이다. 그만큼 얇아진 레코드판 때문에 종종 여
러 가지 괴이 현상이 발생한다.

이 도시는 여전히 미친 달의 세계다.

'전보다 더 많아진 느낌도 드는군.'

한세건은 총화기를 준비하고 걸어 나왔다.

차고 쪽에는 서현이 자전거에 올라타고 그를 기다리고 있었다.

"엉덩이가 무겁네, 테러범. 마스카라라도 바르고 나왔냐?"

"헛소리하고 있네, 전범 자식. 넌 변신하면 전신에 다 털 나잖아? 너나 관리하지그래?"

한세건은 코웃음 치고 바이크에 올라타 시동을 걸었다.

각종 외산 바이크를 잔뜩 모았던 한세건인데 지금 그가 타고 있는 것은 중국 공장에서 조립한 국산 슈퍼모터드였다.

"저번 세계보다 재산이 줄었어. 그렇게 유명하지도 않고."

"나 역시. 볼코프가 사라지면서 그의 외손자라는 역사도 없고 릴리쓰의 자식으로서 암살자들을 상대한 기록도 사라졌으니까. 완전 초보 취급이더라고. 케네스 양에게 연락해 봤어?"

"웬 초짜들이 감히 자신에게 연락하냐고 짜증 내던데?"

"너도냐?"

서현은 쓴웃음을 지었다. 그러자 한세건이 바이크의 스로틀을 바짝 당겼다. 한세건의 모습이 쏜살같이 튀어 나갔다.

"결국… 어떻게도 살아지긴 하는군."

서현은 그런 한세건의 모습을 눈으로 뒤쫓으며 페달을 밟았다.

아직, 적은 많다. 위협도 많고… 그런 적들을 등대로 삼아 계속 살아갈 수는 있겠지. 그러나 언젠가는 서린처럼, 살고 싶다. 적이 나를 규정하지 않아도 스스로 삶을 찬미하며 살아갈 수 있는 존재가 되고 싶다.

물론 여전히 죄의식은 그를 짓누르고 자책이 그를 좀먹겠지만… 서현은 언젠가 그런 존재가 될 것을 믿고 또한 소망한다.

• ☾ • See You Next Night •

外傳

러브구루

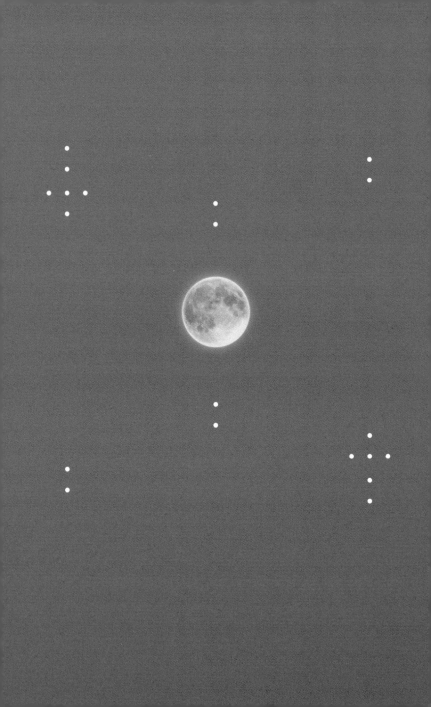

신은 악을 멸하려 하지만 능력이 미치지 못하는 것인가?

그렇다면 그는 전능하지 못하다.

신은 악을 멸할 능력이 있으나 의지가 없는 것인가?

그렇다면 그는 악의를 품고 있으니 선하지 않다.

신은 악을 멸할 능력과 의지를 가지고 있는가?

그렇다면 이 세상에 만연한 악은 어찌 설명하는가?

만약 신이 악을 멸할 능력도 그러한 의지도 없다면…….

우리는 그런 존재를 어째서 신이라고 불러야 한단 말인가?

에피쿠로스의 역설

"언제나 생각하는 거지만 에피쿠로스라는 작자는 참 순진무구한 것인가, 아니면 순진함을 가장해 사람들을 호도하는 것인가? 물론 그가 말하는 신은 사실 '데우스(Deus)'의 번역이며 이는 신이라는 단어와는 그 의미와 무게가 다르겠지. 하나 신이 선의를 가진 존재일 리가 있는가? 그가 말하는 바에 의하면 신이 선의를 가지고 있음을 전제하고 있지 않은가?"

서현은 투덜거리며 차량 진입 방지용 기둥 위에 앉아 휴대폰을 확인하고 있었다. 따사로운 햇살 아래에 사람들이 바쁘게 걸어간다. 누구도 이쪽을 보지 않는 것은 인식 장애술을 걸고 있기 때문이지만 그게 없다 하더라도 사람들은 보지 않았을 것이다.

바쁘고 힘든 세상이었다.

뱀파이어들이 비약을 마시고 폭주하고 좀비들이 배회하던 일들이 마치 어젯밤의 악몽처럼 흔적도 없이 사라진 세상이지만 사람들에게 살기 팍팍한 것은 그때나 지금이나 별반 다를 바 없다.

모두 바쁘게 달려가는 모습을 보며 서현은 여전히 자신이 유리된 존재임을 깨닫는다.

그 옆에서 한세건이 아이스커피를 들고 오다 혀를 찼다.

"갑자기 그런 소리를 하는 이유가 뭔데? 오타쿠라는 놈들은 뜬금없이 남들은 관심도 없는 이야기를 꺼내서 분위기 싸하게 만드는 재주가 있는데 너도 그런 거냐?"

"그렇게 말하지 마, 상처받는다."

"기왕 상처받는 김에 자살이나 하지그래?"

"그게 아니라 아낙스에 대해서 생각하다 보니 나온 말이다. 신이란 그게 호의를 베풀든 악의를 휘두르든 간에 역시 눈에 보여선 안 된다 싶어. 아낙스가 눈앞에 있을 때는 나 역시 그에게 도전하고 싶어서 근질거렸는데, 사라지고 나니 확실히 그가 헌신하는 자였다는 걸 깨닫게 되었다. 역설적이지."

뱀파이어의 수호자이자 세이리오스의 성자 아낙스는 결국 영적인 존재로 승화되어 사라졌다. 아니, 처음부터 그의 존재는 없었던 것이나 다름없이 되어버렸다.

그로 인한 인과의 개변으로 인해 이제 세상에는 뱀파이어들의 혈족이 그리 강력한 세력을 형성하지 못하고 있었다.

더 이상 뱀파이어를 수호하는 수호성인은 존재하지 않기에 뱀파이어들은 그 수를 늘리지 못하고 인간의 눈을 피해 어둠 속으로 스며들었다. 진마들은 여전히 존재하지만 더 이상 그들은 예전처럼 무분별하게 수를 늘리고 위세를 과시하는 이들이 아니다.

진마들조차 어둠에 숨어 다니고 있었다.

"많은 뱀파이어들이 아낙스의 존재에 대해서 거부감을 느끼고 있었지만, 그가 없는 세계라는 건 이렇군. 뱀파이어들이 번성하지 못하는 세계라니……."

웃기는 일이다. 테트라 아낙스가 지배하고 있을 때 그는 잔소리 심한 시어미였다.

뱀파이어들의 욕망을 통제하고 이거 하지 마라, 저거 하지 마라, 항상 금지만을 내리고 말을 듣지 않으면 처벌하던 존재다.

좋은 소리가 나올 수가 없지.

그러나 아낙스가 없는 세계에서 뱀파이어는 몰락해 버리고 말았다.

테트라 아낙스가 뱀파이어와 인간들의 세계의 완충 역할을 했으며 그가 있었기에 뱀파이어가 번성할 수 있었다는 것은 명백한 사실이었던 것이다.

물론 서현도 테트라 아낙스가 있을 때에는 그에게 도전했었다. 그만이 아니다. 아낙스가 있는 세계에서 모든 이성이 있는 존재는 아낙스에게 도전할 이유가 있었다.

그런 의미에서는 에피쿠로스의 역설이 참으로 적절하다. 신이라는 존재, 신에 가까운 존재가 있다면 그는 이 세상의 불의에 대해 책임을 져야 한다.

설령 인간적으로는 호의를 가질 수 있는 존재라 해도 그것이 신인 이상 불의에 대한 책임을 지고 도덕에의 의무를 지며 종국에는 타도해야 할 대상이 될 수밖에 없다.

아낙스 역시 그러했다.

그러니 아낙스가 의식의 저편으로 사라진 것은 올바른 일이었다. 형태 있는 신이란 모두들 에피쿠로스의 역설을 감당할 수 없으니 형태 없이 사라져 인식조차 못 하게 되고 이윽고 모두에게 잊혀 단지 개념만이 남아 암약하는 것이 그가 바란 일이겠지.

하지만 서린은 정녕 그런 것을 바랐던가?

봄날의 따스한 햇살 아래에서 서현은 눈살을 찌푸렸다.

"…그래서. 모든 뱀파이어를 아작 내겠다던 한세건 씨의 감흥은 어떠하신지? 꿈이 이루어져서 행복한가?"

"천만에! 기분 더럽군."

한세건은 서현의 옆에 비어 있는 차량 진입 방지용 기둥에 앉았다.

"무슨 의미에서?"

"우선 뱀파이어는 아직 남아 있어. 그리고 서린 그 녀석이 멋대로 행한 구원을 받아먹었다는 사실이 짜증 나고 그 방식 역시 마음에 들지 않아."

"그래, 서린의 방식이 마음에 안 든다 그 말인가? 어째서?"

"그는 인과를 뒤바꾸고 역사마저 바꾸었지. 하지만 그것은 다른 한 세계의 파멸이다."

"세계의 파멸?"

"사람의 기억, 사건의 인과가 정체성에 얼마나 큰 영향을 주는데? 그 정체성을 파괴한 순간 내가 알던 세계는 전부 파괴당한 것이나 다름없어. 내가 알던 세계는 죽었다."

"흐음……."

서현은 한세건의 말에 눈살을 찌푸렸다.

"무슨 소리를 하는지 알겠다."

왜 그걸 모를까? 서현이야말로 그 사실을 너무나도 뼈저리게 느끼고 있는 장본인이었다.

그는 릴리쓰의 자식으로 태어났기에 어린 시절부터 자신을 노리는 사냥꾼들을 피해 도망쳐야 했고 그 과정에서 무수한 범죄를 저질렀다. 죽일 필요가 있는 사람들을 죽였고 죽일 필요가 없는 사람들도 죽였다.

하지만 뱀파이어들의 사회가 성립되지 않으면서 그 사실도 사라졌다. 그로 인해서 지었던 죄가 없었던 일이 되었다.

하지만 그럼 죄의식은? 서현의 영혼에 새겨진 죄의식은 어쩌란 말인가? 이것은 이미 서현의 일부인데 그것이 서린의 제멋대로의 구원에 의해서 붕 떠버린 것이다.

"그렇다고 해도 나는 이걸 받아들이겠어. 좀비들이 들끓고 사상자들은 수억 단위, 게다가 그대로 계속 방치했었다면 인류 문명도 끝장났을 것이다. 불로불사의 길이 존재한다는 게 만인에게 알려지게 되면 모든 사람들이 점진적으로 뱀파이어로 타락했을 테니까."

당시의 세계는 착실히 파멸로 향하고 있었다.

그 파멸은 인류의 끝, 그것을 서린이 무로 돌렸기에 지금 이 따사로운 봄날의 풍경이 있을 수 있는 것이다.

이 따사로운 봄날의 하루를 버려야 할 만큼 세계의 정체성은 숭고한가? 그 세계의 정체성이라는 게 사람들이 좀비와 괴물들로 변해가며 끔찍하게 죽어가고 그들의 사회가 파괴되는 것을 감내해야 할 만큼 가치 있는 것인가?

하지만 한세건은 서현과 생각이 다른 듯했다.

"우리가 죽음을 피하기 위해 뱀파이어가 되는 것을 혐오하듯, 세계의 죽음을 피하기 위해 인과를 개변하는 것도 혐오스러워해야 하지 않을까?"

"그렇다면 너는 모든 이가 죽을 때는 죽어야 한다, 그런 말을 하고 싶은 것인가? 그 결과 인간의 문명과 사회가 끝장날 텐데 그렇다면 너는 왜 지금 인간들을 이능의 힘에서 지키기 위해 싸우고 있는 거지? 죽을 운명을 맞이해서 죽는 거나 다름없을 텐데?"

"그런 뜻이 아니다. 다만 테트라 아낙스는 사람의 손에 의해서 타도되어야 했어. 이렇게 인식의 저편으로 도망칠 게 아니라."

한세건은 그리 말하며 자신의 손을 바라보았다. 그때였다.

"왔다."

청년 한 명이 다가오다가 서현과 한세건을 발견하고 깜짝 놀라서 뒤로 돌아서서 달리기 시작했다.

"젠장! 왜 도망치지?"

"저번에 접선할 때 다른 놈들이 끼어들었잖아!"

저 청년과 한세건 일행은 이미 구면이다. 하지만 저번에는 저 청년과의 접선 장소에서 다른 패거리들이 끼어들었고 그 틈을 타서 청년은 한세건과 서현을 피해 도망쳤던 것이다.

"이번엔 놓치지 마!"

"알고 있어!"

한세건과 서현은 순식간에 뒤를 쫓아가 그 청년을 붙잡았다.

"으악… 이제 그만해! 나 경찰 부를 거……."

하지만 청년이 고함을 지르기도 전에 서현의 손이 청년의 입을 막았다.

"차량이 없으니 사람 납치하기도 쉽지 않네."

서현은 투덜거리면서 청년을 실신시키고 옆구리에 끼었다.

뱀파이어의 피로 돈을 벌고 라이칸스로프 갱단을 끌고 와서 중고 차량을 수출입할 때에는 다양한 차량을 마음껏 꺼내 쓸 수 있었지만 지금은 차량을 쓰기가 쉽지 않다.

차가 없는 건 아닌데 서현이나 한세건의 이름으로 되어 있는 차량이라서 괜히 범죄에 썼다가 번호판이랑 차종이 수배라도 되면 곤란하다.

뱀파이어 헌터 사업이 붕괴하면서 뱀파이어 헌터를 위해 각종 불법적인 서비스를 제공하던 이들은 확연히 줄어들었다.

케네스 양은 여전히 블랙 네트워크의 일원이면서 각 범죄 조직의 밀수입을 대행하는 중개자 역할을 하지만 그와의 관계가 예전 같지 않다.

그렇다 보니 이제는 직접, 공을 들여서 모든 정보 수집과 자료 조사를 해야 했던 것이다.

사회의 안전, 법과 질서를 위해서는 좋은 일이긴 한데, 이리 되니 번거롭고 위험하다.

아낙스의 비호가 사라진 이후 뱀파이어는 수가 줄어들고 그 조직력도 약해졌다.

그 결과 뱀파이어 헌터 사업은 그 규모가 축소되었다.

뱀파이어 헌터의 수익원은 뱀파이어의 피로 만드는 비약 사이키델릭 문에 의존했었다. 사이키델릭 문의 강력한 환각 작용과 고양 작용 덕분에 마약으로서 비싼 값에 팔렸던 것이다.

그러나 아무리 뛰어난 마약이라도 시장을 형성하기 위해서는 안정적인 공급이 필수적이다. 중독자가 중독될 수 있을 만큼 안정적인 공급이 이뤄지지 않으면 제대로 된 시장이 형성될 리가 없다. 뱀파이어의 수가 줄어서 그 피를 구하긴 어려워졌는데 시장 형성이 넓게 되지 않아서 사이키델릭 문은 아는 사람만 아는 진미 취급을 받게 되었다. 특정인은 얼마를 주더라도 사지만 그런 구매처와의 끈을 만들기는 힘드니 파는 데 공이 많이 드는 약이 되어버렸다.

여전히 뱀파이어의 피는 돈이 되지만 예전처럼 뱀파이어 잡아서 팔자 고치겠다고 무분별하게 헌터들이 뛰어들 만큼 매력인 시장은 아니게 되었다. 그 결과 헌터들의 수가 줄어서 헌터들에게 다양한 서비스를 제공하던 브로커의 수도 줄었다.

그러니 이제 이형의 존재들에 대항하기 위해서는 한세건도 서현도 발로 뛸 수밖에 없었다. 자신이 직접 정보를 수집하고 장비도 스스로 조달하지 않으면 안 된다. 물론 활동 자금도 이젠 예전처럼 물 쓰듯 쓸 수가 없다. 돈이 없는 건 아닌데 별거 없는 놈들까지 매수해 가며 돈을 낭비할 정도는 아니다.

"이거 참 불편하군."

서현은 기절한 청년을 침대 위에 내려놓고 주위를 둘러보았다.

A시 역 앞에 밀집한 상가들 사이에 있는 모텔이었다.

"기껏 깔끔한 신분을 갖게 되었는데 납치범이 되면 어쩌지?"

"전쟁범죄자 놈이 어울리지 않게 새가슴이군."

"이제 더 이상 전쟁범죄자도 아니거든?"

"어쨌든 녀석을 깨워."

"네가 해라."

"……."

한세건과 서현은 누가 먼저라고 할 것도 없이 가위바위보를 시작했다. 처음에는 둘 다 가위. 그래서 그다음에는 또 둘 다 가위. 둘의 시선이 허공에 얽혔다가 다시 내는데 이번에도 가위다.

"너, 짜증 난다."

"내가 할 말이다."

서현과 한세건이 으르렁거릴 때였다.

"으… 저, 일어났거든요."

청년이 눈을 떴다.

· ☾ ·

원래부터 A시는 외국인 노동자가 많기로 유명해 사람들 사이에서는 막장 범죄 게임에 빗대어 A산 안드레아스라고 불리고 있었다.

그런 A시에는 최근 특수한 상태의 시체들이 발견되고 있었다.

전신에서 혈액이 제거당한 외국인들의 시체가 연거푸 발견되고 있는 것이었다. 뱀파이어인가 싶어서 한세건과 서현은 즉시

A시에 잠입해 탐문을 시작했다.

그러나 한세건과 서현이 외국인 노동자들에게 접근했을 때 그들은 당연히 경계하며 촉각을 곤두세웠다.

외국인 노동자들이 협력적이지 않는데 거기에 다리를 놔줄 브로커도 없고 그렇다고 예전처럼 돈다발로 따귀를 때려가며 포섭할 수도 없다.

뱀파이어 헌터 사업이 절정을 구가하던 때와는 조사 방식을 달리할 수밖에 없는 것이다.

그러던 차에 A시의 인터넷 커뮤니티에 한 게시글이 올라온 게 그들의 눈에 띄었다.

스스로 A시 토박이라고 주장하는 한 사람이 기이한 검은 그림자를 사진으로 촬영해 올린 것이었다.

리플들은 당연히 비웃음이 대부분이었다.

'관심 끌고 싶었냐? 조잡한 합성 애쓴다.'

'똥꼬 접사하고 인증이나 해라.'

'외노자 죽은 거에 관심 없거든? 내가 취직을 못 할 판인데.'

'최근 최저임금 너무 높아. 외노자 없으면 경제가 안 굴러가.'

'위엣 놈은 왜 외노자 빨고 있냐? 느금마가 외노자 거시기라도 빨라고 가르치나 보네?'

이런 저질스러운 리플들이 도배되면서 게시물은 바로 삭제당하고 말았다.

하지만 한세건과 서현은 그것이 진짜라고 믿고 사진을 올린 아이디를 검색해서 그가 A시의 거주민이고 어디에 사는지까지는 알아내었다.

그래서 그와 접촉하기로 약속을 잡았었는데…….

어찌 된 일인지 만나기로 한 장소에서 다른 외국인들, 주로 방글라데시인으로 구성된 외국인 폭력배들이 난입했던 것이다. 이들 외국인 폭력배들은 한세건과 서현을 제보자로 여기고 덤벼들었다.

물론 이런 사람들에게 당할 서현과 한세건이 아니지만 CCTV 돌아가는 곳에서 사람들을 두들겨 패는 것은 정당방위라 해도 현명한 짓이 못 된다. 한세건과 서현은 그 자리에서 도망친 뒤 제보자를 추적한 것이었다.

"어, 어떻게 절 찾아냈습니까?"

"다행히 이쪽엔 아주 코가 좋은 사냥개가 하나 있어서."

"사냥개? 당신들 대체 뭐예요?"

"깊이 알려고 할 필요 없어. 그냥 묻는 거에 대답이나 해."

"싫습니다. 제대로 정보에 대한 사례를 하지 않으면……."

자신을 오영찬이라 소개한 청년은 그렇게 말하고 있었다. 납치당한 주제에 꽤 배짱이 대단하다.

"너 목숨 여러 개냐?"

서현은 진짜 궁금해서 물어보았다. 이런 상황에서 사례를 요구하다니. 보통 배짱을 가지고는 할 수 없는 짓이다.

"내가 그 사진을 올리고 나서 인터넷에서 얼마나 조롱을 당했

는지 아십니까? 그런데 적절한 보상도 없이 이렇게 납치해서 정보를 토해내라니…….'

"얼마를 원하지?"

원래라면 돈다발로 싸대기를 때려서 입을 다물게 하던 한세건이지만 뱀파이어 헌터 사업이 사라진 세상에서는 그렇게 돈을 함부로 쓸 수 없었다.

"원하는 건 돈이 아닙니다. 날 설득할 수 있는 성의지."

"성의……."

한세건의 표정이 일그러졌다.

뱀파이어일지도 모르는 놈을 잡기 위해서 정보를 수집하는 과정조차 까다롭다. 그가 기억하는, 이제는 사라진 과거에서는 그저 오퍼레이션 중 하나에 불과했던 일이다. 영혼 없는 웃음을 얼굴에 걸고 다니는 카페 아르바이트생이 아무 생각 없이 손을 까딱여 커피콩을 갈듯 의미 없는 작업.

물론 의미가 없지는 않다. 누군가는 그것으로 생계를 꾸려 나가지. 그러니 의미가 없을 리 없다.

그러나 오퍼레이션 그 자체엔 의미가 없다. 그러니 오퍼레이션에 성의를 보이라고 하는 것은 마치 최저 시급의 직원에게 미소를 강요하는 진상 고객 같아서 한세건의 표정을 일그러지게 했다.

지금 한세건은 하나부터 열까지 마음에 들지 않는다.

서린이 자신을 희생하며 그를 구원한 것은 이번이 두 번째다. 처음에는 그래도 그가 테트라 아낙스가 되는 결말로 끝났지만 두 번째의 이것은 비가역적이다.

죽었다.

은혜를 입히고 죽었다. 그의 은혜가 이 세상 모든 면에 널리 퍼져 있으니 사실 왜 서현이 에피쿠로스를 들먹였는지 그는 처음 듣는 순간 알았다.

서린은 신이 되어버린 것이다.

그 일방적인 구원이 이루 말할 수 없이 짜증 나는데 지금 이 단순 작업의 장애물이 자신에게 성의를 보이라고 말하고 있었다.

하지만 그는 무고한 사람이니 그가 말하는 것도 일리는 있다. 상대를 수단으로 대상화하지 않고 하나의 인간으로 대하자면 당연히 일어나는 일의 전후 과정에 대해서 설명하고 납득시키는 성의가 필요하다.

"우리는 여기서 벌어지는 살인 사건을 조사하는 사람이야. 당신이 정보를 제공하면 앞으로 벌어질 많은 살인 사건을 미연에 막을 수 있어. 그러니까 협력해 줘."

"당신들은 경찰도 아니잖아? 뭐 하는 사람들이지?"

"…일종의 마법사다."

자세히 설명하면 길어질 테니 한세건은 그렇게 짧게 말했다. 서현이 부연 설명을 덧붙여 주었다.

"그래, 납탄을 대가리에 박는 마법으로 많은 놈들을 닥치게 할 수 있지."

"마법사? 마법사란 말이야?"

"안 믿어지지?"

"아니, 내가 본 게 그, 충분히 이상한 일이라서 마법사의 존재를 안 믿으면 그게 더 이상한 거지. 아, 그래, 마법사라 그 말이지? 알겠어. 당신들 연락처를 줘, 그럼."

오영찬이란 청년은 그런 요구를 했다.

"…왜?"

"만약 이번 일로 인해서 내가 위험에 처한다면 당신들에게 도움을 청할 수 있어야 할 것 같아서."

"……."

한세건은 서현을 돌아보았고 서현은 고개를 으쓱했다.

확실히 이게 만약 뱀파이어에 대한 제보라면 뱀파이어가 역으로 정보 제공자를 위협할 가능성이 있다. 그런 상황에서 경찰은 도움이 안 될 테니 그가 한세건이나 서현의 연락처를 알아서 향후 다가올 위협을 미연에 방지하고 싶어 하는 건 이해할 수 있다.

한세건과 서현 입장에서도 그가 미끼가 되어 적들을 끌어모으게 된다면 연락을 받는 게 좋겠지.

"어쩔까?"

"경찰이나 그런 데 알려서 귀찮게 할 것 같진 않지만 참 정보 얻기도 힘들어졌군."

돈으로 해결하던 시절과 다르다.

뱀파이어나 이능력자를 추격하는 일은 이제 돈이 되지 않는다. 뱀파이어들의 강고한 사회는 사라졌지만 이능의 힘은 여전히 발현한다. 악마, 뱀파이어, 초능력자, 마법사, 방사(方士) 등

등 그 힘은 어둠 속에서 사람들을 죽이거나 착취하며 여전히 세상에 고통을 가져온다.

어둠의 힘을 사냥하는 게 더 이상 돈이 되지 않는 시절이기에 모든 절차가 성의를 필요로 한다.

이 청년에게도 연락처를 알리는 성의를 제공해야 하는가?

한세건은 한숨을 내쉬고 휴대폰 번호를 불렀다.

서현의 것이었다.

"이 자식 번호니까 앞으로 무슨 일이 있으면 이놈에게 연락해."

"야, 이런⋯⋯."

서현이 어이없어하며 한세건을 흘겨보았다.

서현의 휴대폰에 오영찬의 번호가 저장되니 각종 SNS도 덩달아 연결되었다.

서현은 그걸 보고 깜짝 놀랐다. 오영찬의 직업에 시민기자라고 적혀 있었기 때문이었다. 비록 월급보다는 독자 개개인에게 후원받는 품앗이형 매체이긴 하지만 나름대로 사회적 인지도가 좀 있는 매체의 기자로 기사도 꽤 많이 썼다.

"기자인가?"

"그, 그렇습니다."

"그런데 왜 기껏 얻은 정보를 일반 인터넷에 올렸지?"

"그야. 그런 오컬트스러운 이야기를 우리 매체에 올리면 매체의 격이 떨어지는 데다가 편집 데스크를 통과할 자신이 없으니까요."

오영찬이 그렇게 말하자 서현의 표정이 구겨졌다.

하필이면 기자에게 연락처를 주다니.

그러나 현재 그들에겐 정보망이 절실했다.

뱀파이어 헌터 사업이 몰락한 이상 일반적인 범죄 조직이나 세간 일에 익숙한 정보망을 새로 파야 하는데 기자들만큼 그런 데 특화된 인물이 없다.

"그런데… 그럼 정보라는 건……."

"아, 이겁니다."

청년은 천연덕스럽게 모텔의 컴퓨터로 웹하드에 접속해서 사진을 다운로드받았다.

상당한 고화질의 화상이다.

"실은 셰이크 우르지 후세인이라는 남자를 쫓고 있었거든요."

"셰이크 우르지 후세인?"

"A시의 방글라데시 계열 노동자들의 조직 보스입니다. 이름은 이슬람계이지만 방글라데시에서는 놀랍게도 마법사라는 이유로 사형을 선고받았지요."

"……."

이슬람교가 사회를 장악한 교조적인 나라에서는 마법사, 주술사들에게 사형을 언도한다. 그러나 과거 말레이시아에서 에어 아시아기가 추락했을 때 주술사들에게 의뢰했던 것처럼 그런 나라들이야 말로 주술사에 대한 의존이 심한 나라다.

애초에 주술사들에게 힘이 있다고 믿지 않으면 굳이 사형으로 그들을 다스릴 이유가 없다. 대한민국에서 스포츠 신문에 무당들이 광고했다고 무당들을 고소하거나 잡아가는 일은 없지 않은가?

"즉 셰이크 우르지 후세인은 마법사다. 그러니까 우리가 마법사라는 설명을 그렇게 쉽게 받아들인 거로군."

"그렇지요."

"사진은 어떻게 찍은 거야?"

"그게 말이지요, 제 취미가 천문 사진 촬영이거든요?"

"천문 사진?"

"망원경에 카메라를 달고 사진을 찍는 거 말이에요. 그걸 하다 보니 자연스럽게 도촬을 즐기게 되었고."

"잠깐."

"아니, 뭐, 뒤의 건 농담입니다. 그냥 비싼 카메라를 쓰다 보니까 신문방송학과로 진학했는데 이게 참 신방과라는 게 진학한다고 언론인이 되는 게 아니더라고요. 다들 농담 삼아서 호떡 장사나 할걸, 호떡 장사 하면 포장지는 신문으로 싸니까. 아니, 호떡이 되자. 뭐, 그런 소리를 하는데……."

"잔소리는 됐고."

"그러니까 제 출신이 A시 사람입니다. 외노자들은 예전부터 좀 알고 있었는데 요새 이상한 변사체가 나오잖아요? 아, 지금 미리 말해두지만 외노자들이라고 다 범죄자는 아닙니다. 하지만 외노자 브로커 조직에는 범죄자들이 있단 말이에요. 이건 인종차별이나 그런 게 아니라 당연한 이야기 아닙니까?"

대한민국 노동자들만 해도 파견 업체와 그를 알선하는 알선

업체에는 많은 이권이 걸려 있다. 이권이 많으면 응당 폭력의 그림자가 뒤따르는 법, 외국인 노동자들의 폭력 조직은 자연히 생길 수밖에 없다.

그런데 왜 그걸 서현과 한세건에게 설명하고 있는가?

"그건 굳이 우리에게 설명할 필요가 없어."

서현이 짚어주자 오영찬이 부끄러워했다.

"아니, 그렇게 말하지 않으면 PC하지 못하다고 인터넷에서 하도 까이니까 말이지요."

"PC라면 Politically Correct 말하는 거지?"

"네, 그래서 미리 말해두는 겁니다."

"우린 당신에게 관심이 없어. 당신이 인종차별주의자든 동성애자든 알 바 아니지."

서현과 한세건이 그렇게 단언했다.

"으, 저에게 관심이 있든 없든 관심 가져달라는 이야기가 아니고요, 전 A시 토박이니까 A시 문제에 관심이 많았어요. 다행히 장비도 이런 게 있고 살고 있는 집도 좀 고층 건물이니까."

그는 웹하드에서 사진들을 다운로드받아서 모텔에 비치된 PC의 화면에 띄워 올렸다.

그것들은 셰이크 우르지 후세인이 뭔가 검은 그림자들을 불러내어 다른 노동자들을 습격하게 하는 장면을 연속으로 찍은 사진이었다. 먼 거리에서 망원으로 찍은 것이라 흔들리고 초점이 덜 잡혀 있는 흐리멍덩한 사진이지만 조작되지 않은 진짜 사진임을 알 수 있었다.

"…뱀파이어는 아니었군."

한세건이 아쉽다는 듯 혀를 찼다. 사진에 찍힌 것이 워낙 흐릿해서 잘은 모르겠지만 사람을 죽이고 있는 것은 뱀파이어가 아니라 검은 악령이다.

아마도 셰이크 우르지 후세인은 주살(呪殺)을 특기로 하는 술사인 듯하다.

"뱀파이어가 아니라고는 해도 처단해야 할 놈이다. 주살을 특기로 하는 마법사인 것 같은데 이런 놈이 백주대로를 활개치고 다니게 내버려 둘 수는 없지."

서현은 뱀파이어든 아니든 이 사건에 머리를 들이민 이상 해결을 볼 셈이었다. 그리고 그건 한세건도 마찬가지일 것이다.

그러나 이 사진만으로는 정보가 부족하다. 셰이크 우르지 후세인이라는 인물이 어디에 피신해 있고 어디에 주로 출몰하며 누구와 함께하고, 어떤 사업을 하며 무엇에 관심을 보이는지, 그러한 것들을 알아야 한다.

아울러서 셰이크 우르지 후세인이 사용하는 마법 타입은 무엇이며 만약 사령이나 악마와 계약하고 있다면 그 배후에 있는 영적 존재는 어떤 놈이고 무엇이 약점인지도 알아야 한다.

총탄을 박거나 갈아 없애서 죽이면 죽는 뱀파이어와 달리 영적 존재의 공격은 보다 끈덕지고 음험하다.

개중에는 술자를 죽이는 순간 폭주해 버리는 타입의 마법도 있다. 그러니 설령 지금 여기서 셰이크 우르지 후세인을 저격할 수 있다고 해도 그 머리에 함부로 총알이나 화살을 박아 넣어선 안 될 것이다.

"…A시 경찰은 어떻게 생각하고 있나?"

"그게, 외노자들에게 A시 경찰이 할 수 있는 게 얼마 없기도 하고 제가 기껏 찍은 사진들도 알다시피 제정신 박힌 놈들이면 믿기 힘들잖아요."

오영찬은 놀랍게도 자기 주제를 잘 파악하고 있었다.

"그래서 저는 사실 당신들 같은 사람이 있다는 것에 기뻐하고 있습니다. 사실 그전에도 어렸을 때부터 오컬트에 관심이 없긴 않았는데 뭐 자기가 검기를 쓴다느니 공중부양을 한다느니 하는 미친놈들만 줄기차게 만났지 진짜를 본 적은 없어서요."

"그래?"

한세건은 심드렁하게 대답했다. 일단 정보를 얻고 난 뒤에 오영찬 개인에겐 전혀 흥미가 없다. 한세건은 그러했지만 오영찬은 한세건과 서현에게 호기심을 느끼고 있었다.

그렇겠지. 그게 당연하다. 비록 제대로 된 언론사는 아니지만 시민기자라는 놈이 눈앞에서 마법사라고 자처하는 이들, 그것도 상당히 높은 확률로 그게 사실일 인물들을 만났으니 관심을 안 가질 수가 없으리라.

"그럼 처음 접선할 때 외국인들이 왔던 것은 당신이 정보를 흘려서겠군."

서현은 이 남자와 만날 때 외국인 폭력배로 보이는 이들이 습격해 온 것을 떠올렸다. 오영찬은 여기저기 정보를 얻기 위해 꼬리를 깔고 다녔고 그 꼬리를 노린 것은 한세건과 서현만이 아니었다.

셰이크 우르지 후세인의 부하들 역시 오영찬의 꼬리를 잡은 것이다.

"네, 그, 그렇네요."

"그런데 우리에게서 도망쳤고 말이지."

"뭐, 당시에는 정말 별생각 없이 한 건데 목숨의 위협을 느껴서 놀랐지 뭐예요."

오영찬은 그렇게 말하는데 정말 이 사람이 여태 살아 있는 게 용할 지경이었다.

"당신 정말 목숨 여러 개야?"

서현은 오영찬이란 이 청년의 대담함에 기가 막혔다. 결국 오영찬의 이야기를 종합해 보면 오영찬은 이 일대 사정에 대해서 빠삭하고 앞으로도 써먹을 가치가 있는 정보원임엔 분명하다.

그러나 현재로서는 오영찬의 얼굴, 그리고 그가 사용했던 부계정의 일부는 적수인 셰이크 우르지 후세인 일파에게 알려져 있다.

"그럼 아무래도 경호가 필요하겠군. 이거 참. 골치 아픈데."

"죽게 내버려 두지?"

"아니, 그래도 이런 뻔뻔한 인물이 정보원으로서 가치가 좀 있을 것 같으니까. 살려두자고."

"…그럼 하던 가위바위보를 마저 해야 겠군. 지는 사람이 저 친구 신변을 보호하자고."

"그렇군. 바라던 바다."

서현과 한세건은 다시 가위바위보를 시작했다.

가위바위보의 승자는 서현이었다.

"예지 능력을 썼나?"

"그거 쓸 만큼 상태가 좋은 건 아니거든?"

서현은 치팅 의혹을 제기하는 한세건에게 고개를 저었다. 한세건은 납득을 못 하는 듯했지만 딱히 서현이 치팅을 했다는 증거도 없고, 설령 예지 능력을 썼다 해도 그 정도 치팅은 실력이라고 할 수 있는 것이다. 서현이 타고난 능력을 썼다고 비겁하다고 비난한다면 처음 가위바위보를 할 때 능력 사용에 제약을 걸었어야 했다.

'이 두 사람은 뭐 그런 걸 가지고 싸우고 그러지?'

오영찬은 한세건과 서현의 날 선 언행에 당황하고 있었다.

그래도 둘의 협력 관계는 공고한지 한세건은 말없이 모텔 방 안에 비치된 의자에 앉았다.

"내가 그럼 이 사람을 지키도록 하지. 빨리 처리하고 와."

"그게 좀. 주살 마법사를 상대할 때는 상대 정보를 알아야 하니까. 좀 걸릴 거야."

"리림 다 죽었네. 원래는 쉽게 처리하지 않았어?"

"그게 좀……."

서현은 쓴웃음을 지었다.

이 세계는 외령으로서의 릴리쓰의 힘이 약하다. 이전의 세계보다 릴리쓰의 힘이 약해져 있어서 서현의 힘도 덩달아 제약을 받는다.

게다가 지금의 월령은 초승달. 그러니 주살 마법사의 저주가 정확히 어떤 방식으로 행해지는지 대략적으로라도 감을 잡아야 한다. 만약 잘못되면 돌이킬 수 없는 일이 생길 수도 있으니까.

"이거 돈도 안 되는데 번거롭기까지 하군."

가위바위보에서 이겨 직접 행동에 나서기로 한 서현은 자신의 스마트폰에 오영찬이 넘겨준 자료를 저장해 두었다.

"그럼 내가 처리하는 동안 너는 이 친구를 보호하고 있어."

"아니, 잠깐, 당신들 혼자서 할 수 있는 겁니까? 그 후세인 일파의 녀석들은 정말 칼로 사람을 푹푹 찔러 버린다고요!"

오영찬은 당황해서 그렇게 물어보았다.

한세건이나 서현이나 체격이 좋아 보인다. 그뿐인가? 눈빛도 날카로운 게 싸움에 익숙한 사람이라는 건 알겠다. 그러나 싸움 좀 하는 정도로 A시의 외노자 폭력배들과 얽히는 건 좋지 않다. 그들은 언제든지 쉽게 칼을 빼 들기 때문이었다.

"운동 좀 했는지 모르겠는데 칼 앞에선 소용없습니다."

"…그렇겠지."

서현은 듣는 둥 마는 둥 하면서 밖으로 나갔다.

"정말 괜찮은 겁니까?"

오영찬이 한세건에게 물어보자 한세건은 한숨을 내쉬었다.

"아무리 그래도 상대를 걱정하는 쪽이 나을걸."

상대가 주살 마법사라 이래저래 여건이 어렵다고는 해도 서현이 실패할 리는 없다. 시간이 좀 걸리는 거라면 모를까.

서현은 외령인 릴리쓰가 직접 잉태한 괴물, 리림으로 0세대 라이칸스로프이기도 하다. 인간을 가급적 먹지 않아서 그 본래의 능력을 쓰기 힘든 상황이지만 만약 그가 작정한다면 아마 이 지상의 그 어떤 이능의 존재들도 상대가 되지 않을 것이다.

그러니 서현의 승리를 점찍은 한세건이었다. 일단 서현에게 셰이크 우르지 후세인을 추격하고 처단하는 것을 맡긴 한세건은 노트북을 펼치고 코딩을 시작했다.

아두이노와 안드로이드 기기 등, 저가로 구할 수 있는 장비들을 이용해 동영상을 촬영하거나 센서에 걸린 부분만을 동영상으로 촬영하는 간단한 어플리케이션을 만들려 하는 것이다.

한세건 자신이 머리가 비상한 것도 있지만 구현하고자 하는 기능에 대한 코드들은 이미 구글에만 검색해도 잔뜩 쏟아져 나온다.

상용 소프트웨어를 만드는 게 아니라 어디까지나 실용을 위해 만드는 이상 한세건은 그런 코드들을 주워다가 복사하고 붙여넣기를 해서 빠르게 소프트웨어를 만들어내었다. 죄다 복사하고 붙여넣기로 이어붙이다 간혹 어긋나는 부분만 누덕누덕 기워가며 코딩을 했다.

오영찬은 말없이 그 모습을 지켜보았다.

"그런데 저기, 이런 상황에 이런 말을 하긴 좀 그렇지만."

오영찬은 한세건에게 질문을 던졌다.

"혹시 당신이 정말 마법사라면 그, 여자의 마음을 손에 넣는 마법 같은 건 없습니까?"

"갑자기 그런 머저리 같은 질문은 왜?"

"아니, 사실은 좋아하는 여자가 있거든요. 그런데 죽을 위기에 처하고 보니 문득 생각이 나서요. 내가 죽기 전에 내 마음을 전할 걸 그랬나 하고……."

"단언하건대 절대 그러지 마라. 술 먹고 여자에게 고백하는 거나 마찬가지인데 틀렸어, 이미. 그리고 마음을 전하네 어쩌네 하는 건 일본 만화를 너무 본 티가 나는 소리인데? 일반인들은 그런 소리 안 하거든?"

"……."

한세건의 냉정한 반응에 오영찬이 얼굴을 붉혔다.

"그리고 애초에 마법이나 초능력 같은 걸로 여자를 손에 넣겠다는 소리를 꺼낼 정도면 당신은 그 여자를 좋아하는 게 아니라 그 여자의 몸을 좋아하는 거야. 그런 거라면……."

한세건은 모텔에 구비된 티슈 갑을 던져 주었다.

"화장실에서 이걸로 한 발 빼고 오면 생각이 사라지겠지. 그게 차라리 댁이나 그 여자에게나 행복한 결말일 거야."

"아니, 저기, 전 어디까지나 순수한 사랑으로……."

"댁이 말한 거 어디에 순수가 있는데?"

"……."

"하여튼 이상한 짓 할 생각 하지 마. 그거 데이트 강간이야."

"나, 당신들은 정의의 마법사인가 보군요."

"내가 정의인 게 아니야. 난 감히 정의를 참칭할 위치에 있지 않지. 오히려 죄인이라고 할 수 있어. 그런 나에게 과분한 소리를 하는 걸 보면 그건 내가 올바르다기보다는 당신이 불의한 거지."

한세건은 그렇게 답하고 다시 컴퓨터를 바라보았다.

할 말이 없어진 오영찬은 한세건을 바라보며 꿀 먹은 벙어리가 되었다.

그렇게 약 4시간 동안 어색한 침묵이 흐른 뒤에 서현이 돌아왔다.

"돌아왔나? 예상보다 일찍 돌아왔군."

한세건이 그렇게 물어보는데 서현의 표정은 그다지 좋지 못했다.

"아니, 내가 처리한 게 아니야."

"그럼?"

"기껏 여기 알려준 곳에 갔는데 경찰들이 그들을 급습하고 체포하던데?"

"뭐?"

오영찬이 알려준 셰이크 우르지 후세인의 아지트는 바로 환전소였다. 그곳에서 외화관리법 위반을 이유로 경찰들이 들이닥쳐 환전소를 압수 수색 하고 관련자들을 끌고 갔다는 것이다.

"뭐야, 그게?"

"다른 쪽으로 범죄를 저지르다 걸렸나 보지. 아니면 연막작전일 수 있어."

외국인 범죄자는 범죄자 인도 협약이 맺어져 있을 경우는 보통 인도되며 그렇지 않은 경우라 해도 외국인 전용 교도소에서 지내게 된다.

만약 살인을 저지른 이가 다른 일로 잡히게 되면 한국인이라면 여죄를 캐묻기 편해지지만 외국인의 경우는 오히려 더 힘들어진다.

애초에 외국어를 잘하는 경찰이 그렇게 많은 것도 아니니 경찰이 외국인을 대상으로 여죄를 캐물으려면 그만큼 고급 인력을 소모해야 하는 것이다. 잡범으로 들어간 이가 사실은 살인범이라 해도 한국 경찰이 조사해 여죄를 파악하기가 쉽지 않다. 경찰의 수사력은 무한한 것이 아니라 유한한 자원이니 말이다. 게다가 만약 그가 감옥에 있는 상태에서 또 다른 주살 사건이 일어난다면 어떻게 될까?

부인할 수 없는 알리바이가 생기는 게 아닌가.

"일이 상당히 번거로워지는군. 그때까지 이 친구를 계속 보호해야 하나?"

"그렇겠지."

"골치 아프네."

한세건이 투덜거렸다.

"무슨 일 있었나?"

"그게 말이지."

한세건은 그간 있었던 일에 대해서 말해주었다.

그 말을 들은 서현이 폭소를 터뜨렸다.

"하하. 그러니까 뭐야. 당신, 설마 지금 그에게 여자 문제로

의논했단 말이야? 나 참. 차라리 물고기에게 하늘 나는 법을 배우고 말지. 영국 사람에게 김치찌개 끓이는 법을 묻든가."

"……."

한세건이 노골적으로 불쾌한 시선을 서현에게 보냈다.

"그런 게 아니야. 그냥, 마법으로 어떻게 연애에 득을 볼 수 없느냐고 물어보더라고."

"그래서 뭐라고 대답해 줬는데?"

"그런 걸로 득 보려 하는 발상이 데이트 약물이랍시고 로히프놀 타 먹여 데이트 강간 하는 거나 진배없다고 말해줬지."

"…그 외엔 달리 없고?"

"없다."

"그런 식이니까 넌 틀린 거야. 저 사람도 연애를 뭐 마법에 도움받아 가면서 하고 싶다고 했겠어? 그냥 마법사라니까 뭔가 말이라도 붙여보고 싶어서 화제를 꺼낸 것일 텐데 단칼에 자르기는……. 하긴 너도 연애를 해본 적이 없지?"

"웃기고 있네. 넌 있냐?"

"있지."

"아, 그래. 러시아는 성비가 무너져서 여자가 남자보다 더 많더라?"

"그런 문제 아니거든?"

서현과 한세건이 서로서로 신경전을 벌이기 시작했다. 보다 못한 오영찬이 그들에게 물어보았다.

"자자, 그만하시고. 그래서 상황은 어떻게 되었나요?"

"어떻게 되긴… 녀석이 먼저 경찰에 잡혔다니까."

"네? 하지만 그럼… 살인에 대한 증거는 없을 텐데."

"그렇게 되면 어떻게 될까? 외국인 교도소에 갈까? 아니면 비자 문제로 추방되려나?"

"글쎄요. 시민 단체들이 가만히 있지 않을걸요."

"음……."

그런데 그때였다.

파지지직…….

갑자기 모텔의 형광등이 깜빡거리기 시작하는 게 아닌가?

"아……."

"망할."

서현과 한세건은 갑자기 방의 기온이 내려가는 느낌에 혀를 찼다.

"무, 무슨 일이죠?"

"당신을 죽이려고 후세인이 주살을 건 모양인데?"

"네?"

"조용히 해."

한세건은 그리 말하고 모텔에 비치된 TV를 켰다. 하필이면 성인영화 채널이 틀어져 있어서 얼마 되지도 않는 출연료에 열연하는, 너무나 연기인 게 분명한 헐떡거림이 방을 가득 메웠다.

음성도 최대로 틀어져 있어서 벽걸이 TV의 연약한 내장 스피커가 찢어질 듯한 교성을 낸다. 그 소리 사이로 흐느끼는 울음소리가 들려온다.

"인간령이군."

서현은 그 울음소리를 듣고 후세인이 사용하는 주살의 정체를 알아챘다.

"인간을 흡혈령으로 만들어서 목표에게 보내는 거야. 그렇게 해서 사람이 죽으면 그자가 흡혈령이 되어서 다음 타깃으로 향하지. 이런 술법은 빠르게 다음 타깃을 지목하지 않으면 흡혈령이 술자를 해치기 때문에 적어도 6주 내에 한 명씩은 계속 죽여야 해. 아니면 흡혈령을 봉인하거나 멸할 수 있는 마도구가 있거나."

"흡혈령은 생령인가?"

"아니, 사령이다."

"그렇다면 남겨봤자 인간을 구할 수는 없군. 좋아, 제거하지."

한세건은 모텔 벽에 세워져 있는 커다란 스탠드형 옷걸이를 집어 들었다. 서현이 지목한 모텔 외벽 쪽을 뚫고 검은 그림자, 흡혈령이 뛰어들어 왔다. 얼굴이 기이하게 짓이겨진 인간의 모습을 한 검은 그림자였다.

"아으으으으으!"

본래는 인간이었으나 흡혈령에 살해당해 흡혈령이 된 존재가 기괴한 괴성을 내지른다. 하지만 한세건이 휘두른 옷걸이가 흡혈령에게 명중하는 순간 단박에 흡혈령의 몸통이 떨어져 나간다.

한세건이 가지고 있는 고유영장(固有靈仗), '비스트'의 힘이다.

본래는 한세건을 좀먹던 혼팅이던 것이 녹티스의 저주, 그리고 한세건의 결연한 의지와 결합해 고유영장으로 변화했다. 그 고유영장의 강력한 힘은 다른 영적 존재를 찢어발기고도 남을 힘이다.

"흡혈령 완전히 죽이지 마! 술자에게 되돌려 보내는 게 더 나으니까!"

"노력은 해보지!"

한세건이 옷걸이를 빙글 돌려 다시금 흡혈령의 몸통을 깎아내려 했다. 그러나 흡혈령이 발작적으로 팔을 휘두르자 싸구려 스틸로 만들어진 옷걸이가 깔끔하게 두 동강 났다.

"도검과는 다르군. 도검류에 고유영장을 걸면 어지간한 영적 존재는 건드리지도 못했는데."

한세건은 그리 투덜거리며 두 동강 난 옷걸이로 흡혈령을 좌우에서 강타해 간단히 흡혈령을 무력화시켰다.

그러자 서현이 뛰어들어 라이칸스로프화한 오른손 검지 손톱, 은색 손톱으로 흡혈령의 이마를 찔렀다.

"목표를 바꾼다. 네 영을 타락시킨 주인에게 돌아가라!"

서현은 한세건에 의해 반은 소멸당한 흡혈령의 이마에 은색 발톱을 쑤셔 박고 저주 되돌리기를 시전했다. 어차피 이 주살은 시전자의 목숨도 담보로 건 위험한 행위. 시전자인 셰이크 우르지 후세인은 당연히 방어 술법을 갖추고 있겠지. 하지만 이렇게 저주를 되돌리지 않으면 셰이크 우르지 후세인이 계속해서 흡혈령을 보낼 수 있다.

흡혈령을 계속 보낸다는 건 저 저주받을 마법에 희생될 인간들이 계속 늘어난다는 뜻이기도 하다.

무고한 사람들을 죽여서 그들의 사령에서 흡혈령을 만들어내리라.

"됐냐?"

"좀 기다려."

서현이 그렇게 말할 때였다. 흡혈령의 눈이 회까닥 뒤집어지더니 놀랍게도 영체는 기괴하게 짓이겨지지 않은, 생전의 일반적인 사람의 모습으로 변했다.

인도인인지 파키스탄인인지 모를 젊은 청년은 서현에게 빙긋 웃어 보이고 다시 일그러진 악귀가 되어 자신이 온 길을 되짚어 돌아간다. 아마도 서현에게 잠시 모습을 바로잡은 것은 자신을 죽인 이에게 복수를 할 기회를 만들어주었기 때문이리라.

"…성공했군. 저주 되돌리기."

서현이 한숨을 내쉬며 손을 뽑아 털었다. 저 흡혈령은 자신을 저주의 굴레에 떨어뜨린 셰이크 우르지 후세인에게 복수할 마음을 먹고 있겠지만 그건 아마 잘 안 될 것이다.

"그 술자는 이 주살을 계속 써왔을 테니 자신을 방어할 방법쯤은 알고 있겠지."

"아마도. 그래도 되돌리기를 하면 껄끄러워서 주살로 이쪽을 공격하는 건 자제하지 않을까?"

"저, 저는 어찌 되는 겁니까?"

서현이나 한세건의 앞에서는 당당하기까지 했던 오영찬이다. 그러나 지금의 오영찬은 사시나무 떨듯 팔다리를 떨고 있었다.

제대로 서 있지도 못하겠다.

실제로 그는 한세건이 그의 어깨를 툭 치자 바로 바닥에 주저 앉았다.

"으어어어억… 어, 어떻게 하지?"

"뭐, 한동안은 우리의 보호를 받아야지."

"그렇게 되었군."

한세건과 서현은 대수롭지 않다는 듯 오영찬에게 말했다. 그러나 오영찬은 치를 떨었다.

"저는 대, 대학생이란 말이에요. 내일은 학교를 가야 하는데……."

"기자라며?"

의아해하는 세건에게 서현이 대신 답해주었다.

"시민기자야."

"그래서, 당신은 목숨이 여러 개인가? 이런 상황에 학교를 챙기고?"

한세건이 빈정거렸다.

"하지만 학점을 못 받으면 계절학기를 수강해야 하고 더 많은 학비를 내야 하고 더 많은 수업, 그만큼 일할 시간도 없고 졸업할 때는 나이도 많이 먹어서 커리어도 엉망이 되어 취직하기도 힘들어집니다. 그럼 천천히 죽는 것밖에 안 돼요. 천천히 죽으나 빨리 죽으나 매한가지잖아요? 아, 물론 그 악령에게 죽으면 저도 악령이 된다니까 그건 싫은데… 천천히 말라죽는 것도 싫어요."

대한민국 젊은이의 삶은 너무나 팍팍해서 악령을 다루는 주술사에게 주살의 위협을 받으면서도 학교 출석을 걱정해야 할 판이다.

"……."

한세건과 서현도 그렇게까지 말하는 오영찬에게는 더 할 말이 없었다.

결국 한세건과 서현은 오영찬을 한동안 호위해 주기로 했다.

오영찬의 학교에까지 가서 봄날의 캠퍼스를 걷는다. 봄날의 캠퍼스라 하면 예로부터 낭만 가득한, 피어나는 청춘의 장으로 묘사하는 글귀들이 있었는데 지금의 대학은 그런 것 없다.

대학 졸업장만 있으면 어디든 취업할 수 있던 시절에야 청춘의 낭만을 찾지, 지금의 학생들은 불확실한 미래에 그나마 남들다 갖추는 대학 졸업장이란 이력서용 자격증을 채우기 위해 뭍에 끌려 나온 생선처럼 헐떡이며 바쁘게 뛰어다니고 있었다.

대학 재단이 자산을 불리기 위해 억지로 지은 으리으리한 건물들만이 캠퍼스 안에 유형의 자산으로 남아 있고 학생들은 그 사이를 스쳐 가는 바람과도 같았다.

잎새에 스치우는 바람에도 시인은 부끄러워했다는데, 이 학생들을 스치는 바람으로 만든 대학은 부끄러워하지 않았고, 그들이 커튼월 공법으로 만드는 거대한 마천루가 오늘도 대학 부지 안에서 올라가고 있었다.

그 안에서 이방인인 서현과 한세건이 걷는다.

"그냥 경찰서에 쳐들어가서 셰이크 우르지 후세인인지 사담 후세인인지의 멱을 따버리는 것은……."

"남이 듣는데 이상한 소리 하지 마."

한세건이 서현을 제지했다. 사실은 이상한 이야기라고 전혀 생각하지 않고 있지만 이러다가 만약 셰이크 우르지 후세인이 죽기라도 하면 오영찬이 나중에 무슨 소리를 할지 모르기 때문이었다.

'기자랑 개인적 친분이 있는 사람들은 종종 너무 쉽게 비밀을 기자에게 말해 버리지. 이 사람이 암묵적으로 비밀을 지킬 거라고 동의하고 있다고 생각하는 버릇이 있더란 말이야?'

한세건은 오영찬과 일부러 거리를 두고 있었다.

그러나 서현은 오영찬에게 물어보았다.

"그래서, 목숨의 위협에도 학교를 나오니 기분은 어떤가? 혹시 그 죽기 전에 사귀어보고 싶다던 여자가 학교에 있는 건가?"

"아, 그게……."

"맞군. 뭐 너무 부끄러워하지 말고 누구인지 알려줘 봐."

서현이 물어보자 오영찬이 뒷머리를 긁적였다.

"같은 과 후배인 여학생이에요."

"복학생이 후배 여학생을 노리는 건가. 이미 그 시점에서 무리수가 피타고라스 머리 빠질 만큼 나오는데?"

한세건이 빈정거렸다.

"너무 그러지 말고 이런 때 기분 좋게 도와주자고. 나는 간만에 이런 화목하고 생산적인 이야기를 하는 사람을 만나서 좋은데, 뭘. 너무 하드보일드한 삶은 요즘 메타에 안 맞아."

"메타는 무슨. 이 녀석을 도와주면 그 여자에게 재앙이 아닐까?"

"괜찮아. 그 여자도 틀림없이 죄를 지었을 거야. 이 세상에 의인은 없나니~ 하나도 없으며!"

오영찬은 한세건과 서현의 대화를 듣고 당황했다.

'그렇게 말하면 나와 사귀는 것 자체가 여자에게 재앙이라는 소리잖아? 뭐지, 이 인간들? 아니, 그래도 저 친구는 내게 비교적 호의적이긴 하다만. 그래도 영⋯⋯.'

그런 생각을 하고 있을 때였다. 여학생 몇 명이 눈치를 보면서 서현과 한세건에게 접근하는 게 아닌가?

"저, 실례지만 혹시 괜찮으시면 앙케이트를 해주실 수⋯⋯."

"거절한다."

"아, 아니, 그래도. 저희 뭐 이상한 종교 단체나 그런 게 아니라 앙케이트 수업이라서 그런 거예요."

"저희 여기 학생 맞아요."

여학생들은 학생증을 제시하면서 자신들이 수상한 앙케이트 상법이 아니라는 걸 강조했다. 여학생들 모두 상당한 미인이었지만 한세건이나 서현이나 심드렁한 태도였다.

"호, 혹시 경상대 수업 들으러 가세요? 저도 경상대 쪽으로 수업이 곧 있는데."

"저기⋯⋯."

여학생들이 왠지 적극적으로 서현과 한세건에게 말을 붙이려 하는데 그 모습을 본 오영찬은 기가 막혔다. 그가 캠퍼스를 돌아다닐 때는 꿔다 놓은 보릿자루 보듯 하던 여학생들의 시선이 다들 쏠리는 게 느껴졌다.

"사람이 이렇게 많은데 굳이 대학교에까지 호위하러 올 필요는 없었던 것 같은데."

"그러게."

서현과 한세건은 그렇게 말하면서 오영찬과 함께 강의실에 들어갔다.

"엑? 강의실에 같이 들어올 셈입니까?"

"호위라면 뭐 그 정도는 해야지."

서현과 한세건은 뭐 대수냐는 듯 물어보았다.

한세건은 강의 시간 동안 노트북으로 코딩 작업을 마저 하고 있었고 서현은 스마트폰으로 주식 현황을 살펴보고 있었다.

그러면서 곁눈질로 힐끔 오영찬을 보니 그의 시선이 한 여성에게 고정되는 게 보였다.

'흠, 꽤 미인이네. 같은 신문방송학과라고 했으니까 설마 아나운서 지망생인가?'

아나운서가 되기 위해서는 지성과 외모가 받쳐주어야 하기 때문에 미디어학부, 신문방송학과의 학생들 중 극히 일부만이 도전할 수 있다. 그런 면에서 저 여학생은 아나운서에 지망할 수 있는 몇 안 되는, 혜택받은 인물이라 할 것이다.

"어떻게 생각해?"

"오르지 못할 나무는 쳐다보지 않는 게 좋지."

한세건은 냉정하게 그렇게 말하며 남의 소스 코드를 베껴다 붙이고 있었다. 오영찬의 수준으로는 감히 넘볼 수 없는 상대라고 냉정하게 말하는 것이다.

"에이, 너무 그렇게 딱딱하게 굴지 말고."

"너는 여성이 많은 지역에서 살아서 그런지 모르겠는데 한국은 여자가 더 적어. 남아선호사상이 있던 시대에 여자애들을 강제로 낙태시켰거든."

"지금 시대에도 그런가? 요새는 오히려 딸을 선호하지 않나?"

"딸을 선호해서 아들을 낙태하진 않을 거 아냐? 그리고 윗세대의 남성들이 간혹 더 뛰어난 경제력을 바탕으로 어린 여자랑 결혼하는 것도 있고."

"결혼까지 이야기하는 건 너무 과한 것 같고, 역시 내가 너보다는 더 연애에 도움이 되는 조력자란 말이지."

"너의 뇌 속에서 말이지?"

"뭐 별로 실적도 없는 녀석이 근거 없는 자신감으로 가득 차 있는데?"

"실적은 너도 별로 없지 않냐?"

"그러면 좋아, 누가 더 뛰어난 조력자가 될 수 있는지 승부해 볼까?"

"우리가 저 남자 편을 들어주라고? 전력으로? 뭐 여자애 인생 조질 일 있냐? 저 여자애도 자기 삶을 누릴 권리가 있을 텐데?"

한세건은 심드렁하게 그렇게 말했다. 마치 오영찬과의 연애가 여자에게 있어서 천형(天刑)이라도 된다는 듯한 발언이다. 서현도 그걸 부인하진 않았다.

"둘을 맺어주라는 게 아니라 좀 더 나은 결과를 도출하면 된다, 이거지. 그게 둘을 이어주는 거든 아니면 침착하게 현실을 인식하고 포기하게 하는 거든 상관없잖아?"

서현이 그렇게 말하자 한세건도 혹하는지 흐음 하고 혀를 찼다. 저 여자와 오영찬을 굳이 이어주는 게 아니라 오영찬이 보다 성숙한 연애를 할 수 있도록 바꾸기만 하면 승리할 수 있다는 점에서 끌린다.

"뭐, 심심풀이는 되겠군."

"그렇지? 인격, 인간성, 사교성과 생활 상식 면에서 너와 나 중 누가 더 위인지 이걸로 정할 수도 있고."

"내가 설마 전범 놈보다 못할까?"

"후후. 결판이 나보면 알 텐데? 나도 세상 다른 사람들에겐 다 져도 너에게는 안 진다는 믿음이 있거든."

"근거 없는 자신감이 팽배해 있군. 엑스레이 찍어봐라. 뇌하수체 밑에 종양이 생겨서 스스로 마약이라도 만들고 있는 거 아닌지. 그렇지 않고서야……."

"근거야 충분히 있지."

한세건과 서현이 서로 신경전을 벌이기 시작했다.

이러니저러니 해도 둘 다 호승심이 강하고 왜인지 모르지만 '내가 저놈보다는 더 인간적이지' 라고 철석같이 믿고 있었다. 서로의 믿음이 상충하니 결판을 낼 필요가 있었는데 이런 식으로 승부를 내게 될 줄이야.

 • ☾ •

주살 마법사에게 목숨을 노려지게 된 오영찬은 억지로 출석을 했다. 하지만 마음이 심란하니 전혀 공부에 집중할 수 없었다. 그저 출석부에 도장 찍고 수업을 녹화해서 나중에 볼 수 있게 파일로 정리하는 것에 의미를 두었다.

한세건과 서현이 그를 호위하러 온 것이 그나마 마음의 위안이 된다. 만약 저들이 없었다면 오영찬은 방구석에 이불 둘러쓰고 덜덜 떨다 그냥 쇠약사했을 것이다.

한세건과 서현 둘 다 태연한 것도 마음에 들었다. 셰이크 우르지 후세인이 보낸 흡혈령을 저들은 대수롭지 않은 것처럼 대하고 있는데 얼마나 자신감이 넘치면 저럴까? 보통 사람이라면 그 끔찍한 악령을 보는 것만으로도 놀라서 시름시름 앓다 죽었을 텐데 저들의 태연함은 기이할 정도다. 이보다 더한 지옥이라도 경험했는지 이해가 안 갈 정도로 평안한 태도라서 오영찬을 안심시켰다.

"그럼 우선 왜 좋아하게 되었는지 이유를 들어보자."

서현은 오영찬에게 물어보았다.

"네?"

"여학생을 좋아하게 된 계기 말이야."

"뭐긴 뭐야. 예쁘니까 좋아하게 된 거지."

"……."

사실 틀린 말이 아니다.

"저 여학생 맞지? 이름이 뭐지? 음, 내가 물어볼까?"

"아니, 그러지 마세요."

오영찬이 보기에도 한세건과 서현은 그보다 인물이 훨씬 좋다. 사람이 참 치졸하지만 혹시 그들이 접근했다가 자신이 좋아하던 후배가 저들과 사귀기라도 하면 어떻게 되겠는가?

'요즘 말로 하는 NTR인가 그거지?'

그런 생각을 하며 오영찬은 자신의 조잡함에 스스로 실망했다.

'나 참 이렇게 저렴하고 조잡한 인간이었구나.'

오영찬은 그리 생각하면서 자신이 알고 있는 바를 설명하기 시작했다.

"그 애의 이름은 윤미래. 아나운서 지망이고 보시다시피 미인이라 사실 미디어학부의 남자는 물론이고 모두가 다 그녀를 노리고 있어요. 작년 메이퀸이었고요."

"포기하면 편해."

한세건이 대뜸 그렇게 말했다.

"우선 현실적인 이야기를 해보자. 돈이 많은가?"

"…아뇨. 하지만 돈으로 사랑을 이야기하는 건 너무 계산적이지 않아요?"

"어이가 없네."

서현이 그 말을 듣고 피식 웃었다. 한세건은 정색하면서 말했다.

"그런 소리는 네가 별로 예쁘지도 않고 하자가 많은 사람을 계산을 안 하고 품을 때 할 수 있는 이야기지. 상대보고 계산하지 말라고 하면서 하자 많은 자신을 비싸게 팔아치우려고 하니 문제인 거다."

"하자가 그렇게 많지는……."

오영찬은 그렇게 생각했지만 한세건과 서현은 코웃음 쳤다.

"그럼 네 장점은 뭔데?"

"저는 미래를 가장 아껴줄 수 있다고요."

"…아껴준다?"

"다른 남자는 뭐 안 그럴 것 같아? 대체 다른 남자와 달리 너를 선택해야 할 메리트가 뭔데?"

"애초에 너도 미녀라고 좋아했으면서 뭘 시작도 안 했는데 진정한 사랑을 찾아?"

서현과 한세건의 맹타에 모태솔로인 오영찬은 순식간에 너덜너덜해졌다.

"하지만, 저도 혼자서는 쓸쓸해요. 굳이 성적인 욕망이 아니더라도 누군가랑 그냥 날씨가 좋다느니 꽃이 예쁘다니 하면서 외로움을 느끼지 않고 살았으면 좋겠다구요."

"내가 최고의 솔루션을 가르쳐 주지."

한세건이 그리 말하고 뭔가를 꺼냈다. 주사기였다.

"이걸 맞고 암시를 걸면 이제 너에겐 환각의 여자 친구가 생길 거다. 저 윤미래라는 여자애보다 훨씬 미인이고 육욕도 풀수 있지. 평생 함께니까 외롭지도 않을 거야."

"…네? 잠깐, 그거는……."

"약물에 뇌세포가 망가져서 미치는 거잖아? 그러지 말자고. 우린 이 녀석 정보원으로 키우자고 하는 거야. 나름 괜찮은 아이디어지만 그건 집어치우고."

서현이 한세건을 말렸다. 그런데 저게 나름 괜찮은 아이디어라니? 오영찬을 정보원으로 쓸 생각이 아니었다면 정말 저 마약을 주사해서 오영찬을 미치게 만들 셈이었나?

"내 대안은 앞으로 한 30년만 더 기다리면 VR이 폭풍같이 발달해서 여자 친구가 없어도 외롭진 않을 거야."

"둘 다 그만하세요!"

오영찬이 짜증을 냈다.

"마치 나랑 사귀는 게 여자에게 재앙인 것처럼 말하는데 제가 그렇게까지 나쁜 놈인가요?"

"음… 너 같으면 다 같은 임금인데 이력서가 가장 엉망인 애를 뽑을 이유가 있겠냐? 여기저기 경력직, 수상자들이 바닥에서 천장까지 닿을 정도로 이력서가 꽉꽉 차오를 정도인데?"

한세건이 그렇게 물어본다.

"이거 참 많은 청년들이 뭘 잘못 먹었는지 '나쁘지 않으면' 만사 오케이라고 생각하는 경향이 있단 말이야. 나쁘지 않은 건 기본이고 강력하게 어필할 무기가 있어야지."

서현도 한세건의 뜻에 동조했다. 둘은 경쟁자인데 지금 이 순간은 둘의 의견이 일치하고 있었다.

"우선 넌 뇌가 연애물에 너무 많이 오염됐어. 연애라는 건 원래 현실에 드문 일이야. 알아?"

"네? 하지만 CC도 많이 있고 그런데."

오영찬은 한세건의 폭언에 반발했다.

"그러니까 연애라는 것도 일종의 스포츠 같은 거라 해본 놈만 점점 잘하게 되는 거라고. 애초에 스포츠를 안 하다 이제 갑자기 시작한 놈이 남들처럼 막 5분할하고 뭐 스쿼트, 데드리프트, 벤치프레스를 합쳐서 500씩 치고 하면 몸이 아작 날 뿐이야!"

"그런데 저런 여자애를 노리다니 초짜가 보호 장구 없이 암벽 등반 하는 꼴이지."

"내 말이!"

한세건과 서현이 서로의 주먹을 탁 치며 동의를 표했다. 항상 으르렁거리던 인간들이 오영찬을 힐난할 때는 죽이 착착 맞는다.

"하지만 마음이 가는 걸 어쩌란 말입니까?"

그러자 서현이 고개를 저었다.

"강간범도 마음이 가서 어쩔 수 없이 범죄를 저질렀다고 하면 되겠냐, 안 되겠냐? 마음이 간다고 다 해먹으려고 하면 지금 당장 백화점 돌진해서 다 약탈하지 그래?"

"…아니, 왜 또 비유를 그딴 식으로…….."

"전 지구에 인구가 73억이 넘는데 그 사람들 모두의 마음이나 욕구가 충족되고 있는 줄 알아? 마음이 가서 그게 다 이어질 거면 아예 뭐 유명 배우나 아이돌에게 마음 보내지 그랬냐? 패리스 힐튼 어때? 돈도 많겠다."

"지금 돕겠다는 거예요, 아니면 저 능욕하는 재미로 말하는 겁니까?"

"뭐 미소녀도 아닌데 당신을 능욕해서 무슨 재미가 있겠어. 그런데……."

"재미가 없지는 않네."

"…당신들 진짜."

오영찬은 어이없어서 서현과 한세건을 바라보았다. 물론 가장 어이없는 것은 친한 친구도 아니고 그렇다고 잘 아는 사이도 아닌 이들에게 연애 상담을 한 자신이었지만.

"그래서 구체적으로 어쩌라는 겁니까?"

"우선 연애의 본질에 대해서 생각해 보자 이거지. 지금이야 연애결혼이 일반적이지만 원래 한국은 중매결혼이 일반적이었어."

"그게 무슨 뜻인데요?"

"한국 전반적으로 연애라는 개념에 익숙하지 않다, 이거지 뭐."

서현이 한세건의 말을 대신 설명해 주자 한세건이 고개를 끄덕였다.

"어린 시절부터 당신이 대학 오느라 배운 게 국영수하고 사회탐구 정도지 남을 배려하고 남과 공감하고 감정의 교류를 하는 법을 배운 것은 아니잖아. 그렇지? 연애라는 것도 학습과 훈련이 필요한데 그런 거 하나 안 하고 바로 실전에 투입되어서 잘할 수 있겠냐?"

"저기, 저를 마법으로 도와줄 게 아니면 그냥 안 하면 안 돼요? 이미 저의 마음은 만신창이인데?"

"괜찮아. 네 마음이 만신창이가 아니라 여기서 죽더라도……."

"우리는 전혀 아프지 않으니까."

"그렇지!"

한세건과 서현이 오영찬을 사이에 두고 하이파이브를 한다.

"그만둬! 당신들 대체 뭐 하자는 거야?"

오영찬은 계속되는 능욕에 정신을 못 차렸다.

오영찬이 그만두라고 해도 이미 이것은 한세건과 서현의 자존심 싸움으로 번진 상황이다. 둘이 그만둘 이유는 전혀 없다.

오영찬은 그때마다 괴로워하지만 오영찬이 괴로워한다고 한세건이나 서현이 괴로워할 이유는 없으니까. 남의 팔이 날아가도 내 손톱 밑의 가시가 더 아픈 법. 한세건과 서현은 그런 면에서는 매우 냉정했다.

"그나저나 한세건, 네가 그런 생각을 가지고 있었다는 게 놀랍군. 연애도 안 해봤다면서 어째 견해가 중간까지 나랑 비슷한걸."

"…나도 네놈에겐 좀 놀랐다."

"으음."

한세건과 서현이 서로서로에게 엄지를 추켜세우며 서로의 실력을 인정한다.

물론 이는 오영찬을 능멸하는 행위다.

"자자, 당신들, 그만하고 얼른 셰이크 우르지 후세인이나 처리하고 제발 좀 꺼져주시지요."

"음? 무슨 소리를 하는 거야?"

"사내가 칼을 뽑으면 무라도 썰어야 하는 법. 뭐 그런 소리 자체가 성별에 의한 책무를 강요하는 언어지만… 내가 이런 말 하는 건 어떤 가시적인 성과가 나오기 전에는 그만두지 않을 거라 이거지."

"……."

오영찬은 도망치고 싶었다. 그러나 캠퍼스에도 해가 지고 있었다. 밤이 되고 있는 것이다.

"아, 저기 선배님?"

그때 놀랍게도 윤미래 양이 오영찬에게 다가왔다.

"안녕하세요. 친구분들이신가요?"

"아, 아니, 그게."

"저는 윤미래라고 해요. 오영찬 선배님의 후배랍니다. 선배님 군대 다녀오는 동안 학사가 겹치게 되어서 같이 수업을 듣고 있어요."

그녀는 꾸벅하고 서현과 한세건에게 인사를 했다.

"흠, 저는 그냥 아는 친구입니다."

"뭐 그렇게 격식 차릴 거 없어요, 아가씨."

서현과 한세건이 손을 휘휘 내저었다.

"행정법 스터디를 학생회관 204호실에서 하는데 선배님도 가입하지 않겠냐고 물어보라던데요. 김규영 선배가 물어보랬어요. 사람 수가 차야 대실이 가능하다고 해서요."

"으음. 너, 너는 아나운서 하겠다는 애가 왜 행정법 스터디에……."

"아, 뭐 아나운서는 안 될 확률이 높으니까요. 요새 공채 경쟁률이 얼마나 되는데요?"

대학의 메이퀸을 차지했을 정도의 미녀인 윤미래도 자신이 없는지 힘없는 미소를 지어 보였다.

"이따가 학생회관에 오셔서 하다못해 이름이라도 좀 빌려주세요. 스터디를 카페에서 하는 것도 커피값이 만만치 않게 들어서 말이죠."

아마 학생들이 모이지 않으면 학생회관의 공실을 빌리는 것도 불가능하니 오영찬의 이름이라도 빌려서 공실을 빌리고 싶은 모양이다.

한세건과 서현이 은근이 오영찬이 말할 수 있게 살짝 거리를 벌려주었지만 오영찬은 꿀 먹은 벙어리로 머뭇거리며 윤미래의 얼굴도 제대로 못 쳐다보았다.

"이건 틀렸군."

"틀렸다는 건 처음부터 알고 있었지만 너무 틀렸는데."

윤미래가 떠나자 서현과 한세건이 한 마디씩 했다.

"우씨, 뭐가 잘못됐는데? 저보고 어쩌라는 겁니까?"

"첫째로 여자에게 자연스럽게 대해봐."

"'자연스럽게' 라면 어떻게요?"

"의식하지 말라고."

"아니, 어떻게 의식을 안 합니까?"

"반대로 왜 의식하는데? 사람은 이만큼 가까운 거리 안에 누군가가 접근하면 자연스럽게 그 사람이 날 해치진 않을까 경계

할 수밖에 없어."

서현이 팔을 펼쳐서 몸 주위로 원을 그렸다.

"여기 근처로 접근한 사람이 움찔움찔 몸을 떨거나 시선을 똑바로 보지 못하거나 이상한 행동을 하면 이놈이 갑자기 미쳐서 날 칼로 찌르지 않을까 긴장해야 한다고. 특히 신체적으로 열악한 여자들은 더더욱 그런 데 민감하게 마련이지. 그런데 긴장을 잔뜩 하고 있는 게 확 티가 나잖아? 왜 그걸 자연스럽게 못 해?"

"하지만, 그럼 어찌해야 하는 겁니까? 전 여자에 익숙하지 않다고요."

"여자라고 생각하지 말고 인간이라고 생각해! 아 여자다~ 여자니까 특별하다~ 킁킁 냄새 좋다~ 뭐 이딴 생각 가지고 있으니까 정신을 못 차리는 거 아냐?"

"그런 거 아니거든요?"

"아니긴 뭐가 아니야? 아, 물론 어려운 문제라는 건 알겠어. 여자에게 잘 보이기 위해서 여자를 성별을 초월한 인간으로 대접하라는 건 어려운 말이지, '고래는 생각하지 마!' 라고 하면 고래를 생각하게 되는 것처럼 말이야."

"그, 그렇죠."

"그러나 그게 안 되는 시점에서 넌 아직 스타트 라인에도 못 선 거다. 게다가 네가 그렇게 어버버하는데도 저 여자애는 모르는 체하고 시치미 뚝 떼는 게 아주 레벨 차이가 확고한데? 네가 1레벨 뉴비면 상대는 만렙 올드비야."

"진지하게 물어보는데 빠른 중성화 수술을 하는 건 어때? 탈모 위기도 미연에 방지하고 수명도 늘어나는데?"

한세건은 숫제 중성화 수술을 권유했다.

"알겠어요! 미래는 포기하면 되잖아요!"

"상당히 중의적인 발언인데."

"반항하는 건가? 포기는 무슨 얼어 죽을. 잘도 포기하겠다."

서현이 코웃음 쳤다.

"대체 그럼 저보고 어쩌라는 겁니까?"

"우선 기본기부터 다지자고. 방금 그 여자애 태도로 보아하니 애는 널 밥으로 보고 있어."

"네? 밥이라니요? 어장 관리 말하는 겁니까?"

"꿈도 크다. 어장 관리는 일단 관리 대상이나 되어야 어장 관리인 거고……."

"남녀 관계를 떠나서 그냥 인간적으로 자기보다 한 수 아래로 보고 있다 이거지."

한세건이 서현의 말에 보충 설명을 해주었다.

"음……."

"선배긴 하지만 당신은 일단 저 여자애의 시선 안에서 인간적으로 그냥 아웃이야. 관심이 없어. 그럼에도 당신 앞에서 웃고 그러는 건 애가 사회생활의 예의를 잘 지키기 때문이지. 그러니까 중요한 건 한 대상을 손에 넣고 말고 문제가 아니라 우선 자신이 사랑할 가치가 있는 사람이 되어야 한다는 것 아니겠어?"

"그 사랑할 가치라는 걸 쌓으면 남들이 알아줘서 애인이 생기나요?"

"그 접근 방식부터 에러라니까. '여자가 생기기 위해서 이제부터 없던 자존감을 만들어야지~'라고 하면 그게 진정한 자존감인가? 여자와 사귀겠다는 목적이 앞에 서는 이상 오히려 인간적으로 쓰레기가 된다고. 불교적으로 말하면 해탈에 집착하지 않아야 해탈할 수 있는 거야."

"하지만 전 두렵다고요. 남중 남고 군대를 다녀와서 지금까지 여자랑 접점이 없었어요. 그런데 대학 시기 동안에도 놓치게 되면 나중에는 아예 여자랑 접점이 없을 텐데. 이러다 평생 다른 사람의 품이 어떤지 알지도 못하고 죽으면 어떻게······."

오영찬이 그렇게 말하자 갑자기 서현이 오영찬을 덥석 끌어안았다. 놀란 오영찬이 몸서리를 치자 서현이 손을 놓았다.

"이제 다른 사람의 품이 어떤지 모른 채로 죽지는 않겠지?"

"···아니, 그런 게 아니라."

'여자여야지 사내새끼 품 따윈 필요 없다~!'라고 말하기는 스스로도 좀스러워서 오영찬은 입을 다물었다.

물론 서현도 그걸 꿰뚫어 보고 한 짓이었다.

"스스로의 자기 연민에 빠지지 마. 그건 자존감과는 전혀 다른 것이니까. 스스로를 불쌍히 여기는 건 자기애가 아니라 변명일 뿐이다. 차라리 세상에 분노를 해. 왜 먹고살기가 이렇게 팍팍해서 어린 시절부터 죽어라 공부만 시켰는데, 그런다고 안정적인 미래 따위는 없고 서로서로 머리 기대고 함께 쉬어 가는 여유조차 가질 수 없냐고."

"······."

"말 잘하네."

한세건이 서현의 말에 박수를 쳤다.

"그럼 내가 이긴 걸로 인정? 여기서 끝낼까? 본인도 납득한 것 같고."

"절대 아니지. 그리고 이 친구도 납득 안 했을걸?"

"당신들 결국 저에겐 관심이 없죠? 그냥 둘이 내기 건 것 때문에 그러는 거지?"

"내기는 안 걸었지만 승부는 걸려 있지."

"당연하지! 우리가 너에게 지속적으로 관심을 가져주길 원해? 계속 이렇게 갈까? 영원히? 정말 그러고 싶냐?"

"사, 사양하겠습니다."

오영찬이 손을 휘휘 내저었다. 이런 인간들이 계속 달라붙어서 지속적으로 쓴소리만 해대면 위염 생길 것 같다.

쓴 게 몸에 좋다는 것도 옛말이지.

• ☾ •

오영찬과 한세건, 서현은 학생회관으로 향했다.

한때 이곳에는 낡은 학생회관이 있었지만 지금은 대학 재단의 부동산 재산을 늘리기 위해 으리으리한 학생회관이 새로 지어져 있었다. 그 밑에는 외부 업체가 입점해 만든 편의점과 식당들, 그리고 은행 출장소가 있으니 학교라기보다는 쇼핑센터 같아 보였다.

"그래서 제가 힘들다는 건 알겠는데 그럼 다른 놈들은 어째서 연애를 잘할까요?"

번잡한 학생회관에서 오영찬이 물어보았다.

"우선 첫째로 외모가 괜찮아서라고 할 수 있겠지. 남자의 외모에 대한 가치는 지수함수를 그리거든."

"네?"

"중위권까지는 고만고만하다가 정말 잘생긴 극소수 남자들의 가치는 확 올라간다는 뜻이야. 그런 놈들이 호스트 같은 거 해서 여자들에게 전 재산 싹 벗겨먹을 수 있는 거야. 여자들이 아이돌 남자 좋아하는 거 봤지? 여자들 눈에 아이돌 가수나 유명 배우 같은 사람들 아니면 다 고만고만해 보이거든. 그래서 그렇게 잘생긴 애들에겐 면역이 없어서 간이며 쓸개며 다 빼 주는 거고."

"아, 네."

"반면 여성의 외모에 대한 가치는 로그함수야. 물론 예쁜 여자 싫어하는 남자 없지만 남자는 기본적으로 여자면 대부분 좋아한다."

"뭔가 세간의 이야기와는 반대되는 이론이군요. 여자는 예쁜 게 최고라는데……."

"아, 당연히 외모지상주의 시대에 외모는 대단하지. 그러나 이 남자들을 자극하는 일정 미모를 넘어가는 이상 어차피 남자들은 다 좋아해. 걸 그룹이나 레이싱 걸, 여성 모델, 그런 사람들이 직접 보면 다 예쁜데 외모만으로 그렇게 큰 성공을 거둘 수 있을까? 남자의 경우 여성들을 외모만으로 자극하는 이가,

상위권이 극히 적어서 변별력이 있다면 여자들은 외모만으로 남자를 자극할 수 있는 상위권이 폭 넓게 분포되어 있어서 어느 정도 용모 선을 넘고 나면 변별력이 없는 거지."

"……."

"역으로 말해서 이 선 밑으로의 여성들에게 세상은 너무 가혹하고… 반대로 남자들은 어지간히 못생겨도 어차피 다 공평하게 이성에게 매력이 없기 때문에 괜찮아."

이런 걸 기대한 건 아니었지만 오영찬은 서현의 말에 빨려 들어갔다.

역시 시민기자를 자처하고 있는 몸이다 보니 서현의 말이 그럴싸하게 들린다.

"그럼 이렇게 힘든 세상에서도 연애를 잘하고 있는 놈들은 어떤 놈들인가? 일 번. 남자가 잘생겼다? 게임 끝이다."

"아. 네."

"이 번. 남자가 외모보다 정신이 매력적이다. 이게 아마 대다수겠지."

"네, 바로 그거예요. 그 매력이라는 걸 어떻게 쌓을 수 있는 건가요?"

"우선 중요한 것은 여자를 너무 의식하고 일희일비하지 않는 거야. 여자를 너무 의식하는 놈들은 그냥 거기서 끝이야!"

"아, 네……."

"그리고 또 중요한 게 있는데 오버하지 않는 것."

"네?"

"웃기려고 하면 아재개그가 되기 십상이고 유머와 위트를 갖추겠다고 평소 생각하지도 않는 거 억지로 대가리 굴려서 쥐어짜 봐야 어색해. 자연스러워야 해."

"아니, 자연스럽게 될 거 같으면 이 고생 안 하죠."

"역으로 말해서 여자 꼬시고 싶은 마음에 무리해서 개그 쳐대고 오버하는 인간을 누가 좋아하겠어? 같은 남자들도 싫은데. 안 그래?"

"……."

"그리고 제일 중요한 건데 평상시에 자기 관리 좀 하고 살아. 꾸미지 않고 자신의 내면을 그대로 알아봐 주길 원하는 놈들은 그럼 새로 산 휴대폰에 흠집이 나 있고 슈퍼에서 산 과자 봉투가 터져 있고 그러면 아 내면이 중요하지 하며 무시하고 지나가나? 자신을 막 굴리면서 남이 내 숨겨진 내면의 가치를 알아봐 주기를 바라는 놈치고 정말 내면의 숨겨진 가치를 끄집어냈을 때 쓸 만한 놈이 없어. 대관절 내면의 가치가 뭔데? 뭐 유별나게 남이랑 다르기라도 해?"

"그래도 전 나쁜 짓을 하며 살진 않았어요. 남을 도울 기회가 없어서 그렇지 도울 기회가 있다면 도왔을 거라고요!"

"그런 소리는 누구나 하지. 요는 실천이잖아?"

"그런 걸 실천할 수 있는 기회가 없잖아요?"

"그런 점에서는 남들도 마찬가지라 이거지. 이 세상 사람들은 다들 어느 정도는 비열하고 어느 정도는 다 착해. 스스로 뭔가 내면에서 남과 차별화되었다고, 나는 특별하다고 생각하는 것 자체가 망상이야. 아니, 뭐 뮤지컬 배우쯤 되면 외모 따윈 씹어 먹는 탤런트로 내면의 아름다움을 발산할 수 있겠지만 그런 남들보다 차별화된 뛰어난 능력이 있다면 바로 빛을 발하게 마련이야. 그리고 요새 뮤지컬 배우들도 다 잘생긴 거 알지?"

"네……."

"뭣보다 애초에 연애라는 거 자체가 힘든 거야. 사람이 남에게 혐오스러운 존재가 안 된다는 게 쉬운 일인 줄 알아? 그것만으로도 어려운데 그보다 더 가까운 영역을 공유하면서 지낸다는 게 쉬운 일이 아니지. 그러니까 겸허하고 공손하게 배우고 연습한다는 개념으로 접근해야지 '남은 잘하는데 왜 난 잘 못 하지?'라고 생각하는 것부터 오만한 일이야. 내가 축구를 생전 처음 해보는데 왜 옆집 애는 축구를 잘할까? 왜냐면 걔는 유소년 클럽부터 기본기를 닦아가면서 주야장천 축구를 해왔거든. 그런 차이는 아랑곳하지 않고 언젠가 당연히 하게 되는 게 연애라고 생각한다면 당신의 연애 대상에게도 죄를 짓는 거잖아?"

"…그럼 그 겸허하고 공손하게 배운다는 자세로 어떻게 시작의 물꼬를 트라고요?"

"우선 사람을… 응?"

서현이 그렇게 말할 때였다.

그의 예민한 코에 기이한 냄새가 느껴지기 시작했다. 마치 시체가 썩는 듯한 악취가 학생회관 건물 현관으로부터 외부 공기와 함께 확 번져 나갔다.

"이런."

"재주가 많군."

한세건도 그 낌새를 눈치채고 혀를 찼다. 셰이크 우르지 후세인은 흡혈령이라는 술자에게도 부담이 되는 주술을 사용하고 있었기에, 다른 재주가 없을 거라고 여기고 있었다. 다른 기술이 있다면 굳이 흡혈령이라는 위험한 기술을 쓰면서 주살 사업을 해나가지 않았을 테니까. 하지만 그게 아니었다.

잠시 후 학생회관 건물 입구로 녹이 올라 있는 스타렉스 차량한 대가 폭주하며 돌진했다.

와장창!

강화유리로 된 현관문이 박살 나며 차량이 그대로 돌진한다.

차량 안에는 셰이크 우르지 후세인의 부하로 보이는 벵골인들이 못해도 예닐곱 명은 타고 있었는데 다들 커다란 철판을 용접해 만든 청룡도 같은 무기로 무장한 상태였다.

찢어질 듯한 비명이 터져 나온다. 학생회관 건물 안에는 은행과 우체국이 있어서 청원경찰이 한 명 있었지만 저 외국인들 사이에는 활을 든 이가 있었다.

핑!

활시위가 울면서 묵직한 나사와 베어링이 발사되어 청원경찰을 가격했다. 청원경찰의 머리에 베어링이 명중하면서 피가 튀고 청원경찰이 바닥에 주저앉았다.

퍽!

그런 청원경찰을 향해 한 벵골인이 달려가 사커킥을 날려 그를 완전히 때려눕혔다.

"사, 사람 살려!"

"으와악!"

모두들 눈앞에서 벌어지는 폭거에 깜짝 놀랐다.

아무리 취업용 학원같이 변했다 해도 지성의 전당인 대학교 한복판에서 이렇게 폭력적인 강력 범죄가 벌어질 줄이야 누가 상상이나 했겠는가?

"이런 젠장."

한세건과 서현은 눈치를 살폈다. 저기에 뛰어들어 저들을 제압하는 건 어렵지 않은 일이지만 건물 안에 CCTV가 많다.

사람들 앞에서 일을 크게 벌이고 싶지 않은데 상대가 먼저 쳐들어오니 문제다. 게다가 문제는 그것만이 아니었다.

"으억……."

오영찬이 휘청거리더니 입을 벌리고 위액을 토했다.

"웨엑!"

"이런!"

"젠장. 너 머리카락 같은 거 뺏겼냐?"

한세건과 서현은 오영찬이 저주를 받은 상태라는 걸 알아채고 혀를 찼다. 머리카락처럼 한 개인의 영적 패턴을 특정화할 수 있는 징표를 빼앗기면 원격에서 별다른 조작 없이도 쉽게 저주를 걸 수 있었다.

"애초에 저주 방어는 좀 해줬어야 하는 거 아닌가?"

한세건이 자신보다 더 마법에 뛰어난 서현에게 물어보았다.

"상대가 주살 마법사니까 설마 고전적인 머리카락 저주를 걸

줄은 몰랐지.”

“괴롭히는 데 맛들어서 신경 끈 건 아니고?”

“아니거든? 그리고 그런 건 왜 내 책임이냐? 너가 하지 그랬냐? 아니면 뭐야? 마법은 내가 더 잘 쓰니까 나랑 함께 있으면 내 판단에 맡기고 손 놓는 거야? 이게 무슨 항공사고 났을 때 주조종사 말만 믿다 항공사고 내는 한국 국적기 비행사들도 아니고!”

“아니, 이놈 자식이 지금 책임 소재 따질 때냐?”

“먼저 따져놓고 왜 이래?!”

서현과 한세건이 서로서로에게 책임을 전가하며 티격태격 다투었다.

그때 스타렉스 차량에서 한 인물이 내려섰다.

“그르르… 저기다.”

셰이크 우르지 후세인 본인이었다. 그는 흡혈령이 되돌아오는 걸 확인한 순간 이 상대와는 사생결단을 내야 한다는 것을 깨닫고 그간 키워온 모든 역량을 총동원해 오영찬을 죽이기 위해 온 것이었다.

“저 녀석… 빙의 상태로군.”

왜 셰이크 우르지 후세인이 눈을 뒤집고 덤벼들었는지 알겠다. 서현이 저주 되돌리기를 시전했는데 셰이크 우르지 후세인은 그 흡혈령을 몸으로 받아버려 빙의 상태가 되어버린 것이다.

물론 마법사이니만큼 악령에게 신체 제어를 빼앗긴 게 아니라 어디까지나 자신의 의지로 악령을 스스로의 몸 안에 봉인한 게 되었다.

그렇지만 흡혈령이라는 사령을 몸에 담아두고 있으면 아무리 마법사라 해도 괜찮을 리가 없다. 아마도 셰이크 우르지 후세인은 경찰 조사를 받던 도중 저주가 돌아와 급한 김에 자신의 몸을 이용해 악령을 봉인했을 것이고, 그 악령이 자신을 해치기 전에 처음 저주의 대상인 오영찬을 죽여 주살 의식을 완수하려 하는 것이리라.

저주 대상을 죽이지 못하면 자신이 죽게 될 판이니 눈이 돌아가서 앞뒤 가리지 않고 총공격을 감행한 것이리라.

"그럼 이 친구를 데리고 피할까? 그런데 토하는 친구를 이동시키기가 좀 그런데."

"망할, 토사물 좀 묻으면 어때. 자 날라라, 라이칸스로프."

"그런데 왜 내가?"

"……."

한세건과 서현은 다시 가위바위보를 시작했다. 방관자 효과, 혹은 제노비스 신드롬이라고 해야 하나? 남이 할 수 있기에 가급적 자신이 나서고 싶지 않은 것이다.

그런데 이 두 놈은 이번에도 서로서로 생각하는 게 비슷한지 계속 비기기만 한다.

오영찬은 계속 속에 있는 것을 게워내면서 한세건과 서현의 행동에 질려 버렸다.

'뭐 하는 짓이냐, 이 머저리들아! 하고 외치고 싶은데 아이고, 죽겠다.'

그때 철판을 용접해 만든 청룡도로 무장한 이들이 달려왔다.

서현이 그들을 돌아보며 말했다.

"내가 상대할 테니 한세건! 너는 이 친구를 데리고 피신해. CCTV가 없는 곳에서 처단한다!"

필요하다면 셰이크 우르지 후세인을 살해해야 할지도 모르니 CCTV나 목격자가 많은 곳은 피해야 한다.

그러나 서현이 그렇게 지시를 내리는 것을 무시하고 한세건은 자신에게 뛰어드는 벵골인의 청룡도에 맞섰다.

"내가 싸울 테니 네가 옮겨라. 가위바위보에서 이번엔 내가 이겼잖아!"

"거참 말 더럽게 안 듣네!"

서현과 한세건은 칼을 휘두르는 외국인들의 공격을 받아내고 그들을 후려쳐 간단히 제압했다. 마치 다 큰 어른이 플라스틱 장난감 칼을 휘두르는 어린애 손목을 비틀어 제압하는 듯 손쉽게 제압하는 모습이 놀랍다.

"내가 왜 네 말을 들어야 하지?"

"내 말이 합리적이고 올바르니까."

"농담이겠지? 지금 건 좀 웃겼다."

한세건은 전혀 웃음기 없이 그렇게 말했다. 셰이크 우르지 후세인은 그런 한세건과 서현의 모습을 보고 눈살을 찌푸렸다. 지금 흡혈령에 빙의된 그는 보통 인간을 초월하는 능력을 가지고 있지만 그럼에도 이 둘은 뭔가 이상하다.

철판 청룡도로 무장한 부하들을 어린애 다루듯 제압하는 그 모습을 보니 이들과 정면충돌하는 건 현명한 짓이 아닌 듯하다.

그런데 왜 이들은 묘하게 수동적인 걸까?

주위를 둘러보던 셰이크 우르지 후세인은 곧 답을 찾아내었다. 은행 출장소 입구에 붙어 있는 CCTV를 피해서, 카메라의 음영 지대에서만 움직이려고 하는 그들이 보였기 때문이었다.

"뭔지는 잘 모르겠지만 지금이 기회다."

셰이크 우르지 후세인은 한세건과 서현이 말다툼을 벌이는 사이 무방비한 상태의 오영찬에게 다가갔다. 놀란 오영찬이 몸을 돌려 도망치려 했지만 그때 그의 뒤쪽에 놀라서 주저앉아 있는 여학생이 한 명 보였다.

불행하게도 그녀는 차가 돌입할 때 튄 파편에 맞아서 피를 흘리고 있는 게 아닌가? 입구에서 상당히 멀리 떨어져 있는데도 차가 돌입하면서 날린 파편이 그녀를 때려눕힌 것이었다.

"도, 도와주세요. 흑… 으으윽……."

여학생은 일어나기 위해 안간힘을 쓰고 있지만 균형을 잡지 못하고 있었다. 머리에 금속 파편이 명중했는데 피가 정말 콸콸 쏟아져 나온다. 머리 부분은 조금만 다쳐도 피가 콸콸 쏟아지는 부위인데 제대로 지혈하지 못하면 과다 출혈로 죽을 수도 있었다.

"윽……."

오영찬은 구토와 현기증을 느끼면서도 무의식중에 그 여자를 부축했다. 마침 옆에 메고 있던 가방으로 여자의 이마를 눌러 출혈을 지혈하고 그녀의 손으로 가방을 붙잡게 했다. 영화 같으면 근사하게 옷을 벗어서 건네주었겠지만 지금 오영찬도 자기 몸 가누기가 힘든 상태였다.

그런데 그때였다.

오영찬이 여학생을 지혈하는 동안 셰이크 우르지 후세인이 그의 등 뒤에서 어깨를 붙잡았다.

으직!

단지 붙잡힌 것만으로 어깨 상부와 승모근이 끊어지는 중상을 입었다.

"끄아아악!"

오영찬의 비명 소리가 울려 퍼진다.

"이놈… 네놈 때문에 내가!"

셰이크 우르지 후세인은 입을 벌린다. 흡혈령이 빙의해 날카로운 이빨들이 그의 입안에 돋아나 있었다. 그는 오영찬을 물어 죽이기 위해 그 입으로 오영찬의 목을 물어뜯으려 했다.

투쾅!

하지만 셰이크 우르지 후세인의 입에 처박힌 것은 새빨간 소화기였다.

"아, 젠장. 잠깐 우리끼리 다투는 사이에 이런 사달이 났잖아."

서현이 투덜거리며 걸어왔다. 이미 셰이크 우르지 후세인의 부하들은 다 서현과 한세건의 손에 의해 정리된 상태였다. 마지막 남은 셰이크 우르지 후세인의 경우는 죽여야 할지도 모르기 때문에 가급적 조용히 처리하려 했었는데 그렇다고 오영찬을 죽이게 내버려 둘 수도 없었다.

"너무 세게 던진 거 아냐? CCTV 많은데."

한세건은 그 점을 지적했다. 묵직한 소화기를 저렇게 쉽게 던질 수 있는 인간은 그리 많지 않을 것이다. 보통 사람이라면 그 일격으로 죽었을 테니 만약 이번 공격으로 셰이크 우르지 후세인이 일어나지 못하면 서현이 살인범이 될 판이다.

"알 게 뭐야. 사람부터 구해야지. 게다가 설마 이걸로 죽지는 않았겠지? 응?"

서현이 그렇게 말할 때 셰이크 우르지 후세인이 일어났다. 서현이 투척한 소화기를 얼굴에 맞아 피투성이가 된 상태로도 일어난 그가 부러진 이빨로 뭐라뭐라 중얼거리기 시작했다.

"젠장. 세상 좋아졌네. 이런 허접한 술사가 내 앞에서 까부는데 손을 못 대고 구경해야 한다니."

서현은 대놓고 저주 마법을 쓰려 하는 셰이크 우르지 후세인을 보며 손을 움켜쥐었다. 그러나 막상 손을 쓰기엔 CCTV가 있어서 문제다. 잘못해서 건드렸다가 저놈이 죽기라도 하면 살인죄를 뒤집어쓸 텐데……. 옛날 같으면 테트라 아낙스를 믿고 마음껏 일을 벌였으리라.

그러나 테트라 아낙스가 자취를 감춘 지금은 쉽게 손을 댈 수 없다.

"그르르르……."

한세건과 서현이 손도 못 대고 바라보고 있는 사이… 셰이크 우르지 후세인이 천천히 앞으로 쓰러졌다.

"…어라?"

셰이크 우르지 후세인을 쓰러뜨린 것은 그의 저주인 흡혈령 그 자체였다. 결국 필요할 때 흡혈을 못 한 흡혈령은 셰이크 우르지 후세인의 몸에서 피를 빼앗고 사라졌다. 셰이크 우르지 후세인은 결국 스스로의 저주로 몸을 망친 것이다.

주살을 생업으로 하는 저주술사의 최후에 걸맞은 모습이었다.

문제는 그 최후 직전에 누군가가 소화기를 들어 머리통을 맞혔다는 거지.

"망했네?"

서현은 그 모습을 보고 혀를 찼다.

"콩밥을 먹게 생겼군. 안됐네."

서현의 옆에서 한세건이 그렇게 말했다.

"뭘 남의 이야기처럼 말하고 있어? 너도 공범이잖아?"

"…그렇게 되나?"

CCTV에서는 서현과 한세건이 청룡도를 휘두르는 이들을 제압하는 광경이 찍혔으리라. 그런데 이제 와서 서현만 과잉 방어나 과실치사로 잡혀 들어가진 않겠지.

"뭐, 나야 주변 놈들만 처리했으니 내가 검사라면 너만 구속하겠다만."

"젠장. 새로운 세계에 적응하기가 참 힘들군."

과연 저 멀리서 사이렌 소리가 들리기 시작했다.

병실에 누워 있는 오영찬을 찾아온 훤칠한 체구의 청년이 연신 고개를 숙였다.

"선배님, 소영이를 구해줘서 정말 감사합니다."

결론부터 말해서 학생회관에서 오영찬이 구한 여학생과 사이가 좋아졌다든가 그런 일은 없었다.

오영찬이 구한 여학생은 이미 누군가와 커플이었고 그 남자친구라는 놈은 염장을 지르자는 건지 뭔지 대학생 주제에 스포츠카를 타고 나타나서 오영찬에게 백화점 상품권을 답례라고 주고 사라졌다. 오영찬은 어이가 없어서 그 모습을 바라보다 너털웃음을 지었다.

"뭐야, 이건."

"…왜, 이 기회에 뭔가 연애의 물꼬가 터지길 바랐나?"

한세건과 서현은 다행스럽게도 정당방위가 인정되었다. 처음에는 엄중한 조사를 받았지만 CCTV에 세이크 우르지 후세인 일파의 범죄행위가 너무 적나라하게 찍힌 데다가 그들이 자신들을 밀착 취재 하던 시민기자인 오영찬을 해치기 위해 왔다는 사실이 여론을 좋게 했다.

외국인 폭력 조직을 밀착 취재 하던 시민기자를 해치기 위해 학교에 난입한 이들을 상대하다 발생한 불상사로 보고 검찰이 기소를 포기한 것이었다.

덕분에 무사하긴 했지만 앞으로도 계속 이런 폭력 사태에 휘말릴 경우 누군가가 서현과 한세건의 정체를 의심하게 될지도 모른다.

테트라 아낙스가 없는 세계에서 조심해야 하는 것은 뱀파이어들만이 아닌 것이다.

"왜 도망치다 말고 뜬금없이 여자애를 구했냐? 그대로 도망쳤으면, CCTV 사각까지만 도망갔어도 부상 없이 끝났을 텐데."

서현은 그 점을 물어보았다.

"그, 글쎄요. 당신들이 하도 나는 누군가를 사랑하기도, 사랑받기에도 부적합한 하자덩어리라고 비난하니까 배알이 꼴려서라고 할까?"

오영찬은 그리 말하다 피식 웃었다.

"그런 게 아니더라도 그냥 다친 사람을 내버려 둘 수가 없었어요. 뭐, 당신들에게 자극받아서 내가 생각하는 만큼 그리 좋은 남자가 못 된다는 걸 깨닫긴 했지만 그게 아니더라도 사실 그놈들은 나 때문에 쳐들어온 건데 내가 그 여자애를 버리고 갈 수는 없잖아요? 그 여자애가 다친 건 결국 내 책임이기도 하니까."

오영찬은 그렇게 말하며 고개를 저으려다 얼굴을 찌푸렸다. 목의 근육이 끊어져서 봉합 수술을 했으니 한동안 몸이 제대로 안 움직이는 것은 물론 오랜 세월 재활을 해야 할 것이다. 아직 젊은 나이라 해도 승모근 파열은 그리 쉽게 낫는 부상이 아니다.

"그 부상은 꽤 오래 갈 거다. 안 좋은 위치가 파열되었네."

"알아요. 하지만 덕분에 내 기사가 많은 사람에게 읽히고 있어요. 웃긴 일이죠. 이런 걸로 유명인이 되다니."

"그렇게 유명하진 않아."

한세건이 손을 내저었다.

"무수한 정보가 쏟아지는 이 세상에서 잠깐의 해프닝일 뿐이지."

"저도 그건 알거든요? 그래도 이전보다는 좀 더 클릭수가 많이 늘었잖아요. 봐요, 10배 이상 유입이 늘었는데."

"그래서. 만족스러운가?"

"…뭐, 여자 친구 갖고 싶다고 징징댈 마음이 사라진 건 분명하네요. 당신들이 정말 누군지는 모르겠지만 그 점에선 일단 감사드리죠."

"뭐, 별말씀을."

서현과 한세건이 어깨를 으쓱해 보였다.

"그래서 누구 조언이 괜찮았나?"

"내 쪽이 나았지?"

"뭔 소리야. 나지."

한세건과 서현은 주야장천 오영찬을 갈구기만 한 주제에 자신들의 조언이 주요했다고 확실하게 믿고 있는 모양이었다.

"당신들 둘 다 나를 괴롭히기만 했잖아. 젠장."

오영찬이 평가를 거부하자 한세건과 서현이 서로를 바라보며 어깨를 으쓱해 보였다.

"아무래도 이 친구는 초기 스타트가 너무 안 좋았어."

"그렇지? 연애를 시작할 마음가짐부터 안 되어 있었으니까."

"그러니 처음 출발선에 세워둔 시점에서 정산하려면 누가 더 공이 뛰어난지 알 수 없는 거지."

"나중에 좀 더 괜찮은 녀석으로 그때는 확실히 맺어주면서 기여도 평가로 승부를 낼 수밖에 없겠군."

"그래, 테러범. 그때가 되면 내가 그래도 너보다는 상식인이라는 걸 알게 될 거다."

"그 반대지, 전쟁범죄자 놈아. 이번에 잘못하면 과실치사로 콩밥 처먹을 뻔한 주제에 무슨 상식을 논해? 너 때문에 한동안 홍콩에 가서 애나 보게 생겼다."

"홍콩?"

"실베스테르는 여전히 상당한 부자잖아. 한동안 홍콩에서 쉬면서 나보고 한 애를 좀 훈련시키라던데."

"상식인이자 좋은 스승, 멘토인 날 놔두고 왜 너에게?"

"당연히 내가 더 사회성이 뛰어나기 때문이지."

"실베스테르도 정상은 아냐. 그치?"

한세건과 서현은 여전히 티격태격 다투며 자신이 상대보다 더 상식인이고 사회성이 뛰어나다는 것을 믿어 의심치 않았다.

그들의 남의 연애에 간섭하기 경쟁은 어쩌면 계속될지도 모르겠다.

•• 작가의 말

　요새야 그런 걸 요구하는 경우가 없지만 간혹 작가에게 직접 작품이 내포하는 의미나 작품으로 추구한 방향을 물어보는 사람들이 있는데……

　사실 작가는 작품을 통제하지 못합니다. 작가가 쓰지만 매 순간순간의 작품이란 결국 운명이 점지하는 것이라서 그 결과물은 작가가 아무리 기획하고 통제한다 해도 제멋대로 나오게 마련이지요.

　게다가 설령 통제되어 나온 작품이라 해도 그것을 받아들이고 씹고 뜯고 맛보고 즐기는 것은 온전히 독자의 몫이지 작가는 할 수가 없습니다.

　아무리 에X게리온에 제작자의 의도보다 더 과한 해석이 달라붙었다 해도 해석을 하고 느끼고 즐기는 그 순간은 온전히 독자의 것이지 제작자의 것이 아닙니다.

　누군가는 잎새에 스치는 바람에도 인생을 생각할 텐데, 잎새가 '난 그러지 않았다'라고 말하는 것도 오만이 아니겠습니까?

그래서 글쓰기라는 건 참으로 즐겁고 재미있고 보람찬 일입니다. 이게 내가 원하는 대로만 나오지 않기 때문에, 때로는 제가 글을 쓰면서 스스로에 대해서 고찰하고 가만히 있었다면 절대 도달하지 못했을 어떤 사유의 찰나에 들어서게도 되고…….

이 즐거움을 누리면서도 일용할 양식을 얻게 해주는 독자분들에게 다시금 감사드립니다.